LE PACTE CASSANDRE

ROBERT LUDLUM et PHILIP SHELBY

Le Pacte Cassandre

ROMAN TRADUIT DE L'AMÉRICAIN PAR PAUL THOREAU

GRASSET

Titre original :

THE CASSANDRA COMPACT

San Martin's press, 2001.

CHAPITRE UN

Au craquement du gravier sous les pneus, le concierge s'étira. La lumière s'était presque effacée du ciel. Il venait de se préparer un café et n'avait aucune envie de se lever. Mais la curiosité eut raison de lui. À Alexandria, les visiteurs s'aventuraient rarement dans le cimetière d'Ivy Hill. Cette ville historique, sur le fleuve Potomac, avait de quoi offrir aux vivants toute une palette d'attractions franchement plus pittoresques et plus gaies. Quant aux gens du cru, il était rare qu'ils sortent en semaine, surtout en fin d'après-midi, sous cette pluie d'avril qui balayait le ciel.

En pointant un œil par la fenêtre de sa maison de gardien, le concierge vit un homme sortir d'une berline d'aspect très ordinaire. *Un fonctionnaire du gouvernement ?* Selon lui, son visiteur devait avoir la petite quarantaine. Grand, très bien bâti, habillé pour la pluie, l'homme portait une parka imperméable, un pantalon noir et des bottes de chantier.

Le concierge observa sa manière de s'écarter de la voiture, de regarder autour de lui, d'étudier les lieux méthodiquement. *Pas un fonctionnaire du gouvernement, ça... un militaire.* Puis il ouvrit la porte et sortit sous l'auvent, d'où il observa le visiteur qui se tenait

7

là, debout, scrutant le cimetière à travers le portail, oublieux de la pluie qui emmêlait ses cheveux sombres.

C'est peut-être la première fois qu'il revient par ici, songea le concierge. La première fois, les visiteurs se montraient toujours hésitants, répugnant à pénétrer dans cet endroit associé à la douleur, au chagrin, à la perte. Il posa le regard sur la main droite de l'homme et n'y aperçut pas d'alliance. *Un veuf ?* Il tenta de se remémorer si une jeune femme avait été enterrée là, récemment.

— Bonjour.

La voix le fit sursauter. Pour un individu d'une telle carrure, elle était fluette et empreinte de douceur, comme si l'homme l'avait salué en recourant à un truc de ventriloque.

— Bonjour. Si vous avez prévu une visite, j'ai un parapluie que je peux vous prêter.

— Ce n'est pas de refus, merci, fit l'homme, mais sans pour autant esquisser le moindre geste.

Le concierge plongea la main derrière un recoin, dans un porte-parapluies bricolé à partir d'un vieil arrosoir. Il attrapa le pommeau et s'avança vers l'homme, en notant le visage vertical et géométrique, et les yeux de son visiteur, d'un bleu marine saisissant.

— Mon nom est Barnes. Je suis le concierge. Si vous me dites à qui vous êtes venu rendre visite, je pourrais vous éviter d'avoir à tourner dans tous les sens par ce temps de chien.

— Sophia Russell.

— Russell, dites-vous ? Ça ne me rappelle rien. Laissez-moi jeter un œil. J'en ai pour une minute.

— Ne vous embêtez pas. Je trouverai mon chemin.

8

— Faut quand même que je vous fasse signer le registre des visiteurs.

L'homme ouvrit le parapluie.

— Jon Smith. Docteur Jon Smith. Je sais où la trouver. Merci.

Le concierge crut déceler une faiblesse fugitive dans le timbre de voix de l'homme. Il leva le bras, il était sur le point de le rappeler, mais l'autre s'éloignait déjà, à longues et souples enjambées de soldat, jusqu'à ce qu'il disparaisse derrière ces rideaux de pluie grise.

Le concierge resta les yeux fixés sur lui. Vu de dos, l'homme dégageait une impression de froideur acérée, qui le fit frissonner. Une fois de retour dans sa maison de gardien, il enregistra soigneusement le nom de l'homme et l'heure de son arrivée. Puis, mû par une impulsion, il consulta la fin du registre, où étaient consignés par ordre alphabétique les noms des personnes inhumées.

Russell... Sophia Russell. La voilà : Rangée 17, lot 12. Mise en terre... voici exactement un an !

Parmi les trois parents de la défunte signataires du registre, figurait le nom de Jon Smith, docteur en médecine.

Mais alors, pourquoi vous ne lui avez pas apporté de fleurs ?

*

Smith suivait l'allée qui cheminait dans Ivy Hill. Il remerciait la pluie. Elle drapait tout, comme un linceul, enveloppant des souvenirs qui n'avaient encore rien perdu de leur puissance, de leur tranchant, de leur pouvoir de brûler, des souvenirs omniprésents, compagnons envahissants de cette dernière année, et qui venaient lui chuchoter la nuit, se moquer de ses larmes, le forcer à revivre ce terrible moment, sans répit.

Il revoit la chambre froide et blanche de l'hôpital de l'Institut de Recherche Médicale de l'Armée des États-Unis sur les Maladies Infectieuses, à Frederick, dans le Maryland. Il veille sur Sophia, son amour, sa future épouse, qui se tord de douleur sous la tente à oxygène, qui lutte pour respirer. Il reste là, debout, à quelques centimètres d'elle, totalement désarmé. Ses vociférations contre l'équipe médicale ne reçoivent pour seule réponse qu'un écho moqueur répercuté par les murs. Personne ne sait de quoi elle souffre. Ils sont tous impuissants, tous, tout le monde.

Subitement, elle pousse un hurlement — un cri qui retentit encore dans les cauchemars de Smith, et il prie pour ne plus jamais l'entendre. La colonne vertébrale bandée comme un arc, cambrée selon un angle inhumain, elle est en nage, elle ruisselle de sueur, comme si elle cherchait à débarrasser son corps de toute cette toxine. Elle a le visage luisant de fièvre. L'espace d'un instant, elle se fige dans cette posture. Puis elle s'évanouit. Du sang lui coule du nez, de la gorge. Et ce râle mortel qui monte des profondeurs, suivi d'un léger soupir, lorsque son âme, enfin libre, s'échappe de l'enceinte corporelle qui la torturait...

Smith fut parcouru d'un frisson et regarda vivement autour de lui. Il avait cessé de marcher, et ne s'en était pas aperçu. La pluie continuait de tambouriner sur le parapluie, mais lui, il avait l'impression d'avancer au ralenti. Au point qu'il lui semblait percevoir distinctement le bruit de chacune des gouttes s'écrasant sur la toile de nylon.

Il ne savait ni combien de temps il était resté là, livré à lui-même, abandonné telle une statue oubliée, ni ce qui, en fin de compte, l'avait poussé à se remettre en mouvement. Il ignorait comment il s'était engagé dans l'allée conduisant à la tombe de Sophia, et comment il s'était retrouvé devant.

SOPHIA RUSSELL
DÉSORMAIS DANS LA PAIX DU SEIGNEUR

Smith se pencha en avant et, du bout des doigts, il effleura la surface lisse de la pierre tombale de granit rose et blanc. «Je sais, j'aurais dû venir plus souvent, chuchota-t-il. Mais je ne pouvais m'y résoudre. Si je venais ici, je croyais devoir admettre que j'avais perdu ton amour pour toujours. J'en étais incapable… jusqu'à maintenant. "L'Opération Hadès". C'est ainsi qu'ils l'avaient baptisée, Sophia, toute cette horreur qui t'a enlevée à moi. Tu n'as jamais vu les visages des responsables, Dieu t'a épargné cela. Mais je veux que tu saches, ils ont payé pour leurs crimes. J'ai goûté à la vengeance, ma chérie, et j'ai cru que cela m'apporterait la paix. Mais non. Pendant des mois, je me suis demandé par quel moyen je pourrais acquérir cette sérénité. Et, en fin de compte, la même réponse me revenait, toujours identique. »

De la poche de sa veste, Smith sortit un petit écrin de bijoutier. Il ouvrit le couvercle, regarda fixement le diamant de six carats, taille marquise, sur une monture de platine, qu'il avait choisi chez Van Cleef & Arpels, à Londres. C'était la bague de mariage qu'il avait eu l'intention de glisser au doigt de la femme qui aurait dû devenir son épouse.

Smith s'agenouilla et enfonça la bague dans la terre meuble, au pied de la pierre tombale. «Je t'aime, Sophia. Je t'aimerai toujours. Ton cœur est encore la lumière de ma vie. Mais il est temps pour moi d'aller de l'avant. Je ne sais pas où aller, j'ignore comment je vais y arriver. Mais je dois aller de l'avant, il le faut.»

Smith porta le bout de ses doigts à ses lèvres, puis il toucha la pierre froide. «Que Dieu te bénisse et veille sur toi, pour toujours.»

Il ramassa le parapluie et recula un peu, sans détacher son regard de la pierre tombale, comme s'il imprimait cette image dans son esprit pour l'éternité. Puis il entendit derrière lui un léger bruit de pas et se retourna d'un coup.

La femme tenait un parapluie noir, elle avait la trentaine, grande, la chevelure rousse, chatoyante, coupée en dégradé. Une nuée de taches de rousseur tavelait le nez et les pommettes saillantes. Les yeux, verts comme les eaux d'une barrière de récifs, s'agrandirent à la vue de Smith.

— Jon ? Jon Smith ?

— Megan… ?

Megan Olson vint promptement à lui, le prit par le bras et le serra.

— C'est vraiment toi ? Mon Dieu, ça fait…

— Longtemps.

Megan regarda derrière lui, la tombe de Sophia.

— Je suis franchement désolée, Jon. Je ne pensais pas trouver quelqu'un d'autre ici. Je ne voulais pas m'immiscer.

— Ça va. J'ai fait ce que j'étais venu faire.

— J'imagine que nous sommes tous deux ici pour la même raison, ajouta-t-elle d'une voix feutrée.

Elle attira Jon Smith à l'abri d'un chêne gigantesque et le dévisagea avec intensité. Les rides et les plis de ce visage s'étaient creusés, davantage que dans son souvenir, et puis il s'en était ajouté toute une myriade. Elle n'imaginait que trop bien l'année qu'il avait dû endurer. «Jon, je suis désolée de cette disparition, poursuivit-elle. J'aurais aimé pouvoir t'avertir plus tôt.» Elle hésita.

— J'aurais aimé être là quand tu avais grand besoin d'une présence.

— J'ai essayé de t'appeler, mais tu étais loin, lui répliqua-t-il. Le boulot…

Megan hocha tristement la tête.

— J'étais loin, fit-elle vaguement.

Sophia Russell et Megan Olson avaient toutes deux grandi à Santa Barbara, elles étaient allées à l'école ensemble, puis à UCLA, l'université de Los Angeles. Après la faculté, leurs parcours avaient divergé. Une fois achevé son doctorat en biologie cellulaire et moléculaire, Sophia avait intégré l'USAMRIID. Aussitôt décrochée sa maîtrise de biochimie, Megan, elle, avait accepté un poste à l'Institut National de la Santé Publique. Mais au bout de seulement trois années dans cette fonction, elle avait opté pour le département de recherche médicale de l'Organisation Mondiale de la Santé. Sophia avait alors reçu des cartes postales en provenance du monde entier, qu'elle avait collées dans un album, manière de suivre à la trace son amie globe-trotteuse. Et voilà qu'à présent, sans crier gare, Megan était de retour.

— La NASA, annonça-t-elle, en réponse à la question que Smith n'avait pas formulée. Je me suis lassée de la vie de bohème, j'ai déposé ma candidature au centre de formation des vols à bord de la navette spatiale, et j'ai été reçue. Maintenant, je suis première astronaute remplaçante sur la prochaine mission.

Smith ne put dissimuler son étonnement.

— Il est vrai que Sophia m'avait toujours répété qu'avec toi, elle ne savait jamais à quoi s'attendre. Félicitations.

Megan sourit d'un air las.

— Merci. J'imagine qu'aucun de nous ne sait vraiment ce qui l'attend. Tu es encore dans l'armée, au sein de l'USAMRIID ?

— Je suis en détachement, un peu en roue libre, répondit Smith. Ce n'était pas tout à fait la vérité, mais pas loin. Il changea de sujet.

— Tu restes à Washington pour un petit moment ? Ça pourrait nous donner l'occasion de rattraper le temps perdu.

Megan secoua la tête.

— J'en serais ravie. Mais il faut que je regagne Houston dès ce soir. Enfin, en tout cas, je ne veux plus perdre contact avec toi, Jon. Tu habites encore à Thurmont ?

— Non, j'ai vendu. Trop de souvenirs.

Au dos d'une carte de visite, il griffonna son adresse à Bethesda, ainsi qu'un numéro de téléphone.

En lui tendant cette carte, il ajouta :

— Ne disparais pas totalement.

— Non, lui assura Megan. Fais attention à toi, Jon.

— Et toi aussi. Ça m'a fait du bien de te revoir, Megan. Bonne chance pour ta mission.

Elle le regarda quitter l'auvent, s'éloigner à découvert et se fondre dans la bruine. *« Je suis en détachement, un peu en roue libre… »*

14

Megan n'avait jamais songé à Smith comme à un homme privé de but, désorienté. Elle s'interrogeait encore sur la réponse sibylline qu'il lui avait faite lorsqu'elle s'était approchée de la tombe de Sophia, la pluie tambourinant sur son parapluie.

CHAPITRE DEUX

Le Pentagone emploie plus de vingt-trois mille personnes — militaires et civils —, qu'il loge dans un seul édifice couvrant presque un million et demi de mètres carrés. Toute personne recherchant la sécurité, l'anonymat, les systèmes de communication les plus sophistiqués du monde avec, en prime, un accès aux centres de pouvoir implantés à Washington, ne pouvait souhaiter de lieu plus parfait.

La Division des Domaines occupe une minuscule partie des bureaux du bloc E du Pentagone. Comme son nom l'indique, les Domaines supervisent l'allocation, la gestion et la sécurité des bâtiments et des terrains réservés à l'usage militaire, tout, depuis les entrepôts de Saint-Louis jusqu'aux vastes étendues désertiques du Nevada allouées aux essais en vol de l'armée de l'air. Étant donné le caractère résolument peu prestigieux de leur tâche, les hommes et les femmes de cette division exercent un métier à caractère plus civil que militaire. Ils arrivent à 9 heures du matin, accomplissent consciencieusement leur journée de travail, et repartent à 5 heures. Les événements du monde, qui peuvent maintenir leurs collègues à leur poste plusieurs journées d'affilée, n'ont sur eux aucun impact. Ce qu'ils apprécieraient plutôt, pour la plupart.

Nathaniel Fredrick Klein aimait assez cet aspect du métier, lui aussi — mais pour des raisons tout à fait différentes. Le bureau de Klein se trouvait tout au bout d'un couloir, coincé entre deux portes marquées respectivement LOCAL ÉLECTRIQUE et MAINTENANCE. À ceci près que les locaux situés derrière ces deux portes ne correspondaient en rien aux écriteaux, et que leurs serrures auraient résisté à toute tentative d'ouverture, même au moyen de la clé magnétique la plus sophistiquée. Les lieux faisaient partie des quartiers secrets de Nathaniel Fredrick Klein.

Sur la porte de Klein, aucune plaque à son nom n'était apposée, uniquement un code d'immatriculation interne au Pentagone : 2E377. Si on les avait interrogés, les quelques collègues qui avaient réellement l'occasion de l'apercevoir l'auraient décrit comme un homme au début de la soixantaine, de taille moyenne, sans rien de très avenant et de très remarquable, en dehors de son nez plutôt long et de ses lunettes cerclées d'acier. Ils se seraient peut-être souvenus de ses costumes stricts, un peu fripés, de sa manière de sourire brièvement quand on le croisait dans le couloir. À l'occasion, il leur était arrivé d'apprendre que Klein se faisait convoquer devant les états-majors interarmes ou devant une commission du Congrès américain. Mais c'était en rapport avec son statut et son ancienneté. Éventuellement, ils auraient même pu savoir qu'il était investi de la responsabilité de contrôler le parc immobilier que le Pentagone louait, ou dans lequel il détenait des intérêts, un peu partout dans le monde. En soi, cela justifierait que le personnage soit si peu visible. En fait, il était quelquefois difficile de dire qui était, ou de quoi s'occupait réellement Nathaniel Klein.

À 8 heures ce soir-là, Klein se trouvait encore à son bureau, dans cette pièce modeste identique à toutes les autres de cette aile. Il y avait ajouté quelques notes personnelles : des gravures encadrées, représentant le monde tel que l'imaginaient les cartographes du XVIe siècle, un globe terrestre à l'ancienne, monté sur son piédestal, et une grande photographie encadrée de la Terre, prise depuis la navette spatiale.

Même si très peu de gens en avaient conscience, les affinités de Klein pour ces objets à caractère planétaire étaient en relation directe avec la mission dont il était réellement investi : être les yeux et les oreilles du Président. Depuis ce bureau insignifiant, Klein dirigeait une organisation à la trame lâche, connue sous le nom de Réseau Bouclier[1]. Imaginée par le Président après la tragédie monstrueuse de l'Opération Hadès, le Réseau avait été conçu pour tenir lieu de système d'alarme précoce et d'organe de riposte secrète du chef de l'exécutif.

Étant donné que le Réseau Bouclier opérait en dehors de la bureaucratie habituelle du renseignement militaire, et très à l'abri de la surveillance du Congrès, il ne possédait aucune organisation formelle, aucun quartier général. Au lieu d'agents assermentés, Klein recrutait des hommes et des femmes qu'il appelait ses « électrons libres » — des individualités, des experts reconnus dans leur domaine et qui pourtant, fruit des

_____
1. Le « Commando de l'ombre » devient désormais le Réseau Bouclier.

circonstances ou de leur tempérament, s'étaient retrouvés en marge de la société. Presque tous — même si cette caractéristique de leur pedigree ne se retrouvait pas chez la totalité d'entre eux —, ils possédaient une formation militaire, s'étaient vu décerner de nombreuses citations et distinctions, mais, comme ils s'étaient rebiffés au sein de leur structure de commandement d'origine, ils avaient choisi de quitter leurs postes respectifs. D'autres venaient du monde civil : d'anciens spécialistes de l'investigation — soit au niveau des États, soit au sein de l'administration fédérale —, des linguistes parlant couramment une dizaine de langues, des médecins qui, ayant voyagé dans le monde entier, étaient rompus aux conditions de vie les plus rudes. Les meilleurs, comme le colonel Jon Smith, se situaient à cheval sur les deux mondes.

Tous, ils possédaient aussi une caractéristique dont l'absence, en revanche, avait suffi à disqualifier plus d'un candidat pressenti par Klein : leur vie n'appartenait qu'à eux. Ils avaient peu ou pas de famille, de rares entraves, et une réputation professionnelle qui aurait résisté à l'examen le plus approfondi. C'était là des atouts inestimables, pour un individu que l'on envoyait braver le danger à des milliers de kilomètres de son domicile.

Klein referma la chemise sur le rapport qu'il était en train de lire, retira ses lunettes et massa ses yeux fatigués. Il n'attendait qu'une chose, rentrer chez lui, être accueilli par son épagneul, Buck, et s'offrir un doigt de whisky, suivi par le dîner que son employée de maison lui avait laissé dans le four. Il était sur le point de se lever quand la porte de communication avec la pièce attenante s'ouvrit.

— Nathaniel ?

La personne qui venait de prononcer son nom était une femme soignée, de quelques années sa cadette, avec de grands yeux d'oiseau et des cheveux blonds grisonnants coiffés en chignon. Elle portait un tailleur bleu plutôt strict, rehaussé d'un collier de perles et d'un bracelet en or filigrané.

— Je vous croyais rentrée chez vous, Maggie.

Maggie Templeton, l'assistante de Klein durant ses dix années de service au sein de l'Agence pour la Sécurité Nationale, haussa en accent circonflexe ses sourcils soigneusement épilés.

— La dernière fois que j'ai quitté le bureau avant vous, quand était-ce ? Enfin, j'ai été bien inspirée de m'en abstenir. Vous feriez mieux de jeter un œil là-dessus.

Klein suivit Maggie dans la pièce voisine, en réalité un vaste terminal informatique. Trois écrans alignés côte à côte étaient escortés de toute une foule de serveurs et d'unités de stockage, le tout piloté par le logiciel le plus perfectionné qui se puisse trouver au sein de toute l'administration américaine. Klein se redressa sur son siège et admira la dextérité et l'efficacité professionnelle avec lesquelles Maggie maniait le clavier. C'était comme de suivre la performance d'un pianiste de concert.

En dehors du président des États-Unis, Maggie Templeton était la seule personne au courant de l'ensemble des rouages du Réseau Bouclier. Sachant qu'il aurait besoin d'un bras droit fiable et qualifié, Klein avait insisté pour qu'elle y soit enrôlée d'entrée de jeu. Outre le fait qu'elle avait travaillé pour lui à la NSA, elle possédait plus de vingt années d'expérience en qualité d'administrateur senior à la CIA. Mais le plus important pour lui, c'était qu'elle faisait partie de la famille. La sœur de Maggie, Judith, l'épouse de Klein, avait été emportée par un cancer, des années plus tôt. Maggie avait elle aussi vécu sa part de tragédie : son mari, agent secret de la CIA, n'était jamais revenu d'une mission à l'étranger. Le destin l'avait voulu ainsi : Klein était la seule famille de Maggie, et réciproquement.

Une fois qu'elle eut terminé de frapper sur les touches, elle tapota l'écran d'un ongle élégamment manucuré.

VECTEUR SIX.

Ces deux mots palpitaient au centre du moniteur comme le feu clignotant d'un croisement désert au beau milieu d'une bourgade de campagne. Klein sentit les poils de ses avant-bras se dresser contre les manches de sa chemise. Vecteur Six, il savait exactement de qui il s'agissait : son visage, il le voyait aussi distinctement que si l'homme s'était tenu à côté de lui. Vecteur Six : si jamais ce nom de code venait à apparaître, Klein devait l'interpréter comme un signal d'alarme.

— Dois-je télécharger le message ? lui demanda calmement Maggie.

— S'il vous plaît…

Elle tapa une série de caractères et le message crypté de lettres, de symboles et de chiffres s'afficha sur l'écran. Ensuite, elle répéta le processus en frappant d'autres touches, afin d'activer le logiciel de décryptage. Quelques secondes plus tard, la dépêche apparut en clair :

Dîner — prix fixe — 8 euros.
Spécialités : Fruits de mer.
Spécialités du bar : le Bellini
Fermé entre 14 h et 16 h

Même si, par un moyen quelconque, une tierce personne réussissait à décoder le message, ce menu d'un restaurant français anonyme demeurerait à la fois inoffensif et trompeur. Klein avait instauré ce code très simple la dernière fois qu'il avait rencontré Vecteur Six en tête à tête. Sa signification n'avait rien à voir avec la cuisine du doux pays de France. C'était l'appel du dernier recours, pour une évacuation immédiate.

Klein n'hésita pas.

— S'il vous plaît, répondez comme suit : « Réservations pour deux. »

Les doigts de Maggie survolèrent les touches, transmettant la réponse selon une procédure sécurisée. Cette formule laconique fut relayée par deux satellites militaires avant d'être réexpédiée sur Terre. Klein ne savait pas où se trouvait Vecteur Six à cet instant, mais tant qu'il aurait accès à l'ordinateur portable qu'il lui avait remis, son correspondant pourrait télécharger et décrypter la réponse.

Venez me parler directement !

Klein vérifia l'heure imprimée sur le message : il n'était vieux que de deux minutes à peine.

Une réponse s'afficha à l'écran : *Réservations confirmées*.

L'écran vira au noir et Klein lâcha un soupir. Vecteur Six n'allait pas rester en ligne plus longtemps que nécessaire. Le contact avait été établi, un itinéraire proposé, accepté et vérifié. Vecteur Six ne réutiliserait plus ce canal de communications.

Tandis que Maggie coupait la ligne, Klein s'assit dans le seul autre fauteuil de la pièce, en se demandant quelles circonstances sortant de l'ordinaire avaient pu pousser Vecteur Six à le contacter.

À l'inverse de la CIA et des autres agences de renseignement, le Réseau n'entretenait aucun réseau d'agents étrangers. Néanmoins, Klein possédait une poignée de contacts à l'extérieur des États-Unis. Il avait cultivé certains de ces contacts du temps où il œuvrait au sein de la NSA, et d'autres étaient le résultat de rencontres fortuites qui s'étaient étoffées, au point de créer une relation fondée à la fois sur la confiance et l'intérêt personnel réciproque.

C'était un groupe composite : un médecin en Égypte (qui comptait parmi ses patients l'essentiel de l'élite dirigeante du pays), le chef d'une entreprise informatique de New Delhi (qui fournissait ses talents et son équipement à son gouvernement), un banquier en Malaisie (expert pour véhiculer, dissimuler et dénicher des fonds « offshore » n'importe où dans le monde). Aucun de ces individus ne se connaissait. Ils n'avaient rien en commun — excepté leur amitié avec Klein et l'ordinateur portable que ce dernier avait confié à chacun d'eux. Ils admettaient que leur chef se fasse passer pour un bureaucrate de rang moyen, mais ils savaient qu'en secret il était beaucoup plus que cela. Et ils acceptaient de lui tenir lieu d'yeux et d'oreilles, pas seulement en raison de leur amitié et de leur foi dans ce qu'il représentait, mais parce qu'ils lui faisaient confiance : dans le cas où, pour une raison ou une autre, le pays d'origine de tel ou tel serait subitement devenu un endroit dangereux, il leur viendrait en aide.

Vecteur Six faisait partie de cette petite poignée d'hommes.

— Nate?

Klein lança un regard à Maggie.

— Qui prend en charge l'appel de Vecteur Six? demanda-t-elle.

Bonne question...

Quand il voyageait à l'étranger, Klein se servait toujours de sa carte d'identité du Pentagone. S'il devait rencontrer un contact, il veillait à ce que cela se passe dans un endroit public, en lieu sûr. Les réceptions officielles à l'ambassade américaine demeuraient l'endroit de choix. Mais Vecteur Six était aux antipodes d'une ambassade. Il était en fuite.

— Smith, fit Klein. Mettez-moi en relation, je vous prie, Maggie.

*

Smith rêvait de Sophia quand la sonnerie insistante du téléphone le dérangea. Il avait le regard posé sur leurs silhouettes à tous les deux, assises au bord d'une rivière, à l'ombre d'immenses structures triangulaires. Au loin, on apercevait une grande ville. L'air était chaud, gorgé d'essence de rose et du parfum de Sophia. *Le Caire...* Ils étaient devant les pyramides de Gizeh, aux abords du Caire.

La ligne sécurisée...

Smith se redressa promptement sur le canapé où il s'était endormi tout habillé, après son retour du cimetière. Derrière les vitres zébrées de pluie, le vent ulu-

24

lait en charriant de lourds nuages dans le ciel. Ancien spécialiste de médecine interne de combat et chirurgien de campagne, Smith avait développé le don de se réveiller en état d'alerte. Cette faculté lui avait bien rendu service, à l'époque de l'USAMRIID, quand souvent il lui fallait arracher quelques bribes de sommeil entre de longues heures d'un travail exténuant. À la minute présente, cela lui rendait service.

Smith vérifia l'heure affichée dans l'angle inférieur droit de l'écran : presque 9 heures. Il avait dormi deux heures. Émotionnellement vidé, la tête encore remplie d'images de Sophia, il avait roulé jusque chez lui, avalé un peu de soupe, puis il s'était allongé sur le canapé et avait écouté la pluie tourbillonner au-dessus de sa tête. Il n'avait pas eu l'intention de s'endormir, mais ne regrettait pas d'y être arrivé. Un seul homme pouvait l'appeler sur cette ligne. Quel que soit le message dont il était porteur, l'appel de cet homme pouvait signifier le commencement d'une journée aux heures interminables.

— Bonsoir, monsieur Klein.

— Bonsoir à vous, Jon. J'espère que je ne perturbe pas votre dîner.

— Non, monsieur. J'avais déjà fini.

— En ce cas, d'ici combien de temps pouvez-vous être à Andrews Air Force Base ?

Smith respira à fond. En règle générale, Klein adoptait une attitude calme et professionnelle. Smith l'avait rarement vu sec ou abrupt.

Ce qui veut dire qu'il y a un souci — et qui nous arrive dessus en quatrième vitesse.

— Dans à peu près trois quarts d'heure, monsieur.

— Bien. Et, au fait, Jon ? Prévoyez un bagage pour quelques jours.

Smith fixa du regard le téléphone qu'il tenait dans sa main, communication déjà terminée.

— Oui, monsieur.

L'entraînement de Smith était tellement incrusté en lui qu'il enchaîna les gestes sans presque en avoir conscience. Trois minutes pour se doucher et se raser, deux minutes pour s'habiller, deux de plus pour une fois encore passer en revue le contenu de son sac, maintenu toujours prêt dans la penderie, et y ajouter deux ou trois affaires. En sortant, il enclencha le système de sécurité de la maison. Une fois sa berline sortie dans l'allée, il arma celui du garage en se servant de la télécommande.

La pluie rallongea le temps de trajet habituel vers la base d'Andrews Air Force. Smith évita l'entrée principale et s'engagea par le portail réservé aux approvisionnements. Un garde couvert d'une espèce de capote examina sa carte d'identité plastifiée, confronta le nom à ceux de la liste des personnels autorisés, et lui fit signe de passer.

Smith s'était envolé d'Andrews suffisamment souvent pour savoir se repérer. Il n'eut aucun mal à trouver le hangar abritant la flotte des jets réservés aux cadres administratifs, les appareils affectés en règle générale au transport des huiles. Il se gara sur une aire réservée, à l'écart des voies de roulage et d'accès aux pistes, attrapa sa sacoche dans le coffre à bagages et traversa l'immense hangar en faisant gicler quelques éclaboussures sous ses pas.

— Bonsoir, Jon, lui lança Klein. Nuit pourrie. Et ça ne va sûrement pas s'améliorer.

Smith posa son sac.

— Oui, monsieur. Mais ça ne concerne que la marine.

Cette fois-ci, ce bon mot antédiluvien ne soutira pas la moindre ébauche de sourire à Klein.

— Je suis désolé de vous avoir sorti de chez vous par une nuit pareille. Il est en train de se passer quelque chose. Venez.

Tout en suivant Klein en direction de la machine à café, Smith regarda autour de lui. Il y avait là quatre Gulfstream parqués dans le hangar, mais aucun personnel de maintenance. Smith en déduisit que Klein avait ordonné qu'ils s'absentent, afin d'assurer la confidentialité de l'entretien.

— On est en train de vous ravitailler un oiseau, avec réservoirs supplémentaires, expliqua-t-il, en jetant un coup d'œil à sa montre. Ça devrait être prêt d'ici dix minutes.

Il tendit à Smith un gobelet en plastique rempli d'un café noir et fumant, puis il le considéra d'un œil attentif.

— Jon, il s'agit d'une exfiltration. C'est ce qui motive l'urgence.

Et que l'on ait besoin d'un électron libre.

Étant donné sa formation militaire, Smith avait l'habitude de ce terme « exfiltration », dans le sens où l'employait Klein. Autrement dit, il s'agissait de sortir quelqu'un ou quelque chose d'un endroit ou d'une situation, aussi vite et aussi discrètement que possible — et, en général, cela n'allait pas sans quelques contraintes, notamment celle d'un timing très serré.

Mais Smith savait aussi qu'il existait des spécia-

27

listes — militaires et civils — capables de ce genre de travail.

Quand il souleva cette objection, Klein lui répliqua :

— Dans ce cas précis, certaines considérations entrent en ligne de compte. Je n'ai aucune envie de voir d'autres agences de renseignement s'en mêler... en tout cas pas pour le moment. Et puis, je connais l'individu en question... et vous aussi.

Smith reprit la balle au bond.

— Je vous demande pardon, monsieur ?

— L'homme que vous allez rencontrer, et que vous allez sortir de là, s'appelle Youri Danko.

— Danko...

Mentalement, Smith se représenta le Russe, un vrai ours, de quelques années son aîné, au doux visage lunaire criblé d'acné infantile. Youri Danko, fils d'un mineur de charbon du Dobnetz, né infirme d'une jambe, avait finalement accédé au grade de colonel de l'armée russe, au sein de la Division du Renseignement Médical.

Smith ne put surmonter sa surprise. Il savait qu'avant de signer le protocole de sécurité par lequel il avait intégré le Réseau, Klein avait examiné toute sa vie au microscope. En d'autres termes, ce dernier était informé de ce que Smith connaissait Danko. Mais jamais, lors de toutes leurs réunions, Klein n'avait glissé la moindre allusion au fait qu'il était lui-même en relation avec le Russe.

— Danko fait-il partie du... ?

— Réseau ? Non. Et il ne faudra pas lui indiquer que vous, oui. Tout ce qui regarde Danko, c'est que je lui envoie un visage ami afin de le faire sortir de là-bas. C'est tout.

Smith en doutait. Chez Klein, la réalité n'était jamais aussi claire qu'elle en avait l'air. Mais il était sûr d'une chose : jamais son chef ne mettrait un agent en danger en omettant de lui communiquer tout ce qu'il avait besoin de savoir.

— La dernière fois que Danko et moi nous sommes rencontrés, reprit Klein, nous avons établi un code simple, à n'utiliser qu'en cas de scénario d'urgence. Ce code était un menu de restaurant. Le prix, 8 euros, indique la date, le 8 avril, dans deux jours. Un, si l'on travaille à l'heure européenne. La spécialité, ce sont les fruits de mer, qui indiquent la voie par laquelle Danko arrivera : la mer. Le Bellini est un cocktail qui fut inventé au Harry's Bar, à Venise. Les horaires de fermeture du restaurant, entre 2 et 4 heures de l'après-midi, signalent l'heure à laquelle le contact est censé se trouver au lieu du rendez-vous.

Klein s'interrompit.

— … C'est un code simple, mais très efficace. Même si le cryptage était compromis et le message intercepté, il serait impossible de percer la signification de ce menu.

— Mais si Danko n'est pas attendu avant au moins vingt-quatre heures, pourquoi déclencher le signal d'alarme ? s'enquit Smith.

— Parce que Danko a été le premier à le déclencher, lui répondit-il, manifestement soucieux. Il se peut qu'il arrive à Venise en avance sur l'horaire, ou qu'il prenne du retard. Dans la première hypothèse, je n'ai pas envie qu'il se balade dans la nature.

Smith hocha la tête en buvant son café à petites gorgées.

— Compris. Maintenant, pour la question à

soixante-quatre mille dollars : qu'est-ce qui oblige Danko à détaler comme un lièvre ?

— Il est le seul à pouvoir nous informer de ses motifs. Et croyez-moi, j'ai fort envie de les connaître. Danko jouit d'une position unique. Il ne l'aurait jamais compromise…

Smith haussa le sourcil.

— À moins que ?

— À moins qu'il ne soit sur le point de se trouver lui-même compromis.

Klein posa son café.

— … Je ne peux pas l'affirmer, Jon, mais je pense que Danko est porteur d'une information. Si c'est le cas, cela signifie qu'il juge impératif de me la communiquer.

Klein jeta un coup d'œil par-dessus l'épaule de Smith, vers un caporal-chef de la police de l'armée de l'air qui pénétrait dans le hangar.

— L'appareil est paré au décollage, monsieur, annonça vivement le caporal-chef.

Klein prit Smith par le coude et ils se dirigèrent vers les portes du hangar.

— Filez à Venise, lui dit-il à voix basse. Allez chercher Danko et trouvez ce qu'il détient. Trouvez-le vite.

— Bien. Monsieur, à Venise, je vais avoir besoin d'une chose.

Lorsqu'ils sortirent, Smith n'eut pas besoin de baisser la voix. Le tambourinement de la pluie noya ses paroles. Seul le hochement de tête de Klein trahissait le fait que Smith lui parlait.

CHAPITRE TROIS

Pour toute l'Europe catholique, la semaine de Pâques est une période de pèlerinages et de rassemblements. Les bureaux et les écoles ferment leurs portes, les trains et les hôtels sont bondés, et les citoyens des principales villes-étapes de ces festivités du Vieux Monde se préparent à recevoir l'assaut en règle de leurs visiteurs venus d'ailleurs.

En Italie, Venise demeure l'une des destinations les plus courues pour ceux qui recherchent l'alliance du sacré et du profane. La Sérénissime offre une marqueterie précieuse d'églises et de cathédrales, suffisamment nombreuses pour contenter le pèlerin le plus dévot. Pourtant, c'est aussi un terrain de jeux et de divertissements vieux d'un millier d'années, dont les ruelles étroites et les passages pavés abritent des commerces capables d'assouvir toute la palette des appétits terrestres.

À 13 h 45 précisément, ainsi qu'il l'avait fait les deux jours précédents, Smith se frayait un chemin entre les rangées de tables disposées devant le Café Florian, place Saint-Marc. Il choisissait toujours la même, près d'une petite estrade où était installé un piano à queue. Le pianiste allait arriver d'ici quelques minutes et, à la demie de chaque heure, très ponctuellement, Mozart et Bach feraient chanter leurs notes, qui couvriraient les bavardages et les bruits de pas des centaines de touristes qui peuplaient la place.

Le serveur qui, depuis ces deux derniers jours, avait attendu l'arrivée de Smith, se précipita vers son client. Les Américains — étant donné son accent en italien, on ne pouvait s'y tromper — étaient de bons clients : en clair, ils ne distinguaient pas le bon service du mauvais et, dans tous les cas, laissaient de généreux pourboires. À en juger par son élégant costume gris anthracite et ses souliers faits main, Smith passait à ses yeux pour un cadre aisé qui, ayant conclu ses transactions, s'offrait quelques jours de tourisme aux frais de sa société.

Avec un sourire au serveur, Smith commanda son menu habituel, un café avec un sandwich au jambon cru, puis il ouvrit l'édition du jour du *International Herald Tribune* à la page Affaires.

Son en-cas de fin d'après-midi arriva à l'instant même où le pianiste faisait sonner les accords d'ouverture d'un concerto de Bach. Smith lâcha deux cubes de glace dans son café et prit le temps de remuer. Tout en ouvrant son journal, il balaya du regard l'espace qui s'ouvrait entre sa table et le Palais des Doges.

La place Saint-Marc, avec sa foule inévitable, était presque à toute heure l'endroit idéal où recueillir un homme en fuite. Mais le fuyard avait un jour de retard. Et il se demanda si Youri Danko était même parvenu à sortir de Russie.

Lors de sa première rencontre avec Danko, son homologue au sein de la Division du Renseignement Médical de l'armée russe, Smith faisait partie de l'USAMRIID. Cela se passait au Grand Hotel Victoria-Jungfrau, près de Berne. Là, des représentants des deux pays participaient à une réunion informelle afin de se tenir mutuellement au courant des progrès réalisés dans le gel de leurs programmes d'armements biologiques. Ces réunions venaient compléter les vérifications formelles effectuées par des inspecteurs internationaux.

Le métier de Smith n'avait jamais consisté à recruter des agents. Mais, comme tous les autres membres de la délégation américaine, les officiers du contre-espionnage de la CIA l'avaient minutieusement instruit de la manière dont la partie adverse opérait ses approches et ses ouvertures. Durant les premiers jours de la conférence, Smith avait été amené à constituer un tandem avec Danko. Sans se départir de sa prudence, il s'était néanmoins pris de sympathie pour ce grand Russe solidement charpenté. Danko ne faisait pas mystère de son patriotisme. Mais, ainsi qu'il l'avait confié à Smith, son travail était important pour lui car il ne voulait pas permettre que ses enfants vivent sous la menace éventuelle d'un fou, lâchant une arme biochimique par simple désir de vengeance ou de semer la terreur.

Smith avait tout à fait conscience qu'un tel scénario était non seulement possible, mais qu'il constituait une forte probabilité. La Russie vivait les affres de la mutation, de la crise et de l'incertitude. Et, en tout état de cause, elle possédait encore un énorme arsenal d'armes biologiques, entreposées dans des conteneurs rouillés sous la supervision un peu laxiste de chercheurs, de scientifiques et de personnels militaires généralement trop mal payés pour nourrir leurs familles. Pour ces hommes, la tentation de vendre un petit quelque chose au noir pouvait s'avérer irrésistible.

Smith et Danko n'avaient pas tardé à se retrouver en dehors des horaires officiels de la conférence. Le temps que les deux délégations s'apprêtent à regagner leurs pays respectifs, les deux hommes avaient forgé une amitié fondée sur un respect et une confiance mutuels.

Au cours des deux années suivantes, ils s'étaient revus — à Saint-Pétersbourg, à Atlanta, à Paris et à Hong Kong —, chaque fois sous les auspices d'une conférence officielle. Mais en chacune de ces occasions, Smith remarquait que Danko était de plus en plus perturbé. Il avait beau éviter l'alcool, il se laissait quelquefois aller à des confidences, déblatérant volontiers sur la duplicité de ses maîtres, ses chefs militaires. La Russie, laissait-il entendre, violait les accords conclus avec les États-Unis et le monde. Tout en affichant sa volonté de réduire ses programmes d'armements biologiques, elle n'avait fait en réalité que mettre les bouchées doubles sur sa recherche de pointe. Et, pire que tout, les scientifiques et les techniciens russes disparaissaient pour mieux refaire surface en Chine, en Irak, en Inde, où la demande était forte et les fonds dévolus à leurs talents, illimités.

Smith était un observateur pénétrant de la nature humaine. Au terme des confessions tourmentées de Danko, il lui avait proposé : « Youri, je vais travailler avec toi là-dessus. Si c'est ce que tu souhaites. »

La réaction de Danko avait été celle d'un pénitent qui s'est enfin lavé du fardeau de son péché. Il avait accepté de fournir à Smith les informations que les États-Unis méritaient de connaître. Il n'avait formulé que deux mises en garde : il ne traiterait qu'avec son ami, à l'exclusion de tout autre interlocuteur au sein de la communauté du renseignement américain ; ensuite, il voulait la parole de Smith que ce dernier veillerait sur sa famille, dans l'éventualité où il lui arriverait quelque chose. « Il ne t'arrivera rien, Youri, lui avait affirmé Smith à l'époque. Tu mourras dans ton lit, entouré de tes petits-enfants. »

Tout en observant le flot ininterrompu de la foule qui sortait du Palais des Doges, Smith songea à cette promesse. À l'époque, il l'avait pensé, sincèrement. Mais à présent, avec ce retard de vingt-quatre heures, elle lui laissait dans la bouche un goût de cendres.

Mais tu n'as jamais mentionné Klein, pas une seule fois, songea Smith. *Le fait que tu disposes déjà d'un contact aux États-Unis. Pourquoi, Youri ? Klein serait-il l'atout que tu gardais en réserve ?*

De nouveaux arrivants approchaient à bord de gondoles et de vedettes qui s'amarraient aux quais en face des lions de Saint-Marc. D'autres encore sortaient de la basilique somptueuse en un flot ininterrompu, l'œil encore vague après ce qu'ils venaient de découvrir, la majesté impressionnante de ce monument. Smith les observa tous — les jeunes couples qui se tenaient par la main, les pères et les mères qui rassemblaient leurs enfants, les groupes de touristes massés autour de leurs guides, qui hurlaient en une dizaine de langues différentes pour couvrir le vacarme ambiant. Il tenait son journal à hauteur des yeux, mais il abandonnait les gros titres pour sans relâche parcourir la foule, scruter les têtes, tâcher d'y dénicher ce visage bien particulier.

Où es-tu ? Qu'as-tu découvert de si terrible qui

*t'amène à compromettre le secret de ta position et à
risquer ta vie pour tout révéler?*

Ces questions tenaillaient Smith. Depuis que Danko
avait coupé tout contact, il n'y avait plus moyen d'obtenir de réponse. Selon Klein, le Russe arriverait en
traversant la Yougoslavie ravagée par la guerre, en se
cachant et en se frayant un chemin dans le chaos et la
misère, jusqu'à ce qu'il atteigne la côte. Là, il trouverait un bateau qui lui ferait franchir l'Adriatique jusqu'à Venise.

Il te suffit d'arriver ici, et tu es sain et sauf.

Le Gulfstream attendait à l'aéroport Marco-Polo de
Venise. Une vedette était à l'ancre le long du quai voisin du Palazzo delle Prigioni, sur le Rio di Palazzo.
Dans les trois minutes après l'avoir repéré, Smith
pourrait embarquer Danko à bord de ce bateau. Une
heure plus tard, ils auraient pris l'air.

Où es-tu?

Smith allait tendre la main vers sa tasse de café
quand quelque chose vint flotter à la limite de son
champ de vision : un homme de forte carrure aux
abords d'un groupe de touristes. Peut-être en faisait-il
partie, peut-être pas. Il portait un blouson imperméable
en nylon et une casquette de golfeur. Une barbe
épaisse et de larges lunettes de soleil panoramiques
dissimulaient son visage. Mais il avait quelque chose
de singulier.

Smith continua de l'observer, puis il vit — une
légère claudication de la jambe gauche. Youri Danko
était né avec la jambe gauche plus courte que la droite
de presque trois centimètres. Même une chaussure à
semelle compensée confectionnée sur mesure ne pouvait totalement déguiser sa claudication.

Smith changea de position et ajusta la hauteur de son journal afin de pouvoir suivre les mouvements de Danko. Le Russe se servait du groupe de touristes avec une efficacité consommée, en se laissant dériver à la frange, suffisamment près pour qu'on l'imagine en faisant partie, mais pas si près que cela non plus, afin de ne pas attirer l'attention du guide.

Lentement, le groupe se retourna et s'éloigna de la basilique pour se diriger vers le Palais des Doges. En moins d'une minute, il se retrouva à la hauteur de la rangée extérieure de tables et de chaises du Café Florian. Quelques touristes se séparèrent du gros de la troupe, en direction du petit bar situé à côté du café. Lorsqu'ils passèrent devant sa table en bavardant, Smith ne bougea pas. Ce fut seulement lorsque Danko arriva devant lui qu'il leva les yeux.

— Cette chaise est libre.

Smith regarda Danko se retourner, ayant visiblement reconnu la voix de son ami américain.

— Jon ?

— C'est moi, Youri. Allez, assieds-toi.

Le Russe se laissa glisser sur la chaise, interloqué.

— Mais monsieur Klein... c'est lui qui t'envoie, toi ? Tu travailles pour... ?

— Pas ici, Youri. Et oui, je suis venu pour te ramener avec moi.

En secouant la tête, Danko héla un serveur au passage et commanda un café. Il tapota son paquet de cigarettes et en sortit une qu'il alluma. Smith remarqua que même la barbe ne suffisait pas à masquer les traits tirés, le visage émacié de Danko. Quand il voulut allumer sa cigarette, ses doigts tremblaient.

— Je n'arrive toujours pas à croire que c'est toi...

— Youri…

— Tout va bien, Jon. Je n'ai pas été suivi. Je suis clair.

Danko se redressa sur sa chaise et observa fixement le pianiste.

— Merveilleux, n'est-ce pas ? La musique, je veux dire.

Smith se pencha en avant.

— Tout va bien ?

Danko hocha la tête.

— Maintenant, oui. Arriver jusqu'ici, ça n'a pas été facile, mais… Comme le serveur lui apportait son café, Danko s'interrompit. En Yougoslavie, c'était très compliqué. Les Serbes sont une bande de paranoïaques. J'étais porteur d'un passeport ukrainien, mais même ça, ils ont vérifié de près.

Smith luttait pour faire taire les centaines de questions qui tournoyaient dans sa tête, tâchant de se concentrer sur l'étape suivante.

— As-tu quelque chose à me dire, ou à me remettre… là, tout de suite ?

Danko ne semblait pas l'avoir entendu. Son attention restait captée par deux carabiniers qui marchaient lentement au milieu des touristes, la mitraillette en bandoulière, calée en travers de la poitrine.

— Beaucoup de policiers, murmura-t-il.

— Ce sont les vacances, répondit Smith. Ils ajoutent toujours des patrouilles supplémentaires. Youri…

— J'ai quelque chose à dire à M. Klein, Jon. Danko se pencha au-dessus de la table. Ce qu'ils sont sur le point de faire… jamais je n'aurais cru ça. C'est de la démence !

— Que vont-ils faire ? lui demanda Smith, tâchant de maîtriser le ton de sa voix. Qui ça, ils ?

Danko regarda nerveusement autour de lui.

— Tu as pris des dispositions ? As-tu les moyens de me faire sortir d'ici ?

— Nous pouvons partir immédiatement.

Alors que Smith plongeait la main dans sa poche pour en sortir son portefeuille, il remarqua les deux carabiniers qui s'avançaient entre les tables du café. L'un des deux riait, comme si l'autre venait de faire une plaisanterie, puis ils se dirigèrent vers le bar aux sandwiches.

Smith compta quelques milliers de lires, plaça les billets sous une assiette, et il était sur le point de repousser sa chaise en arrière quand l'univers explosa.

— Jon !

Le cri de Danko fut tranché net par le fracas brutal des armes automatiques tirant à bout portant. Après avoir dépassé leur table, les deux carabiniers avaient pivoté sur eux-mêmes, mitraillettes crépitantes. Les deux canons crachèrent la mort, criblant le corps de Danko, plaqué contre le dossier de sa chaise par la puissance des balles, jusqu'à le faire basculer en arrière.

Smith eut à peine le temps de prendre la mesure du carnage, se jeta lui-même à terre, du côté de la petite estrade. Tout autour de lui, les balles zébraient la pierre et le bois. Le pianiste commit l'erreur fatale de tenter de se lever : une rafale le coupa en deux. Les secondes paraissaient s'écouler comme engluées dans le miel. Smith n'arrivait pas à croire que les tueurs prennent à ce point leur temps, semant la mort en toute impunité. Tout ce qu'il savait, c'était que ce piano à queue, le cadre de bois noir verni qui avait volé en éclats et les touches blanches réduites à l'état d'échardes lui avaient sauvé la vie en absorbant l'impact des balles de calibre militaire, rafale après rafale.

Les tueurs étaient des professionnels : ils savaient à partir de quel moment ils allaient être pris par le temps. Lâchant leurs armes, ils se tapirent derrière une table retournée et arrachèrent leurs vareuses. Dessous, ils portaient des coupe-vent gris et fauve. De leurs poches, ils sortirent des casquettes de pêcheurs. Usant de la panique des passants comme d'une couverture, ils décrochèrent et coururent en direction du Café Florian. Ils franchirent en trombe les portes d'entrée de l'établissement, et l'un des deux hurla :

— *Assassini !* Ils sont en train de tuer tout le monde ! Pour l'amour de Dieu, appelez la police !

Smith releva la tête, juste à temps pour voir les tueurs fendre la foule hurlante des clients. Il se retourna vers Danko qui gisait sur le dos, la poitrine déchiquetée. Il bondit de l'estrade, un grognement animal et sourd s'échappa de sa gorge, et il joua des coudes pour se frayer un chemin dans le café. La foule le repoussa vers les portes de service et la ruelle donnant sur l'arrière. Haletant, Smith lança des regards désespérés sur sa droite et sur sa gauche. Sur sa gauche, il entrevit les blousons gris qui disparaissaient à l'angle d'une rue.

Les tueurs connaissaient très bien le quartier. Ils coupèrent par deux ruelles tortueuses, atteignirent un canal étroit où une gondole était amarrée à un pilotis d'embarcadère. L'un des deux sauta à bord et empoigna la rame, l'autre fit coulisser l'amarre. En quelques secondes, ils s'étaient engagés dans le canal.

Le tueur qui maniait la rame s'interrompit pour allumer une cigarette.

— Une journée de travail assez simple, fit-il à son acolyte.

— Pour vingt mille dollars, c'était presque trop simple, lui répondit le second. Mais on aurait dû tuer l'autre aussi. Le gnome, le Suisse, il avait été très précis : la cible et son contact, quel qu'il soit.

— *Basta !* Nous avons rempli le contrat. Si le Suisse veut…

Sa phrase fut interrompue par l'exclamation du rameur.

— Bon sang !

Le second tueur se retourna dans la direction où son ami pointait le doigt. À la vue du compagnon de la victime qui effaçait à toute vitesse le trottoir le long du canal, il resta bouche bée.

— Tire-lui dessus, à ce *figlio di putana !*

Le rameur exhiba un pistolet de gros calibre.

— Avec plaisir.

Smith vit le bras du rameur se relever, le pistolet osciller avec le tangage de la gondole. Il comprit la folie de sa tentative, pourchasser des tueurs armés sans même un couteau pour se protéger. Mais l'image de Danko maintint ses jambes en mouvement. Moins de quinze mètres, et il se rapprochait, car le rameur ne parvenait pas à stabiliser son arme pour tirer.

Moins de dix mètres.

— Tommaso…

Le rameur, Tommaso, aurait préféré que son acolyte se taise. Ce dément qui se rapprochait, il le voyait bien, mais et après ? À l'évidence, l'autre ne possédait pas d'arme, sinon il s'en serait déjà servi.

C'est alors qu'il aperçut autre chose, partiellement visible sous le plancher de la gondole : un bout de pile et des fils multicolores… le genre qu'il employait lui-même assez souvent.

Le cri de Tommaso fut noyé par l'explosion et la boule de feu qui consuma la gondole, la soulevant de dix mètres dans les airs. Pendant un instant, il n'y eut plus rien que de la fumée âcre et noire. Après l'éclair, projeté contre le mur de briques d'une verrerie, Smith ne vit plus rien, mais quand le tout retomba en pluie du haut du ciel, il sentit l'odeur du bois brûlé et de la chair calcinée.

*

Au milieu de la terreur et de la crainte mêlée d'incertitude qui s'étaient emparées de la place, un homme, caché derrière un pilier de soutènement d'un des lions de granit de Saint-Marc, gardait son calme. À première vue, il semblait avoir à peine la cinquantaine. Mais sa moustache et son bouc le vieillissaient peut-être. Il portait un manteau à carreaux, à la coupe cintrée, avec une rosette jaune au revers. Son nœud de cravate à motifs cachemire était bien calé sous sa pomme d'Adam. Aux yeux de l'observateur superficiel, il aurait eu l'air d'un dandy, pourquoi pas d'un professeur titulaire d'une chaire universitaire ou d'un retraité distingué.

À ceci près qu'il avait des gestes très rapides. Alors que les échos de la fusillade retentissaient dans toute la place, il prenait déjà la direction des tueurs en fuite. Il fallait choisir : les suivre, eux et l'Américain lancé à leur poursuite, ou se rendre auprès du blessé. Il n'hésita pas. «*Medico!* Laissez-moi passer! Je suis médecin!»

En l'entendant s'exprimer dans un italien parfait, les touristes recroquevillés, tremblants de peur, réagirent aussitôt. En quelques secondes, il était agenouillé près du corps criblé de balles de Youri Danko. Un rapide coup d'œil lui suffit à comprendre que plus personne ne pouvait venir en aide au Russe, à l'exception peut-être de Dieu. Pourtant, il appuya deux doigts contre la gorge de l'homme, pour lui tâter la carotide. Simultanément, son autre main s'affairait à l'intérieur de la veste de Danko.

Les gens commençaient de se redresser, de se relever, en lançant des regards autour d'eux. En le regardant, lui. Certains s'approchaient. Ils avaient beau être en état de choc, ils allaient lui poser des questions qu'il préférait éviter.

— Hé, vous, là-bas! lança le médecin sèchement, en s'adressant à un jeune homme qui avait l'air d'un étudiant. Venez par ici m'aider un peu.

Il attrapa l'étudiant et le força à prendre la main de Danko.

— Maintenant vous serrez… j'ai dit vous serrez!

— Mais il est mort! protesta l'étudiant.

— Idiot! rétorqua le docteur. Il est encore en vie. Mais s'il ne sent aucune présence humaine, il va bel et bien mourir!

— Mais vous…

— Il faut que j'aille chercher de l'aide. Vous, vous restez ici!

Le médecin se fraya un chemin dans la foule qui se massait autour des cadavres. Il ne se souciait guère des regards qui venaient furtivement croiser le sien. Dans les circonstances les plus favorables, c'était notoirement connu, la plupart des témoins étaient déjà peu fiables. Vu la situation présente, personne ne serait capable de le décrire avec précision.

Il perçut les premiers ululements des sirènes de la police. D'ici quelques minutes, la place tout entière serait envahie de carabiniers et son accès bouclé. Les témoins potentiels seraient regroupés, les interrogatoires se prolongeraient pendant des jours et des jours. Le médecin ne pouvait guère se permettre de se laisser prendre dans la nasse.

L'air de rien, il se rendit promptement en direction du Pont des Soupirs, l'emprunta, passa devant les échoppes où des colporteurs vendaient leurs souvenirs et autres T-shirts et se glissa dans la réception de l'hôtel Danieli.

— Bon après-midi, *Herr doktor* Humboldt, lui fit le concierge.

— Bonjour à vous, répliqua l'homme, qui n'était pas plus médecin qu'il ne s'appelait Humboldt. Pour les rares personnes qui le connaissaient, il se nommait Peter Howell.

Howell n'était nullement surpris que la nouvelle du massacre n'ait pas encore atteint l'auguste oasis du Danieli. On laissait fort peu de perturbations du monde extérieur pénétrer dans ce palais du XIVe siècle, construit pour le doge Dandolo.

Howell prit sur sa gauche, entra dans le salon magnifique et se dirigea vers le petit bar situé à l'angle. Il commanda un cognac et, quand le barman lui tourna le dos, ferma les yeux un instant. Howell avait vu son lot de cadavres, il avait commandité des actes d'une violence extrême, et en avait aussi lui-même fait quelquefois les frais. Mais le meurtre brut, de sang-froid, en pleine place Saint-Marc, voilà qui réussissait encore à le rendre malade.

Il avala la moitié de son cognac d'un seul trait. Dès que l'alcool lui entra dans le sang, il se sentit plus détendu et plongea la main dans la poche de son manteau.

Voilà des décennies que l'on avait appris à Howell le savoir-faire du pickpocket. En palpant la première page du carnet de notes de Danko, il fut heureux de constater qu'il n'avait pas perdu la main.

Il lut la phrase une fois, puis deux. Sans trop y croire, il avait espéré découvrir quelque chose sur cette page, un indice sur les motifs qui avaient conduit à l'assassinat de Danko. Et sur les responsables. Mais aucun de ces mots n'avait de sens à ses yeux, sauf un : *Biopreparat*.

Howell rangea le carnet. Il vida son reste de cognac et fit signe au barman de le resservir.

— Tout va bien, *signore* ? s'enquit le barman avec sollicitude, tout en le servant.

— Oui, je vous remercie.

— Si je peux faire quelque chose pour vous, n'hésitez pas à me demander.

Le barman recula devant le regard glacial de Howell.

Tu ne peux rien faire pour moi, mon vieux. Ce n'est pas de toi que j'ai besoin.

*

Quand Smith ouvrit les yeux, il resta interdit devant le spectacle des visages qui se penchaient sur lui. Il se ressaisit et s'aperçut qu'il était affalé dans l'embrasure de la porte d'une boutique de masques et de costumes. Lentement, il se releva en titubant, se tâtant instinctivement, en quête d'éventuelles blessures. Il n'avait rien de cassé, mais son visage le démangeait. Il se passa une main sur la joue : ses doigts étaient maculés de sang.

Au moins je suis en vie.

Il ne pouvait en dire autant des tueurs qui avaient essayé de fuir en gondole. L'explosion qui avait désintégré l'embarcation avait aussi emporté avec elle l'identité de ses occupants, dans l'éternité. Même si la police réunissait des témoins oculaires, leurs témoignages seraient sans valeur : les tueurs professionnels étaient souvent des maîtres du déguisement.

C'est cette pensée de la police qui mit Smith en mouvement. À cause des jours fériés, toutes les boutiques le long du canal étaient fermées. Il n'y avait pas âme qui vive. Mais le sifflement éloquent des sirènes des vedettes de police allait croissant. Les forces de l'ordre ne pourraient s'empêcher de relier le massacre de Saint-Marc à l'explosion du canal. Des témoins raconteraient que les assassins avaient couru dans cette direction.

Où ils vont me trouver, moi... Et ces mêmes témoins me relieront à Danko.

La police aurait envie de connaître la nature du rapport que Smith entretenait avec le mort, pourquoi ils s'étaient rencontrés, et de quoi ils avaient parlé. Ils s'empareraient de l'information que Smith était un militaire américain et, à partir de là, l'interrogatoire allait s'intensifier encore davantage. Et cependant, *in fine*, Smith ne pourrait rien leur dire qui soit susceptible de les éclairer sur ce massacre.

Il se reprit, s'essuya la figure du mieux qu'il put, épousseta son costume. Il risqua quelques pas hésitants, puis il gagna le bout du trottoir aussi vite qu'il put. Là, il franchit un petit pont et se fondit dans la pénombre d'un *sequero* bardé de planches, une cour de construction de gondoles. À un demi-pâté de maisons de là, il pénétra dans une petite église, se glissa au milieu des ombres et émergea par une autre succession de portes. Quelques minutes plus tard, il était sur la promenade à côté du Grand Canal, perdu au milieu de la foule qui n'arrêtait pas de défiler le long de la berge.

Le temps que Smith y parvienne, la place Saint-Marc était bouclée par un cordon policier. Des carabiniers au visage dur, mitraillette braquée à hauteur de la taille, formaient une barrière humaine entre les lions de granit. Après ce qui présentait manifestement toutes les apparences d'une action terroriste, les Européens, surtout les Italiens, étaient très au fait de l'attitude à prendre : ils regardaient droit devant eux et passaient devant la scène sans s'arrêter. C'est ce que fit Smith.

Il traversa le Pont des Soupirs, franchit les portes à tambour de l'hôtel Danieli, et se rendit directement aux lavabos des messieurs. Il s'aspergea le visage d'eau froide, puis il réussit à maîtriser petit à petit le rythme de sa respiration. Il regarda le miroir au-dessus des lavabos, mais ne vit que le corps de Danko, secoué sous l'impact des balles. Il entendit les cris d'un passant, les vociférations des tueurs quand ils l'avaient repéré, lancé à leurs trousses. Puis la terrible explosion qui les avait pulvérisés…

Tout cela dans une ville réputée être l'une des plus sûres d'Europe. Au nom du Ciel, qu'est-ce que Danko avait apporté avec lui qui méritât la destruction ?

Smith s'accorda encore quelques instants, puis il quitta les lavabos. Le salon était vide, hormis la présence de Peter Howell, assis à une table à l'écart, derrière un grand pilier de marbre. Sans un mot, Smith attrapa le ballon de cognac et en vida le contenu. Howell parut comprendre son geste.

— Je commençais à me demander ce qui t'était arrivé. Tu as pris ces salopards en chasse, c'est ça ?

— Les tueurs avaient une gondole qui les attendait, lui répondit Smith. Je pense que leur plan consistait à s'évanouir dans le paysage. Une gondole, ça passe inaperçu.

— Sauf que ?

— Sauf que celui qui les a engagés pour tuer Danko estimait qu'ils ne sauraient pas tenir leur langue. La gondole était piégée d'une charge de C-12 équipée d'une minuterie.

— Histoire de provoquer un beau ramdam. J'ai tout entendu, depuis la place.

Smith se pencha en avant.

— Danko ?

— En ce qui le concerne, ils ne l'ont pas raté, lui répondit Howell. Je suis désolé, Jon. Je suis arrivé aussi vite que j'ai pu, mais…

— Tu as fait ce pour quoi je t'avais fait venir… me couvrir pendant que je sortais Danko de là. Tu n'aurais rien pu tenter de plus. Danko m'a certifié qu'il était clair et je l'ai cru. Il était à cran, mais pas parce qu'il se croyait suivi. Il y avait un autre motif. Tu as trouvé quelque chose ?

Howell lui tendit l'unique bout de papier, apparemment la page déchirée d'un carnet de notes de qualité très ordinaire. Il soutint le regard de Smith.

— Quoi ? lui demanda ce dernier.

— Je n'avais pas l'intention d'y fourrer mon nez, se défendit Howell. Et mon russe est un peu rouillé. C'est toujours le même mot qui m'a sauté aux yeux. Il s'interrompit. Tu n'avais aucune idée de ce que Danko aurait pu emporter avec lui ?

Smith étudia le texte manuscrit. Il releva un mot, aussi promptement que Howell l'avait relevé : *Biopreparat*. Le centre russe de recherche, de conception et de fabrication d'armes biologiques. Danko en avait souvent parlé, mais, à la connaissance de Smith, son travail ne l'avait jamais amené là-bas. *Était-ce bien sûr ?* Ses tournées d'officier de sécurité auraient-elles pu le conduire à Biopreparat ? Avait-il découvert quelque chose de si terrible que le seul moyen de le sortir de Russie était de l'emporter sur soi ?

Howell étudiait la réaction de Smith.

— À moi aussi, ça me fout une frousse d'enfer. Tu souhaites me faire part de quelque chose, Jon ?

Smith observa cet Anglais taciturne, assis là, en face de lui. Peter Howell avait passé une vie entière au service du monde militaire et du renseignement britannique, d'abord au sein du Special Air Service, puis du MI6. Ce caméléon redoutable avait accompli des exploits, et toujours sans tambour ni trompette, puis il s'était « retiré » de la profession, sans l'avoir jamais tout à fait abandonnée. Le besoin d'hommes possédant la compétence de Howell se faisait toujours sentir, et ceux qui le demandaient — gouvernements ou personnes privées — savaient comment le trouver.

L'Anglais pouvait se permettre de choisir ses missions, mais il s'en tenait à une règle intangible : les besoins de ses amis primaient sur tout le reste. Il avait aidé Smith à débusquer les instigateurs du Projet Hadès. Et quand Smith lui avait demandé de venir couvrir ses arrières à Venise, il n'avait pas hésité à quitter sa retraite de la High Sierra, en Californie.

Quelquefois, Smith regimbait sous les contraintes que Klein lui avait imposées en sa qualité d'électron libre. Par exemple, il ne pouvait rien dire à Howell du Réseau Bouclier, ni révéler son existence, ni qu'il en faisait partie. Il ne doutait pas que Peter en ait quelques soupçons. Mais, en professionnel qu'il était, il les gardait pour lui.

— Ça pourrait être une très grosse affaire, Peter, lui affirma calmement Smith. Il faut que je rentre aux États-Unis, mais j'ai aussi besoin d'en savoir plus au sujet de ces deux tueurs... qui ils étaient et, tout aussi important, pour qui ils travaillaient.

Howell considéra Smith, l'air pensif.

— Je ne dis pas autre chose. N'importe quelle vague allusion à Biopreparat suffit à me tenir éveillé la nuit. J'ai quelques amis à Venise. Laisse-moi voir un peu ce que je suis capable de découvrir. Il marqua un temps de silence. Ton ami, Danko... il avait une famille ?

Smith se remémora la photo d'une jolie femme brune et d'un enfant que Danko lui avait montrée, un jour.

— Oui, il avait de la famille.

— Alors fais ce que tu as à faire. Moi, je sais comment te trouver si le besoin s'en fait sentir. Et, juste au cas où… voici l'adresse que j'utilise à l'occasion, dans la banlieue de Washington. Là-bas, il y a tous les systèmes d'alarme qu'il faut. On ne sait jamais, tu pourrais avoir besoin d'un peu d'intimité.

CHAPITRE QUATRE

Le nouveau centre d'entraînement de la NASA, à la périphérie de Houston, consistait, entre autres, en quatre hangars géants, chacun de la taille d'un terrain de football. La police de l'armée de l'air patrouillait le premier périmètre de sécurité. Et, à l'intérieur de la clôture Cyclone, des capteurs de mouvement et des caméras resserraient encore cette surveillance.

Le bâtiment indiqué G-3 abritait une maquette grandeur nature d'une navette spatiale de la dernière génération. Construite à partir d'un simulateur de vol affecté à l'entraînement des pilotes, elle apportait à l'équipage du vaisseau spatial l'expérience directe qui leur servirait ensuite dans l'espace.

Megan Olson attendait dans le long tunnel qui conduisait de l'entrepont de la navette vers l'arrière de la soute. Vêtue d'un pantalon bleu bouffant et d'un large T-shirt en coton, elle flottait dans cet environnement de gravité partielle aussi légèrement qu'une plume retombant doucement vers le sol.

Une voix crépita dans son casque :

— Tu m'as l'air d'un peu trop t'amuser, là-dedans.

Megan s'agrippa à l'une des poignées de caoutchouc encastrées dans la paroi du tunnel et effectua un demi-tour pour se placer face à la caméra qui suivait sa progression. Ses cheveux roux noués en queue-de-cheval flottaient devant elle, et elle les écarta d'un revers de la main.

— De toute l'expérience, c'est la partie que je préfère, fit-elle en riant. C'est comme de la plongée sous-marine... sans poissons.

Megan se laissa dériver en direction d'un écran où elle vit s'afficher le visage du Dr Dylan Reed, chef du programme de recherches biomédicales de la NASA.

— Les portes du labo vont s'ouvrir dans dix secondes, la prévint-il.

— J'arrive.

Megan s'orienta à quarante-cinq degrés vers le bas, en direction de l'écoutille circulaire. À l'instant où elle atteignait la poignée, elle entendit le sifflement de l'air comprimé déverrouillant les vérins cylindriques. Elle poussa sur l'écoutille qui pivota en douceur.

— Je suis entrée.

Elle s'installa sur le sol tapissé d'un revêtement spécial et sentit les semelles de ses bottines agripper le matériau de type velcro. À présent, elle s'était stabilisée. Elle ferma la porte, puis elle tapa le code sur le pavé alphanumérique. Les vérins de l'écoutille retrouvèrent leur logement.

Elle se retourna face à la zone de travail du labo spatial, subdivisée en une dizaine de modules. Chacun de ces modules, de la taille d'un placard à balai, était conçu pour une fonction ou une expérience différente. Avec prudence, elle longea la coursive centrale, à peine assez large pour ses épaules, dépassa le Compartiment Point Critique et l'EPE (Expériences de Physiologie dans l'Espace), jusqu'à son poste, le Biorack.

Comme les autres postes de travail, le Biorack était encastré dans un logement en titane qui ressemblait à une grosse conduite de système de climatisation, large d'un mètre vingt, haut de deux mètres, et dont les soixante centimètres supérieurs étaient inclinés à trente degrés vers l'opérateur. Cette disposition géométrique était rendue nécessaire par le fait que le labo tout entier était logé dans un grand cylindre.

— Aujourd'hui, ce sera un menu chinois, lui annonça Reed gaiement. Choisis-en un dans la colonne A, et un dans la colonne B.

Megan se positionna en face du Biorack et alluma le contact. Le module supérieur, le congélateur, fut le premier à ronronner, signalant ainsi son retour à la vie active. Ensuite, suivant une progression vers le bas, tous les autres éléments s'allumèrent tour à tour, le réfrigérateur, l'incubateur A, la Boîte à gants et l'incubateur B. Elle vérifia le tableau d'accès et de contrôle, et puis enfin, placée à hauteur des genoux, la centrale électrique. Le Biorack, autrement dénommé Bernie, fonctionnait sans anicroche.

Megan vérifia les affichages par diodes LCD des expériences à conduire. La plaisanterie de Reed tombait juste : c'était bien un véritable menu chinois, avec tous ses plats numérotés.

— Je pense que je vais me faire la grippe, et puis je vais pimenter un peu la chose… la légionellose.

Reed eut un petit rire.

— J'en ai l'eau à la bouche. Je démarre l'horloge dès que tu seras passée dans la Boîte à gants.

La Boîte à gants, c'était un élément de la taille d'un carton à chaussures, qui saillait d'une trentaine de centimètres hors du Biorack. Réplique des unités de confinement bien plus volumineuses que l'on trouve dans la plupart des laboratoires, il était totalement sécurisé. Mais à l'inverse de ses cousines terrestres, cette boîte avait été conçue pour être manipulée en microgravité. Ce qui permettait à Megan et à ses collègues scientifiques d'étudier des micro-organismes dans des conditions qu'aucun autre dispositif n'aurait permises.

Elle enfila les mains dans les épais gants de caoutchouc qui se prolongeaient à l'intérieur de la boîte. Les joints, soudant les gants à la boîte elle-même, étaient composés de caoutchouc, de métal et de Keflex — un verre épais, pratiquement incassable —, sur près de six centimètres de largeur. Même si une substance était renversée, elle resterait confinée dans la boîte.

Pas plus mal, d'ailleurs, se dit-elle, sachant qu'elle manipulait les germes de la légionellose.

Même si les gants avaient l'air épais et malcommode, ils étaient en réalité très sensibles. Megan toucha l'écran de contrôle situé à l'intérieur de la boîte et enfonça doucement les touches pour composer une combinaison de trois chiffres. Presque instantanément, l'un des cinquante panneaux — pas plus gros que des compartiments pour disques compacts — glissa vers l'avant. Au lieu d'un CD niché dans son logement, il y avait là un plateau circulaire en verre gris, de sept centimètres de diamètre, épais d'environ six millimètres. Megan vit le liquide gris verdâtre à l'intérieur : la légionellose.

Sa formation scientifique et son travail de spécialiste en biochimie avaient instillé en elle un profond respect des cultures qu'elle manipulait. Même dans les conditions les plus sûres, elle n'oubliait jamais ce

qu'elle avait entre les mains. Très soigneusement, el
déposa le chariot de verre sur le bloc. Ensuite elle e
retira le couvercle, exposant la bactérie.

La voix de Reed flotta dans son casque :

— La pendule tourne. Souviens-toi, en gravité pa
tielle, pour chaque expérience, tu ne disposes que c
trente minutes. À bord de la navette, tu auras la latitud
de prendre ton temps.

Megan lui était reconnaissante de tant de profe:
sionnalisme. Reed ne distrayait jamais ses scientifique
en leur parlant au cours d'une expérience. Une fo
qu'elle avait ouvert l'échantillon de prélèvement, el
était autonome.

Megan poussa le microscope fixé au sommet c
la boîte à chaussures et respira profondément. Ell
regarda fixement le spécimen. Elle avait déjà travail
sur la légionellose : c'était comme de poser l'œil su
un vieil ami.

— Parfait, mon pote, fit-elle à voix haute. Voyor
si tu arrives à avoir la trique, même quand tu ne pèse
plus très lourd.

Elle appuya sur la touche qui activait la camér
vidéo et se mit au travail.

*

Deux heures plus tard, Megan Olson flottait d
Spacelab en direction de l'entrepont, qui abritait le
stations de repos, les armoires de vivres, les sanitaire
et les casiers de rangement. De là, elle grimpa l'échell
qui menait au poste de pilotage, désert pour l'heure, e
manœuvra pour se rapprocher de l'intercom.

— C'est bon, les gars. Laissez-moi sortir.

La pression de l'air à l'intérieur de la maquette s'équilibra par rapport à l'extérieur, et Megan retrouva son assiette. Au bout d'une demi-journée d'apesanteur partielle, son corps lui parut extrêmement lourd. C'était une sensation à laquelle elle ne s'était jamais tout à fait habituée. Elle avait besoin de se rassurer en se répétant qu'elle pesait bien 59 kilos tout ronds, presque entièrement constitués d'une masse musculaire très tonique.

Une fois la pression revenue à la normale, l'écoutille du cockpit s'ouvrit en pivotant. Le léger souffle d'air conditionné qui vint la cueillir alors qu'elle sortait de l'habitacle fit coller ses vêtements à sa peau. Sa première pensée, après une séance d'entraînement, était invariablement la même : *Dieu merci, je vais pouvoir prendre une vraie douche.* À bord de la maquette, elle s'était entraînée à se baigner dans des serviettes humides.

Tu passeras au régime des serviettes humides seulement si tu dois vraiment partir, se rappela-t-elle. « Tu t'es très bien débrouillée, là-dedans. »

Dylan Reed, un homme distingué, de grande taille, le milieu de la quarantaine, accueillit Megan à sa sortie.

— Avons-nous des résultats sur papier ? demanda-t-elle.

— Les ordinateurs traitent le tout pendant que nous parlons.

— C'est le troisième test que nous conduisons avec la légionellose. Je te parierais un dîner au Sherlock que ces résultats seront identiques aux deux précédents : même avec cette petite modification de la gravité à laquelle nous l'avons soumis, le Légionnaire se multiplie avec une efficacité redoutable. Imagine un peu quand nous pourrons mener des expériences en situation de microgravité.

— Tu t'imagines vraiment que je vais parier avec toi ? fit Reed en éclatant de rire.

Megan le suivit à l'autre bout de la plate-forme, vers l'ascenseur qui les descendit au rez-de-chaussée. À sa sortie, elle marqua un temps d'arrêt et jeta un coup d'œil à la maquette, majestueuse sous les feux d'un millier de lampes à iode.

— Je parierais que c'est de ça qu'elle a l'air, dans l'espace, fit-elle à voix basse.

— Un jour, tu sortiras de la navette pour une marche dans l'espace et tu te rendras compte par toi-même, lui assura Reed.

Megan baissa encore un peu plus la voix :

— Un jour...

En qualité de membre d'équipage remplaçante, Megan savait que ses chances de partir avec la prochaine mission, programmée pour décoller dans sept jours, étaient quasi nulles. Le groupe de scientifiques animé par Reed était au sommet de sa forme. Il faudrait que l'un d'eux se casse une jambe pour lui permettre de prendre le créneau.

— La promenade dans l'espace peut attendre, fit Megan tandis qu'ils gagnaient les quartiers des stagiaires. Pour l'instant, ce qu'il me faut, c'est une bonne douche.

— J'allais oublier, fit Reed. Il y a là quelqu'un que tu connais, je crois.

Elle se renfrogna.

— Je n'attendais personne.

— C'est Jon Smith. Il est arrivé tout à l'heure.

*

Deux heures après que le Gulfstream eut rentré son train d'atterrissage, au décollage de l'aéroport Marco-Polo, le pilote était entré dans la cabine avec un message pour Smith.

— Une réponse, monsieur ? avait-il demandé à son passager.

Smith secoua la tête.

— Non.

— Le changement de notre plan de vol d'Andrews pour Houston rallonge le voyage de deux heures. Vous allez pouvoir dormir un peu, si vous le souhaitez.

Smith remercia le pilote, puis s'obligea à manger un peu de viande froide et quelques fruits de la cuisine du bord. Le message de Klein était succinct. Au vu des événements sanglants de Venise et de la nature du matériel que Danko avait apporté avec lui, Klein souhaitait un entretien en tête à tête. Et, dans l'hypothèse où l'information de Smith mériterait d'être portée immédiatement à la connaissance du chef de l'exécutif, il voulait aussi se rapprocher du Président, qui allait manifester publiquement son soutien au programme spatial en visitant le centre de Houston.

Après avoir terminé son en-cas, Smith prépara sa réunion avec Klein. Il planifia également les initiatives qu'il estimait devoir être prises pour la suite et peaufina ses arguments. Il n'eut pas le temps de se retourner, que déjà le jet survolait le golfe du Mexique pour entamer son approche finale de l'aérodrome de la NASA.

Alors que les immenses installations étaient en vue, Smith se souvint subitement de Megan Olson. Cette pensée fit naître un sourire sur ses lèvres.

Le pilote amena l'appareil au roulage jusqu'à l'aire

de sécurité où était stationné Air Force One. Smith descendit la passerelle et fut accueilli par un caporal-chef de la police de l'armée de l'air, qui le conduisit au quartier des visiteurs. À quelque distance de là, Smith aperçut les tribunes, chargées d'employés de la NASA qui écoutaient le discours du Président. Il doutait fortement que Klein soit là-bas, à proximité du centre de l'attention générale.

Le caporal-chef lui désigna une petite pièce à l'écart. L'endroit était nu, en dehors du bureau et de quelques chaises, un mobilier qui portait l'estampille de l'État fédéral. Klein referma l'ordinateur ultramoderne sur lequel il travaillait et vint vers Smith.

— Dieu merci, vous êtes en vie, Jon.

— Merci, monsieur. Je partage votre sentiment, croyez-le bien.

Klein ne manquait jamais de le surprendre. Alors même que Smith se figurait que le chef du Réseau avait de l'eau glacée dans les veines, Klein témoignait avec sincérité de son inquiétude à l'égard de son «électron libre», qu'il avait exposé au danger.

— Le Président va partir dans moins d'une heure, Jon, l'informa Klein. Dites-moi ce qui s'est passé, que je puisse déterminer si je dois ou non le tenir au courant.

Quand il remarqua que Smith jetait un coup d'œil circulaire dans la pièce, il ajouta :

— Les services secrets ont tout passé au peigne fin : pas de micros cachés. Vous pouvez parler librement.

Smith détailla, minute par minute, ce qui s'était produit depuis le moment où il avait repéré Danko sur la place Saint-Marc. Il remarqua que Klein tressaillit lorsqu'il en arriva à la description de la fusillade. Et quand il mentionna Biopreparat, ce dernier accusa visiblement le coup.

— Danko vous a-t-il révélé quoi que ce soit avant de mourir ? lui demanda-t-il.

— Il n'en a pas eu l'occasion. Mais il avait ceci sur lui.

Il tendit à Klein la page portant l'écriture manuscrite de Danko.

Biopreparat ne peut pas passer du Stade Un au Stade Deux. Ce n'est pas une question d'argent, mais d'équipements inadaptés. Pourtant, selon une rumeur persistante, le Stade Deux serait bien atteint, mais pas ici. Un courrier doit impérativement partir de Biopreparat avec le chargement d'ici le 9/4.

Il lança un regard à Smith.

— Le courrier, qui est-ce ? Un homme ou une femme ? Pour qui travaille-t-il ? Tout ceci est tellement peu concluant que c'en est exaspérant ! Et ces Stades Un et Deux, de quoi s'agit-il ?

— En général, cela se réfère à des virus, monsieur, lui répondit Smith, et puis il ajouta : J'aimerais assez savoir ce que ce courrier doit livrer. Et où il se rend.

Klein se rendit à la fenêtre, agrémentée d'une vue superbe sur un dépôt de carburant.

— Tout cela n'a aucun sens. Pourquoi Danko s'enfuirait-il si c'était là tout ce qu'il détenait ?

— C'est exactement la question que je me suis posée, monsieur. Envisageons cette éventualité : Danko tombe sur une information concernant ce courrier alors qu'il effectue sa rotation au sein de Biopreparat. Il se met à enquêter… et il finit par creuser plus en profondeur qu'il n'aurait dû. Il éveille les soupçons de quelqu'un et, du coup, il doit fuir. Mais il n'arrive pas à trouver la moindre occasion de coucher par écrit ce qu'il a pu apprendre — ou en tout cas il n'ose pas. Si jamais Danko a découvert l'identité de ce courrier, son chargement ou sa destination, cette information est morte avec lui.

— Je n'arrive pas à croire qu'il soit mort pour rien, lâcha Klein à voix basse.

— Je ne le crois pas non plus, s'écria Smith avec véhémence. Je pense que Danko était très désireux d'arriver jusqu'à nous pour la simple raison que la menace qui est sortie de Russie se dirige vers nous.

— Êtes-vous en train de m'expliquer que quelqu'un tente d'introduire une arme biochimique russe sur notre territoire ? s'enquit Klein.

— Étant donné les circonstances, je dirais qu'il s'agit là d'une forte probabilité. Sinon, qu'est-ce qui aurait pu inspirer une telle frayeur à Danko ?

Son interlocuteur se pinça l'arête du nez.

— Si tel est le cas… même si ce n'est encore que de l'ordre du soupçon… il faut que j'alerte le Président. Il convient de prendre des mesures. Il hésita. Le problème, c'est comment se protéger quand on ignore la nature de ce qu'il faut rechercher ? Danko ne nous a pas laissé le moindre indice.

Quelque chose dans ce dernier propos de Klein heurta Smith.

— Cela pourrait ne pas être tout à fait exact, monsieur. Vous permettez ?

D'un geste, il désigna l'ordinateur Dell installé sur le bureau.

Smith se connecta au site de l'USAMRIID et franchit les nombreuses barrières de sécurité avant de pénétrer dans la bibliothèque, l'encyclopédie de la guerre biologique la plus vaste et la plus complète du monde. Il saisit les deux dénominations, Stade Un et Stade Deux, et demanda à l'ordinateur de lui fournir les noms de tous les virus possédant deux niveaux de développement distincts.

La machine lui proposa treize choix. Smith indiqua ensuite à l'ordinateur de confronter ces treize réponses aux virus développés, fabriqués et stockés, en l'état actuel des informations disponibles, par Biopreparat.

— Ce pourrait être le virus Marburg ou le virus Ebola, observa Klein, en regardant par-dessus son épaule. Des bestioles parmi les plus meurtrières du monde.

— Le Stade Deux implique une reconfiguration, un collage de gènes, ou une autre forme de disjonction, lui expliqua Smith. Marburg, Ebola et d'autres encore ne peuvent se développer tout seuls. Ils existent dans la nature... et, bien entendu, dans les labos d'armes biochimiques. Avec eux, le problème relève davantage d'une affaire de conception de systèmes efficaces de propagation sur le champ de bataille.

Subitement, Smith chercha ses mots, le souffle un peu court.

— Mais celui-ci... celui-ci peut se tripatouiller. Nous savons que les Russes y jouaient depuis des années, en tâchant de le modifier pour en produire une souche plus virulente. Ils étaient censés avoir fermé ces labos, mais...

Klein écoutait, mais ses yeux se figèrent sur l'écran

où des lettres noires clignotaient comme autant de têtes de mort sur fond blanc :

VARIOLE.

*

Virus est dérivé du mot latin signifiant poison. Les virus sont si minuscules que leur existence est demeurée inconnue jusqu'à la fin du XIXᵉ siècle, quand Dimitri Ivanovski, un microbiologiste russe, tomba dessus par hasard en enquêtant sur le déclenchement d'une maladie chez les plants de tabac.

La variole appartient à la famille des virus varioliques ou *pox viridae*. L'apparition de son antécédent le plus anciennement connu remonte à l'an 1122 avant Jésus-Christ, en Chine. Depuis lors, ce virus a transformé le cours de l'histoire humaine, notamment au XVIIIᵉ siècle, en décimant les peuples européens et les populations indigènes des deux Amériques.

Variola major s'attaque au système respiratoire. Après une période d'incubation de cinq à dix jours, la maladie provoque une forte fièvre, des vomissements, des migraines et une raideur des articulations. Au bout d'une semaine, des rougeurs apparaissent, d'abord localisées, qui se répandent ensuite sur tout le corps et produisent des cloques. Des croûtes se forment et, en tombant, elles laissent des cicatrices qui constituent autant de foyers d'incubation pour de nouvelles attaques. La mort peut survenir en l'espace de deux à trois semaines quand ce n'est pas, dans le cas de la variole hémorragique ou fulminante, l'affaire de quelques jours seulement.

Il fallut attendre 1796 pour que la médecine puisse

lancer une attaque en règle contre la maladie. Un médecin britannique, Edward Jenner, découvrit que les filles de ferme qui contractaient une forme bénigne de virus variolique, le cow-pox, transmise par la vache, semblaient immunisées contre la variole. Ayant prélevé quelques échantillons des lésions de ces filles de ferme, Jenner les inocula à un jeune homme qui, par la suite, survécut à l'épidémie. Jenner baptisa sa découverte *vaccina* — la vaccine.

Le dernier cas connu de la maladie fut répertorié et traité en Somalie, en 1977. Dès le mois de mai 1980, l'Organisation Mondiale de la Santé proclamait la défaite de la variole. L'Organisation avait également ordonné la cessation des programmes d'immunisation, puisqu'il n'existait plus de nécessité tangible de soumettre les gens à la vaccination, avec les risques éventuels (quoique peu probables) qui allaient de pair.

À la fin des années 80, seuls deux stocks de *variola major* subsistaient dans le monde : au Centre de Prévention des Maladies Infectieuses (CDC) d'Atlanta[1], et à l'Institut Ivanovski de Virologie, à Moscou. Dans le cas de cette dernière souche, le virus avait été déplacé par la suite à Biopreparat, situé près de la ville de Vladimir, à 350 kilomètres au sud-est de Moscou.

Faisant l'objet d'un traité international ratifié par les États-Unis et la Russie, les échantillons devaient être préservés dans des laboratoires de haute sécurité, soumis à des inspections internationales. Aucun de ces échantillons ne pouvait être utilisé pour quelque expé-

---

1. Center of Disease Control, ou CDC, équivalent américain de l'Institut Pasteur.

rience que ce soit sans la présence des contrôleurs de l'Organisation Mondiale de la Santé.

Cela, tout au moins, c'était la théorie.

*

— En théorie, les contrôleurs étaient supposés être présents, rappela Smith. Il lança un coup d'œil à Klein. Vous et moi, nous savons ce qu'il en est dans la réalité.

Klein lâcha un borborygme.

— Les Russes ont chanté la sérénade aux bureaucrates de l'OMS à propos de leurs installations modernisées situées à Vladimir, et ces imbéciles les ont autorisés à déplacer les virus de la variole. Ce qu'ils n'ont jamais compris, c'était que les Russes ne leur avaient montré que les parties de Biopreparat qu'ils voulaient bien leur faire voir.

C'était la vérité. Par l'intermédiaire de transfuges et de sources sur place, les États-Unis étaient parvenus, avec les années, à se constituer une image assez fidèle de ce qui se tramait réellement dans le complexe de Biopreparat. Les inspecteurs internationaux n'avaient entrevu que la partie émergée de l'iceberg — les installations de stockage des virus de la variole, qui d'ailleurs avaient ultérieurement reçu leur approbation. Mais il y avait là d'autres bâtiments, déguisés en laboratoires d'étude des graines et des engrais, et qui restaient dissimulés aux yeux du monde entier. Klein disposait d'assez de preuves pour les produire devant l'OMS et exiger que Biopreparat soit complètement ouvert à ses contrôleurs. Mais le problème était politique. L'administration américaine actuelle ne souhaitait pas contrarier la Russie, qui menaçait d'en revenir à la loi communiste. Et puis, un certain nombre d'inspecteurs de l'OMS n'étaient guère enclins à prendre pour argent comptant des preuves produites par les Américains. Et l'on ne pouvait pas se fier davantage à leur discrétion. Les agences de renseignement américaines craignaient pour la vie de ceux qui leur avaient fourni cette information, estimant que, si les Russes savaient de quelles données l'Ouest disposait, ils pourraient remonter la piste et découvrir qui les leur avait transmises.

— Je n'ai pas le choix, lâcha Klein, d'un air maussade. Je dois en référer au Président.

— Qui pourrait transformer l'affaire en négociation de gouvernement à gouvernement, en déduisit Smith. À partir de là, la question se formule de la manière suivante : nous fions-nous suffisamment aux Russes pour qu'ils remontent jusqu'à la fuite et à ce courrier ? Nous ignorons à qui nous avons affaire au sein de Biopreparat, si notre personnage appartient à la direction du complexe, et nous ne savons pas davantage de qui il tient ses ordres. Il est possible qu'il ne s'agisse pas du tout d'un scientifique ou d'un chercheur véreux cherchant à gagner quelques dollars vite fait en livrant un colis à New York. Tout cela pourrait bien remonter jusqu'au Kremlin.

— Vous êtes en train de me dire que si le Président devait en parler au Premier ministre russe, nous risquerions fort de dévoiler nos cartes… aux mauvais interlocuteurs. C'est une hypothèse, je vous l'accorde… mais alors offrez-moi une alternative.

Il fallut trois minutes à Smith pour exposer le plan de réserve qu'il avait concocté durant le vol. Il remarqua l'expression de scepticisme de Klein et se prépara à argumenter, mais là encore, il fut surpris par son chef.

— Je suis d'accord. C'est la seule ligne d'action que nous puissions adopter sur-le-champ… et qui ait une chance de réussir. Mais je vous préviens : le Président ne nous accordera pas beaucoup de temps. Si vous n'obtenez pas de résultats rapides, nous n'aurons pas d'autre choix que de durcir le ton avec les Russes.

Smith respira à fond.

— Accordez-moi deux jours. Je viens au rapport toutes les douze heures. Si je manque un signal de plus de soixante minutes, considérez que je n'appellerai plus.

Klein secoua la tête.

— C'est un sacré pari, Jon. Je n'aime pas trop expédier mes hommes je ne sais où en m'en remettant simplement à la grâce de Dieu.

— La grâce de Dieu, on ne peut guère compter sur autre chose pour le moment, monsieur, releva Smith, l'air sombre. Il est un autre aspect que vous aurez peut-être envie de communiquer au Président. Nous avons cessé de fabriquer le vaccin contre la variole, et ce depuis des années. Pour l'heure, nous ne disposons que de cent mille doses de vaccination… stockées à l'USAMRIID, et strictement réservées à un emploi militaire. Nous ne pourrions même pas vacciner une part infime de la population. Il marqua un temps de silence. Il existe même un scénario encore plus merdique : si quelqu'un a volé le virus de la variole parce que nos lascars, en Russie, sont incapables de se charger du développement du Stade Deux sur place, ils le transféreront chez nous parce qu'ici, en revanche, ils disposeront des moyens de le développer... Autrement dit, c'est bien ce qui attend le courrier à cette extrémité-ci du parcours. Si c'est le cas, et si l'objectif ne consiste pas seulement à créer une souche mutante, mais à la disperser dans l'environnement sur le territoire américain, alors nous sommes sans défense. Nous avons de quoi fabriquer tous les vaccins du monde, mais ils seraient totalement inefficaces contre une nouvelle souche de variole.

Klein planta ses yeux dans ceux de Smith. Il s'exprima d'une voix sourde et âpre.

— Allez-y, et trouvez-moi ce que les Russes sont en train de laisser filer dans la nature. Et trouvez-moi ça en vitesse !

CHAPITRE CINQ

L'écho des talons de Megan se répercuta sèchement sur le sol de béton peint. Elle sortit du hangar géant pour retrouver la lumière du jour. Elle avait beau être arrivée à Houston depuis des mois, elle ne s'était pas encore habituée à ce climat. On n'était qu'en avril, et l'air était déjà humide. Elle n'était pas mécontente que son entraînement ne se prolonge pas jusqu'à l'été.

Pris en sandwich entre les bâtiments G-3 et G-4, il y avait le nouveau quartier des visiteurs. Megan dépassa la flottille des bus de la NASA qui transportaient les invités des portails jusque dans l'enceinte du centre et pénétraient dans l'aire d'entrée en forme d'atrium. Une maquette de navette à l'échelle réduite de moitié était suspendue aux poutrelles aériennes. Megan se faufila en contournant des groupes d'écoliers qui admiraient la maquette, les yeux écarquillés, et se dirigea vers le bureau de la sécurité. Les visiteurs de la NASA, ainsi que leur destination à l'intérieur du centre, étaient enregistrés dans un ordinateur. Megan se demandait où elle allait trouver Jon Smith, quand elle l'aperçut qui marchait sous la maquette de la navette.

— Jon !

Smith tressaillit en entendant son nom, mais dès qu'il vit Megan, son froncement de sourcils laissa place à un sourire.

— Megan… C'est merveilleux de te revoir.

Megan vint vers lui et lui prit le bras.

— Tu m'as tout l'air d'un homme en mission… tellement sérieux. Ne me dis pas que tu n'allais pas au moins prendre le temps de me chercher.

Smith hésita. S'il lui était bien arrivé de penser à Megan Olson, rien ne l'avait préparé à carrément tomber sur elle.

— J'aurais déjà eu du mal à savoir par où commencer, lui répondit-il avec sincérité.

— Et toi, l'homme si plein de ressources, le taquina Megan, que fabriques-tu ici ? Tu es venu avec la suite du Président ?

— Pas franchement. J'avais une réunion, un imprévu de dernière minute.

— Ho-ho. Et maintenant tu détales en quatrième vitesse. Est-ce qu'au moins tu as le temps de prendre un verre ou une tasse de café ?

Même s'il avait hâte de regagner Washington, Smith jugea préférable de ne pas éveiller les soupçons, surtout maintenant que Megan paraissait avoir accepté sa vague explication de sa présence à la NASA.

— Un verre, cela me ferait très plaisir, dit-il, avant d'ajouter : On dirait que tu me cherchais… ou est-ce que c'est moi qui me fais des idées ?

— Je te cherchais, en effet, confirma Megan, en le conduisant vers les ascenseurs. En fait, un de tes amis, Dylan Reed, avait entendu dire que tu étais sur le site.

— Dylan… Ah, je vois.

— D'où le connais-tu ?

— Dylan et moi, nous avons travaillé ensemble quand la NASA et l'USAMRIID ont réorganisé le programme biochimique pour la navette. Cela fait un bout de temps. Je ne l'ai plus revu depuis.

Ce qui laisse sans réponse la question : Comment se fait-il que Reed ou je ne sais trop qui d'autre ait pu savoir que j'étais là ?

L'espace aérien autour de la NASA étant strictement réglementé, le pilote du Gulfstream aura dressé une liste des passagers et de l'équipage avec les contrôleurs de la NASA qui, à leur tour, l'auront transmise à la sécurité. Mais cette information aurait dû rester confidentielle — à moins que quelqu'un ne surveille les arrivées des vols.

Megan glissa une clé magnétique dans la rainure de l'ascenseur enclos de verre qui montait à la salle à manger privée. Là-haut, Smith et elle longèrent les baies vitrées, qui, du sol au plafond, offraient une vue panoramique sur les installations d'entraînement aux vols spatiaux. Megan ne put s'empêcher de sourire à la vue d'un KC-135, un avion ravitailleur entièrement transformé, qui s'avançait pesamment vers la piste d'envol.

— Souvenirs agréables ? lui demanda Smith.

Megan éclata de rire.

— Oui, mais uniquement après coup. Ce KC-135 a été modifié tout spécialement pour les vols de la navette, afin de répéter diverses expériences et de tester certains équipements en situation de faible gravité. Il grimpe en flèche, son accélération atteint deux G, puis il se laisse retomber en chute libre, ce qui crée un environnement en apesanteur pendant vingt ou trente secondes. Quand j'ai effectué mon premier tour là-haut, j'ignorais à quels efforts une gravité réduite peut soumettre l'organisme. Elle ponctua d'un large sourire. C'est là que j'ai découvert pourquoi le KC-135 emporte à son bord de généreuses réserves de sacs émétiques.

— Et pourquoi on l'appelle la Comète à Vomi, ajouta Smith.

Megan ne cacha pas sa surprise.

— Tu as déjà fait un tour dans ce machin ? lui demanda-t-elle.

— Même pas en rêve.

Ils prirent une table près de la fenêtre. Megan commanda une bière, mais Smith, qui était sur le point de reprendre l'air, se contenta d'un jus d'orange. Quand leurs boissons arrivèrent, il leva son verre.

— Je te souhaite de décrocher les étoiles.

Megan soutint son regard.

— Je l'espère.

— J'en suis sûr.

Smith et Megan levèrent les yeux et découvrirent le docteur Dylan Reed debout à côté de leur table.

— Jon, c'est sympa de te revoir. J'attendais quelqu'un sur un autre vol quand j'ai vu ton nom sur le tableau de service des arrivées.

Smith rendit à Reed sa vigoureuse poignée de main, et l'invita à prendre place.

— Tu travailles encore au sein de l'USAMRIID ? lui demanda le docteur.

— J'y suis encore rattaché. Et toi, tu l'as quitté depuis, combien, trois ans ?

— Quatre.

— Et tu seras de la prochaine mission ?

L'autre lui sourit.

— Je n'ai pas pu me retenir. Je suis devenu un drogué de la navette.

Smith leva de nouveau son verre.

— À un vol sûr et réussi.

Là-dessus, Reed se tourna vers Megan.

— Tu ne m'avais jamais dit comment vous vous étiez rencontrés, vous deux.

Le sourire de Megan s'effaça.

— Sophia Russell était l'une de mes amies d'enfance.

— Désolé, s'excusa le docteur. J'ai appris la mort de Sophia, Jon. Je suis vraiment navré.

Smith écouta Reed et Megan discuter de l'exercice de la matinée dans la maquette de la navette, en remarquant les manières affectueuses du médecin à l'égard de son élève. Smith se demanda s'il n'y avait pas entre eux davantage qu'une relation professionnelle.

Enfin, même si c'est le cas, ce n'est pas mon affaire.

Smith sentit une bouffée de chaleur lui monter dans la nuque. L'air de rien, il changea de position de façon à voir la pièce tout entière dans le reflet des fenêtres. Debout près de la réception, il y avait un homme légèrement enrobé, de taille moyenne, le début de la quarantaine. Il avait le crâne complètement rasé, le cuir chevelu luisant sous les éclairages. Même à cette distance, Smith sentait bien que l'homme le dévisageait, la bouche entrouverte.

Je ne vous connais pas, alors pourquoi vous intéressez-vous tant à moi ?

— Dylan ?

Smith ébaucha un geste en direction de la réception. Son geste fit baisser la tête à l'importun guetteur — peine perdue.

— Attendez-vous quelqu'un ?

Reed jeta un œil autour de lui.

— Exact. C'est Adam Treloar, le directeur médical de la mission. Il lui adressa un signe de la main. Adam !

Smith regarda Treloar s'approcher, visiblement à contrecœur, comme un enfant qui vient se mettre à table en traînant des pieds.

— Adam, je vous présente le docteur Jon Smith, de l'USAMRIID, fit Reed.

— Enchanté, dit Smith.

— Oui, ravi de vous connaître, grommela Treloar, trahissant quelques réminiscences d'accent anglais.

— Nous sommes-nous déjà rencontrés ? s'enquit Smith d'un ton enjoué.

Il se demanda pourquoi cette question polie fit saillir les yeux à fleur de tête de Treloar.

— Ah, je ne crois pas. Je m'en souviendrais. Précipitamment, Treloar se tourna vers Reed. Il faut que nous voyions ensemble les derniers bilans de santé de l'équipage. Et j'ai absolument besoin d'avoir cette réunion avec Stone.

Son supérieur secoua la tête.

— On approche de la date du lancement et les choses deviennent un peu plus mouvementées, s'excusa-t-il auprès de Smith. Malheureusement, il va vous falloir me pardonner. Jon, c'était un plaisir de se revoir. D'ici la prochaine fois, on ne laisse plus s'écouler autant de temps, d'accord ?

— Absolument.

— Megan, on se retrouve à 3 heures au biolabo.

Smith regarda les deux hommes s'installer dans un box à l'autre bout de la salle.

— Treloar est un peu étrange, commenta-t-il. *Surtout avec son besoin de discuter de ses bilans de santé sans aucun dossier médical sur lui.*

— Oui, c'est vrai, acquiesça Megan. En tant que médecin, Adam figure parmi les meilleurs. Dylan l'a débauché chez Bauer-Zermatt. Mais le personnage est un peu particulier.

Smith haussa les épaules.

— Parle-moi de Dylan. Il est comment, dans le travail ? Je me souviens de lui comme d'une vraie mécanique.

— Si tu entends par là qu'il est très concentré sur ce qu'il fait, c'est vrai. Mais il n'arrête pas de me lancer des défis, il me pousse à réfléchir, à m'améliorer.

— Je suis content que tu aies trouvé quelqu'un comme lui dans le travail. Il jeta un œil à sa montre. Il faut que j'y aille.

Megan se leva en même temps que lui.

— Moi aussi.

Lorsqu'ils sortirent de l'ascenseur, à l'étage principal, elle posa la main sur le bras de Smith.

— Ça m'a fait du bien de te revoir, Jon.

— Et à moi aussi, Megan. La prochaine fois que tu passes à Washington, c'est moi qui t'invite à boire un verre.

Elle sourit.

— Je te prends au mot.

*

— Cessez de les dévisager !

Adam Treloar redressa brusquement la tête, cueilli à froid par la rudesse de l'ordre de Reed. Il trouvait

76

incroyable que ce dernier reste si froid, et sache garder ce sourire décontracté.

Du coin de l'œil, Treloar regarda Jon Smith et Megan Olson s'éloigner vers l'ascenseur. Il entendit un discret carillon signalant l'arrivée de la cabine et, enfin, il put cesser de retenir sa respiration. Attrapant une serviette, il se tamponna le visage et le crâne.

— Vous savez qui est Smith ? questionna-t-il d'une voix rauque.

— Il se trouve que oui, lui répondit calmement Reed. Je le connais depuis des années.

Il s'adossa contre la banquette, car tout était bon pour s'écarter de cette odeur âcre qui, apparemment, suivait Treloar partout. Reed ne se soucia guère de masquer son geste d'une grossièreté flagrante : il n'avait jamais fait mystère de son mépris envers le directeur médical de la mission.

— Si vous le connaissez, alors dites-moi ce qu'il fabrique ici, insista Treloar. À Venise, avec Danko, c'était lui !

La main de Reed jaillit comme un cobra, s'emparant du poignet gauche de Treloar, sa poigne puissante enserrant les nerfs délicats exactement au bon endroit. Treloar leva les yeux au ciel et, le souffle coupé, ouvrit la bouche toute grande.

— Que savez-vous de Venise ? lui demanda l'autre à voix basse.

— Je... je vous ai entendu en parler ! parvint à murmurer Treloar.

— Alors oubliez, c'est compris ? lui conseilla-t-il d'un ton doucereux. Venise, cela ne vous regarde pas. Pas plus que Smith.

Il lui relâcha le poignet et prit plaisir à constater la

douleur persistante, dont il percevait la trace bien visible dans les prunelles du directeur médical.

— Seulement, que Smith ait été à Venise, et que maintenant il soit ici, cela me semble un peu trop pour relever de la simple coïncidence, insista Treloar.

— Croyez-moi, Smith ne sait rien. Il ne détient aucun élément. On s'est occupé de Danko avant qu'il ait rien pu révéler. Et il existe une explication simple à sa présence à Venise. Danko et Smith s'étaient rencontrés dans le cadre de conférences internationales. À l'évidence, ils étaient amis. Quand Danko a décidé de déguerpir, Smith était l'homme auquel il comptait se fier. Il n'y a rien de plus compliqué, rien de plus obscur dans tout ça.

— Alors je peux voyager en toute sécurité ?

— Tout à fait, le rassura Reed. D'ailleurs, pourquoi ne pas prendre un autre verre et repasser un peu en revue de quelle manière nous allons nous organiser ?

*

Peter Howell laissa s'écouler plusieurs heures avant de quitter l'hôtel Danieli et de s'acheminer vers le Rio del San Moise, où les assassins avaient trouvé une mort explosive. Comme il s'y attendait, il n'y avait là qu'une poignée de carabiniers en train de patrouiller le périmètre, afin de s'assurer qu'aucun touriste n'aille s'aventurer sur les lieux du crime, ceinturé par un cordon de sécurité.

L'homme qu'il espérait retrouver là était occupé à examiner les restes carbonisés des assassins de la gondole. Derrière lui, divers personnages continuaient de sonder le canal, en quête d'autres pièces à conviction.

Un carabinier barra le chemin à Howell.

— Je souhaite parler à l'inspecteur Dionetti, expliqua l'Anglais dans un italien parfait.

Howell attendit que le policier se rende auprès d'un petit homme soigné, qui se caressait le bouc d'un air pensif tout en examinant un morceau de bois noirci.

Marco Dionetti, inspecteur de la Polizia Statale, leva les yeux et battit des paupières en reconnaissant Howell. Il retira ses gants de latex, épousseta des pellicules imaginaires du revers de son costume confectionné sur mesure, vint vers Howell et l'étreignit, à la mode italienne.

— Pietro ! Quel plaisir de te revoir. Dionetti considéra Howell des pieds à la tête. Au moins, j'espère que ce sera pour un motif agréable.

— À moi aussi, cela me fait plaisir de te revoir, Marco.

Durant l'âge d'or du terrorisme, au milieu des années 80, Peter Howell, détaché, « prêté » par le SAS, avait travaillé avec la crème des policiers italiens sur des enlèvements touchant des citoyens britanniques. L'un des hommes qu'il avait fini par admirer et respecter le plus était cet aristocrate à la voix douce, mais d'un caractère ô combien coriace, du nom de Marco Dionetti, à l'époque véritable étoile montante de la Statale. Avec les années, Howell et lui étaient restés en contact. Howell jouissait d'une invitation permanente à venir séjourner, à chacune de ses visites à Venise, dans le palais ancestral des Dionetti.

— Alors tu es ici, à la Sérénissime, et non seulement tu ne m'as pas appelé, mais tu ne m'as même pas permis de te recevoir, le réprimanda Dionetti. Où es-tu descendu ? Au Danieli, je parie.

— Toutes mes excuses, Marco, lui répondit Howell. Je suis arrivé hier et les événements se sont un peu précipités.

Dionetti regarda derrière lui, vers les débris éparpillés sur le quai.

— Précipités ? Naturellement, voilà bien le sens très classique de la litote chère aux Britanniques. Puis-je avoir l'audace de te demander si tu sais quelque chose de cet attentat ?

— Tu peux. Et je serais heureux de te répondre. Mais pas ici.

Dionetti laissa échapper un sifflement sec. Presque instantanément, une vedette bleu et blanc de la police se rapprocha en ronronnant de l'escalier qui descendait du quai jusqu'au niveau de l'eau.

— On peut se parler en route, proposa Dionetti.

— En route pour où ?

— Enfin, Pietro ! Nous allons à la préfecture. Il serait très mal élevé de ma part d'attendre que tu répondes à mes questions sans que je réponde aux tiennes.

Howell suivit l'inspecteur à la poupe de l'embarcation. Les deux hommes attendirent que le bateau soit sorti du Rio del San Moise pour prendre de la vitesse en s'engageant sur le Grand Canal.

— Dis-moi, Pietro, commença l'inspecteur par-dessus le grondement des moteurs diesel. Que sais-tu de cette petite irruption de l'horreur dans notre belle ville ?

— Je ne mène aucune opération, lui assura Howell. Mais l'incident a impliqué l'un de mes amis.

— Et ton ami se trouve être le mystérieux gentleman de la place Saint-Marc ? s'enquit Dionetti. Celui que l'on a vu avec la victime de la fusillade ? Celui qui a pourchassé les tueurs, avant de disparaître ?

— Celui-là même.

Dionetti poussa un soupir théâtral.

— Dis-moi que tout ceci n'a rien à voir avec le terrorisme, Pietro.

— Je te le confirme.

— Sur la victime, nous avons trouvé un passeport ukrainien, mais pas grand-chose d'autre. Apparemment, il avait effectué un voyage plutôt pénible. L'Italie serait-elle concernée par les raisons qui l'avaient amené ici ?

— L'Italie n'a pas à être concernée. Il ne faisait que passer.

Dionetti suivit du regard le trafic sur l'eau, les taxis et les bus fluviaux, les chalands à ordures et les gondoles élégantes dansant dans le sillage des bateaux plus importants. Le Grand Canal était l'artère principale de sa Venise bien-aimée, et il la sentait battre en lui ardemment.

— Je ne veux pas d'ennuis, Pietro, reprit-il.

— Alors aide-moi, lui répliqua Howell. Je veillerai à ce que ces ennuis prennent le large. Il observa un silence. As-tu découvert suffisamment d'informations pour identifier les tueurs et comprendre comment ils ont été supprimés ?

— Une bombe, fit Dionetti, catégorique. Plus puissante que nécessaire. Quelqu'un voulait les anéantir. Enfin, si telle était l'intention, elle a échoué. Nous disposons d'assez d'éléments pour une identification… à supposer que ces deux-là figurent dans nos fichiers. Nous verrons cela sous peu.

La vedette ralentit à l'approche du Rio di Ca Gazoni,

81

puis elle entra lentement en grondant dans le bassin situé en face de la Questura, le quartier général de la Polizia Statale.

Dionetti ouvrit la marche, ils passèrent devant des gardes armés postés devant ce palais du XVIIᵉ siècle.

— Jadis la demeure d'une fière famille, lui expliqua Dionetti en se retournant à demi. Saisie pour cause d'arriérés d'impôts. Quand le gouvernement l'a reprise à son compte, il en a fait un commissariat central chic.

Et il secoua la tête, l'air navré.

Howell le suivit dans un large couloir jusqu'à une salle qui ressemblait à un ancien salon de réception officiel. Derrière les fenêtres, on apercevait un jardin, laissé à l'abandon.

Dionetti passa derrière son bureau et tapa sur le clavier de son ordinateur. Une imprimante revint à la vie en bourdonnant.

— Les frères Rocca... Tommaso et Luigi, fit-il, en tendant à Howell les feuillets imprimés.

Howell examina les photos de deux hommes d'allure très dure, approchant de la trentaine.

— Siciliens ?

— Exactement. Des mercenaires. Nous les soupçonnions depuis longtemps d'être responsables du meurtre d'un procureur de Palerme et d'un juge de Rome, abattus par balles.

— Leurs services étaient chers ?

— Très élevés. Pourquoi cela ?

— Parce que seul quelqu'un disposant à la fois d'argent et de relations aurait pu engager des hommes pareils. Ce sont des professionnels. Ils n'ont pas besoin de recourir aux petites annonces.

— Mais pourquoi tuer un paysan ukrainien… si telle était bien l'identité du mort ?

— Je l'ignore, répondit Howell, non sans sincérité. Mais j'ai besoin de le découvrir. As-tu la moindre idée de l'endroit où ces deux-là étaient basés ?

— À Palerme. Leur ville natale.

Howell hocha la tête.

— Et côté explosifs ?

Dionetti se retourna vers son ordinateur.

— Oui… le rapport préliminaire du laboratoire médico-légal indique qu'il s'agissait de C-12, à peu près l'équivalent d'un kilo.

Howell le dévisagea d'un air sévère.

— Du C-12 ? Tu en es sûr ?

Dionetti haussa les épaules.

— Tu te souviens peut-être, Pietro, que notre laboratoire satisfait aux plus hauts critères d'exigence. J'accepte ses conclusions les yeux fermés.

— Et moi de même, lui répondit Howell, songeur.

Mais comment le tueur des deux Siciliens a-t-il pu mettre la main sur les explosifs dernier cri de l'armée américaine ?

*

La demeure de Marco Dionetti était un palais du XVIe siècle, en pierre de taille, quatre étages en bordure du Grand Canal, à un jet de pierre de l'Accademia. Dans la salle à manger majestueuse, dominée par une cheminée sculptée de la main de Moretta, du haut de leurs portraits peints par des maîtres de la Renaissance, les visages austères des ancêtres de Dionetti considéraient les dîneurs de haut.

Peter Howell termina sa dernière bouchée de *seppioline* et se redressa contre le dossier de sa chaise, quand un serviteur âgé vint desservir son assiette.

— Mes compliments à Maria. La seiche était excellente… exactement comme dans mon souvenir.

— Je ne manquerai pas de lui transmettre, répondit Dionetti tandis qu'on leur présentait un plateau de *bussolai*. L'inspecteur prit quelques-uns de ces biscuits parfumés à la cannelle, qu'il grignota pensivement.

— Pietro, je comprends ton besoin de discrétion. Mais j'ai moi aussi des maîtres auxquels je dois répondre. N'y a-t-il rien que tu puisses me communiquer au sujet de cet Ukrainien ?

— Mon travail était simplement de couvrir le contact, lui répéta Howell. Rien n'indiquait que du sang serait versé.

Dionetti joignit le bout des doigts.

— J'imagine que je pourrais raconter que les frères Rocca avaient un contrat et qu'ils l'ont rempli en se trompant d'individu, en somme que l'homme aperçu en train de fuir de la pièce était la victime initialement visée.

— Ce qui ne suffirait peut-être pas à expliquer pourquoi les Rocca ont été dessoudés, releva Howell.

D'un petit geste des doigts, Dionetti écarta cette possibilité.

— Les deux frères avaient beaucoup d'ennemis. Qui peut dire si l'un de ceux-là n'a pas finalement réussi à régler ses comptes ?

Howell finit son café.

— À ta place, si je pouvais présenter l'affaire sous cet angle, Marco, je n'hésiterais pas. Maintenant, je ne voudrais pas me conduire en invité indélicat, mais il faut que je descende faire un saut à Palerme.

— Ma vedette est à ta disposition, fit Dionetti, en descendant accompagner Howell à l'entrée principale. S'il se présente de nouveaux développements, je te contacte. Promets-moi qu'une fois ton affaire terminée, tu t'arrêteras sur la route en repartant chez toi. Nous irons à La Fenice… Les travaux de restauration seront peut-être terminés.

Howell sourit.

— Cela me plairait grandement. Merci de ton aide, Marco.

Dionetti regarda l'Anglais enjamber le plat-bord et lever la main tandis que la vedette se faufilait vers le Grand Canal. Ce ne fut que lorsqu'il fut absolument certain que Howell ne pouvait plus le voir que son expression amicale se dissipa.

— Tu aurais dû m'en dire davantage, mon vieux, fit-il d'une voix feutrée. J'aurais pu te garder en vie.

CHAPITRE SIX

À près de treize mille kilomètres plus à l'ouest, dans l'île hawaïenne de Oahu, Pearl Harbor se prélassait paresseusement sous le chaud soleil tropical. C'était là, dominant le port, que s'élevaient les bâtiments administratifs et le quartier général du haut commandement opérationnel de la marine. Ce matin-là, l'accès de l'Immeuble Nimitz était interdit à tout personnel non autorisé. Des unités de la Patrouille Côtière Militaire étaient stationnées à l'extérieur et à l'intérieur, dans les longs couloirs où il faisait frais et devant les portes fermées de la salle de réunion.

Cette salle avait la taille d'un gymnase et pouvait facilement recevoir trois cents personnes. Ce jour-là, elles n'étaient que trente, toutes assises aux premiers rangs devant la tribune. La nécessité de ces mesures de sécurité renforcée se reflétait dans les médailles et les barrettes qui ornaient les uniformes de tous les participants. Représentant les différents secteurs des forces armées, il y avait là tous les officiers supérieurs du théâtre Pacifique, responsables de l'acquisition et de l'élimination de toute menace depuis les rivages de San Diego jusqu'au détroit de Taïwan, en Asie du Sud-Est. Chacun d'entre eux était un vétéran aguerri à l'épreuve du feu, qui avait vu plus que sa part de conflits. Aucun ne nourrissait la moindre patience à l'égard des politiques ou des théoriciens, ce qui revient à dire qu'ils ne fréquentaient pas volontiers les imbéciles. Ils ne se fiaient qu'à leur compétence et à leur instinct, et ne respectaient que ceux qui avaient fait leurs preuves sur le champ de bataille. C'est pourquoi tous les regards étaient rivés sur la silhouette qui se tenait debout à la tribune, le général Frank Richardson, vétéran du Vietnam et de la Guerre du Golfe, et d'une dizaine d'autres opérations dont le peuple américain avait tout oublié. Mais pas ces hommes. Pour eux, en qualité de représentant de l'armée au sein de l'état-major interarmes, Richardson était un véritable guerrier. Quand il avait quelque chose à dire, tout le monde l'écoutait.

Richardson agrippait le pupitre à deux mains. Cet homme grand et bien en chair était resté aussi solide qu'à l'époque où il jouait au football américain sur les terrains de West Point. Avec ses cheveux gris fer coupés en brosse, ses yeux verts et froids et sa mâchoire volontaire, il incarnait à la fois l'homme de terrain, le footballeur et le responsable de relations publiques rêvé. À ceci près que Richardson détestait pratiquement quiconque n'avait pas versé son sang pour son pays.

— Messieurs, résumons-nous, lança Richardson, en balayant son auditoire du regard. Ce ne sont pas les Russes qui m'inquiètent. Il est déjà compliqué, en temps normal, de savoir qui dirige leur foutu pays… les politiciens ou leur *mafiya*. Chez eux, impossible de distinguer les équipes sans consulter la feuille de match.

Richardson marqua un silence, le temps de savourer les rires déclenchés par sa petite plaisanterie.

— Mais pendant que Notre Mère la Russie est relé-
guée au vestiaire, poursuivit-il, on ne peut pas en dire
autant des Chinois. Par le passé, les administrations
américaines précédentes mouraient tellement d'envie
de coucher avec eux qu'elles n'ont jamais su percer les
véritables intentions de Pékin. Nous leur avons vendu
nos ordinateurs les plus modernes, notre technologie
de satellites, sans nous rendre compte qu'ils avaient
déjà infiltré nos principaux complexes de développement et de production d'armes nucléaires. Pour ces
types-là, Los Alamos, c'était le supermarché en libre
service ouvert vingt-quatre heures sur vingt-quatre. Je
n'arrête pas de répéter à l'administration actuelle...
comme je l'ai répété aux précédentes... que la Chine
ne peut pas être tenue en respect par la seule force
nucléaire.

Richardson laissa son regard s'aventurer vers le fond
de la salle. Un homme aux cheveux poivre et sel, le
début de la quarantaine, habillé en tenue civile, était
adossé contre le mur, les bras croisés sur la poitrine. Le
général capta le hochement de tête presque impercep-
tible du personnage et, dans la foulée, il changea de ton.

— Mais, de leur côté, les Chinois ne peuvent pas
non plus espérer nous défier en jouant la carte
nucléaire. La folie, c'est qu'ils détiennent un autre
choix : la guerre biochimique. Introduisez un microbe
dans l'un de nos principaux centres de population, dans
nos systèmes de commandement opérationnel, et illico
presto, c'est le chaos instantané. Avec de leur côté, une
vraie possibilité de démenti, et complètement plausible
avec ça. C'est pourquoi il est impératif, messieurs, que
dans vos patrouilles, vos sorties de surveillance et de
renseignement, vous réunissiez autant d'informations

que possible sur le programme d'armements biochimiques chinois. Les batailles de la prochaine guerre ne se gagneront pas, ne se perdront pas sur le terrain ou sur les océans… tout au moins pas au début. Elles se mèneront dans les laboratoires, là où l'ennemi se mesure en milliards de bataillons et peut équiper une tête d'épingle. C'est seulement lorsque vous saurez où ces bataillons sont fabriqués, nourris, entretenus et à partir d'où ils seront déployés, que vous pourrez envoyer vos forces les éliminer.

Richardson s'interrompit brièvement.

— Je vous remercie de m'avoir accordé un peu de votre temps et de votre attention, messieurs.

L'homme dans le fond ne prit pas part à la salve d'applaudissements. Quand les autres membres de l'auditoire entourèrent le général, le félicitèrent, l'abreuvèrent de questions, il ne bougea pas. Anthony Price, directeur adjoint de l'Agence pour la Sécurité Nationale[1], réservait toujours ses commentaires pour les entretiens en privé.

Tandis que les officiers se dispersaient, Richardson rejoignit Price, qui se faisait justement la réflexion que, décidément, ce général ressemblait à un coq lissant ses plumes.

— Bon Dieu, j'adore ces types ! L'odeur de la guerre, on la flaire sur eux.

— Ce que je flaire, moi, c'est que vous avez bien

---

1. National Security Agency, ou Agence pour la Sécurité Nationale. Créée en 1952, cette structure civile est spécialisée dans la sécurité des systèmes de communication, fondée sur le système SIGINT, qui permit, dès 1942, de percer les codes secrets japonais, et de remporter la bataille de Midway.

failli tout faire foirer, Frank, répliqua sèchement Pri
Si je n'avais pas attiré votre attention, vous leur aur
tout déballé par le menu.

Richardson lui lança un regard cinglant.

— Accordez-moi un minimum de crédit, voul
vous? Il poussa la porte devant lui. Allons-y. N
prenons du retard.

Ils sortirent, sous le ciel d'un bleu sans pareil,
empruntèrent d'un pas rapide le sentier gravillon
qui décrivait une courbe le long de l'auditorium.

— Un jour, Tony, il faudra bien que les politicien
viennent, reprit Richardson sur un ton grave. Diriger
pays à coups de sondages d'opinion, voilà ce qui est
train de nous tuer. Annoncez que vous voulez stock
le virus de l'anthrax ou Ebola, et vous verrez vos co
d'opinion plonger. Tout ça, c'est de la connerie!

— Vieille rengaine, Frank, lui rétorqua Price. Vo
vous souviendrez peut-être que le plus gros problèm
ce sont les procédures de vérifications. Nous no
sommes mis d'accord avec les Russes pour que n
stocks d'armes biochimiques soient contrôlés par d
inspecteurs internationaux. Nos labos, nos complex
de recherche et de production, nos systèmes de lanc
ment... tout était libre d'accès. Et donc les politicie
n'ont pas à « y venir ». De leur point de vue, les arm
biologiques sont une impasse.

— Sauf quand ils se les prendront dans le c
laissa tomber Richardson d'un ton sarcastique. Pai
que là, ils vont se mettre à brailler : « Et nos armes
nous, où sont-elles? »

— Et vous, vous serez en mesure de le leur di
n'est-ce pas? releva Price. Avec un petit coup de ma
du bon docteur Bauer.

— Dieu merci, il existe des types comme lui, lâcha Richardson, les dents serrées.

Derrière l'auditorium était aménagée une petite plate-forme d'atterrissage circulaire. Un hélicoptère commercial Jet Ranger portant une immatriculation civile attendait là, rotors tournant paresseusement au ralenti. Quand le pilote vit ses passagers, il commença de faire chauffer ses turbines.

Price était sur le point de baisser la tête pour plonger dans l'habitacle côté passager, quand Richardson l'arrêta.

— Cette histoire, à Venise, fit-il par-dessus le sifflement croissant des turbines. Est-ce qu'on a su jouer le coup convenablement ?

Price secoua la tête.

— Tout s'est déroulé comme prévu. Mais il y a eu un épisode inattendu. J'attends les dernières nouvelles sous peu.

Richardson lâcha un grognement, suivit Price dans l'habitacle et se sangla sur son siège. Il avait beau respecter Bauer et Price, ces deux-là n'en demeuraient pas moins des civils. Seul un soldat n'ignore pas qu'il y a toujours des imprévus.

*

À sept cents mètres d'altitude, la vue plongeante sur Big Island ne manquait jamais d'emballer Richardson. La Kona Coast chatoyante se profilait au loin, avec ses hôtels ancrés le long du rivage, comme de grands paquebots au mouillage. Plus à l'intérieur des terres s'ouvraient les plaines noires de lave solidifiée, aussi peu engageantes qu'un paysage lunaire. Au centre

d'une étendue de terrain apparemment désertique
nichait la source de vie : le volcan Kilauea, au cra
gorgé de magma rougeoyant, puisé dans le tréfo
du noyau terrestre. Pour le moment, le volcan é
endormi, mais Richardson l'avait vu en éruption.
création, la formation d'un lieu inédit à la surface
la planète était un spectacle qu'il n'avait jamais oul

L'hélicoptère fila en bordure du champ de lave
ce qui restait de Fort Howard fut en vue. Occup
plusieurs milliers d'hectares de terrain entre le cha
de lave et l'océan, l'endroit avait été le tout pren
complexe de recherches médicales de l'armée, spé-
lisé dans le traitement des maladies tropicales, don
lèpre. Plusieurs années auparavant, Richardson a
œuvré pour que s'engage le processus de désar
ment de la base. Il avait dégotté un sénateur de l'
de Hawaï suffisamment opportuniste et, moyenn
quelques soutiens en sous-main, il avait réussi à f
passer l'épreuve du feu du Congrès à la manœuvre
ce politicien : un complexe médical flambant neu
Oahu. En contrepartie, ce sénateur, en sa qualité
membre de la Commission d'Affectation Budgéta
des Forces Armées, avait entériné sans discussio
requête de mise en sommeil et de vente de F
Howard à des intérêts privés.

À l'époque, Richardson avait déjà un acheteur
les rangs : la firme biochimique Bauer-Zermatt A.
dont le siège était à Zurich. Après que deux cent m
titres de la compagnie eurent été déposés dans le co
du sénateur, le politicien avait veillé à ce que la co
mission juge d'autres offres éventuelles irrecevabl

Richardson s'adressa au pilote par les écouteurs
— Survolez l'enceinte.

L'hélicoptère s'inclina, ouvrant au général une vue panoramique sur le périmètre. Même à cette altitude, on voyait bien que la clôture était toute neuve et solide — une clôture Cyclone de trois mètres de hauteur, surmontée de fer feuillard. C'était apparemment des personnels militaires qui tenaient les quatre postes de garde. Les véhicules tout-terrain stationnés au pied de chaque poste de garde ne faisaient qu'accentuer l'impression générale.

L'enceinte elle-même était étonnamment vide. Les baraquements et les entrepôts semi-cylindriques en tôle rôtissaient sous le soleil tropical, sans la moindre trace d'activité alentour. Seul le vieux bâtiment du commandement, repeint, avec quelques Jeeps garées à proximité, paraissait en service. L'impression d'ensemble était parfaite : des installations militaires désaffectées, encore interdites d'accès, sauf à quelques locaux qui garnissaient l'effectif squelettique travaillant sur les lieux.

Une impression d'ensemble extrêmement trompeuse. À la vérité, l'ancien Fort Howard était désormais enfoui trois étages sous terre.

— Nous avons l'autorisation d'atterrir, général, l'informa le pilote.

Richardson jeta un coup d'œil par la fenêtre et aperçut une silhouette lilliputienne qui guidait la manœuvre de l'appareil.

— Posez-vous, ordonna-t-il.

*

L'homme était petit, musclé, le début de la soixantaine, des cheveux argentés coiffés en arrière et un

bouc soigneusement taillé. Il se tenait les pieds légèrement écartés, le dos raide comme un piquet, les mains
croisées dans le dos — un officier des guerres du
passé.

Le docteur Karl Bauer regarda l'hélicoptère perdre
de l'altitude, évoluer au-dessus de l'aire d'atterrissage
herbue, puis se poser. Il savait que ses visiteurs
allaient lui poser des questions sans détour. Tandis
que les rotors tournaient de plus en plus lentement, il
se répéta méticuleusement les informations strictement
limitées qu'il allait leur fournir. Herr Doktor n'appréciait guère d'avoir à fournir des explications ou des
excuses.

Depuis plus d'un siècle, la firme fondée par
l'arrière-grand-père de Bauer s'était trouvée aux
avant-postes de la technologie chimique et biologique.
Bauer-Zermatt A.G. détenait une myriade de brevets
qui, à ce jour, constituaient une source constante de
revenus. Ses scientifiques et ses chercheurs avaient
mis au point des pilules et des sirops qui, encore
aujourd'hui, composaient la pharmacie de base de
toutes les familles, un peu partout dans le monde.
Simultanément, ils avaient introduit sur le marché des
médicaments ésotériques, qui avaient valu au groupe
pharmaceutique quantité de récompenses humani-
taires décernées par des organisations internationales.

Mais en dehors de tous les médicaments et autres
vaccins que Bauer-Zermatt distribuait aux professionnels de santé du tiers-monde, la firme possédait
une face cachée, à laquelle ses experts en relations
publiques et ses brochures sur papier glacé ne faisaient
jamais allusion. Durant la Première Guerre mondiale,
la société avait développé une variante de gaz mou-

tarde particulièrement meurtrière, responsable de la mort lente de milliers de soldats alliés. Un quart de siècle plus tard, elle avait fourni aux compagnies allemandes certains produits chimiques dont, par la suite, la combinaison avait permis de créer le gaz employé dans les chambres à gaz de toute l'Europe centrale. L'entreprise avait également suivi de près les expérimentations impies du docteur Josef Mengele et d'autres médecins nazis. À la fin de la guerre, tandis que d'autres criminels et leurs complices étaient arrêtés et pendus, Bauer-Zermatt s'était retranché derrière le voile de l'anonymat helvétique, non sans exploiter en toute quiétude les recherches médicales nazies. Quant aux actionnaires et aux principaux cadres dirigeants de Bauer-Zermatt, ils avaient prétendu tout ignorer de l'usage que l'on avait pu faire, une fois franchies les frontières des Alpes, des produits de leur conglomérat.

Au cours de la seconde moitié du XXᵉ siècle, le docteur Karl Bauer, non content de maintenir l'entreprise familiale au premier rang de la recherche pharmaceutique honorable, avait également étoffé son programme secret de développement d'armes biochimiques. Comme la sauterelle, Bauer allait se poser dans les champs les plus fertiles : la Libye de Kadhafi, l'Irak de Saddam Hussein, les dictatures tribales d'Afrique et les régimes d'Asie du Sud-Est gangrenés par le népotisme. Il amenait avec lui les meilleurs scientifiques et l'équipement le plus moderne. En échange, on le couvrait de largesses aussitôt transférées, le temps d'une frappe sur un clavier d'ordinateur, à l'intérieur de coffres enterrés dans les sous-sols de Zurich.

Dans le même temps, Bauer maintenait et améliorait ses contacts avec les hiérarchies militaires des

États-Unis et de la Russie. S'intéressant de près à la situation politique mondiale, non sans une certaine prescience, il avait su anticiper l'éclatement de l'Union soviétique et le déclin inévitable de la Nouvelle Russie, qui se débattait pour accéder à la démocratie. Bauer s'y entendait à pêcher en eaux troubles, là où les flux symétriques et jumeaux du désespoir russe et de l'ascendant américain se croisaient.

Bauer vint au-devant de ses visiteurs pour les accueillir.

— Messieurs.

Les trois hommes se serrèrent la main, puis s'engagèrent d'un même pas dans le bâtiment de commandement à deux étages de style colonial. De part et d'autre de l'élégante réception lambrissée, dans les bureaux de l'équipe triée sur le volet par Bauer en personne, on se chargeait de la gestion administrative du complexe. Plus loin, il y avait les boxes où les assistants scientifiques saisissaient laborieusement les données des expériences de laboratoire. Tout au fond se trouvaient les deux ascenseurs. L'un des deux était dissimulé derrière une porte qui ne s'ouvrait qu'au moyen d'une clé magnétique. Construite par Hitachi, cette cabine ultrarapide reliait les laboratoires souterrains à l'immeuble de commandement. Le second ascenseur était une magnifique cage à oiseaux en cuivre. Les trois hommes montèrent dedans et, en quelques secondes, atteignirent le bureau privé de Bauer, qui occupait tout le deuxième étage.

Ce bureau aurait pu être celui d'un gouverneur de colonie du XIXe siècle. Des tapis orientaux anciens habillaient le parquet verni. Des bibliothèques en acajou et des objets d'art du Pacifique Sud garnissaient les murs. Le bureau massif de Bauer se dressait devant les baies vitrées qui s'ouvraient, du sol au plafond, sur toute l'enceinte et sur l'océan en contrebas des falaises, exactement à l'opposé des champs de lave noire, visibles dans le lointain.

— Vous avez effectué quelques améliorations depuis la dernière fois que je suis venu ici, commenta sèchement Richardson.

— Plus tard, je vais vous emmener visiter les logements du personnel et l'espace de détente, lui répondit Bauer. La vie ici n'est pas très différente de la vie à bord d'une plate-forme pétrolière : mes gars ne jouissent que d'un seul congé par mois, et seulement pour une durée de trois jours. Les agréments que je leur procure valent largement la dépense.

— Ces permissions, reprit Richardson. Vous les laissez partir à leur guise ?

Bauer eut un rire discret.

— Pas franchement, général. Nous prenons des réservations pour eux dans une station balnéaire très fermée. La sécurité est présente sur les lieux, mais ils n'en ont jamais conscience.

— D'une cage dorée l'autre, remarqua Price.

Bauer haussa les épaules.

— Je n'enregistre pas la moindre plainte.

— Vu ce que vous les payez, je ne suis pas surpris, releva Price.

Bauer s'avança vers un chariot à alcools bien garni.

— Puis-je vous offrir un verre ?

Richardson et Price choisirent tous deux le jus d'ananas frais aux morceaux de fruits, avec glace. Bauer s'en tint à son eau minérale habituelle.

Après que les autres se furent assis, Bauer prit plac[e] derrière son bureau.

— Messieurs, permettez-moi de récapituler. L[e] projet auquel nous avons consacré cinq années d[e] nos vies est presque sur le point de porter ses fruit[s]. Comme vous le savez, sous l'administration Clinto[n] la variole, qui devait être détruite en 1999, s'est v[u] accorder un sursis. À l'heure actuelle, il en subsist[e] deux lots dans le monde : l'un se trouve au Centre de[s] Maladies Transmissibles, qui fait partie du CDC, [à] Atlanta, et l'autre en Russie centrale, à Bioprepara[t]. Tout notre plan reposait sur notre capacité à nous pr[o]curer un échantillon du virus de la variole. Les tenta[-]tives pour obtenir un tel échantillon auprès du CDC s[e] sont avérées vaines. Les dispositifs de sécurité étaie[nt] tout simplement trop rigoureux. Toutefois, tel n'éta[it] pas le cas à Biopreparat. Vu les besoins urgents de[s] Russes en matière de devises fortes, j'ai été en mesur[e] de conclure certains accords. Je suis heureux de vou[s] annoncer que d'ici quelques jours, un courrier porteu[r] d'un échantillon du virus quittera la Russie.

— Est-ce que vos Russes garantissent la livraison[?] demanda Richardson.

— Naturellement. Dans le cas improbable où c[e] courrier manquerait le rendez-vous avec nos équipes[,] la seconde moitié de la somme convenue ne serait pa[s] versée. Bauer s'interrompit, se passa la langue sur se[s] incisives courtes et aiguës. Sans compter avec d'autre[s] conséquences, d'une portée plus considérable. J[e] puis vous assurer que les Russes en sont parfaitemen[t] avertis.

— Mais il s'est présenté un problème, n'est-ce pas[,] lâcha Richardson sans détour. Venise.

Bauer ne répondit pas. À la place, il introduisit un disque dans un lecteur DVD. Le fond bleuté de l'écran laissa place à un balayage d'images en zigzag, puis à un plan étonnamment net de la place Saint-Marc.

— Ces images ont été filmées par un journaliste italien qui profitait de cette journée en famille, expliqua Bauer.

— Quelqu'un d'autre dispose-t-il d'une copie de ce film ? le questionna Price aussitôt.

— Non. Mes agents se sont immédiatement rendus auprès de ce journaliste. Non seulement il n'aura plus un centime à débourser pour l'éducation de ses enfants, mais il peut prendre sa retraite… ce qu'il a fait d'ores et déjà.

Bauer désigna l'écran.

— L'homme sur la droite, c'est Youri Danko, officier de haut rang au sein de la division médicale des services de sécurité russes.

— Et là, à gauche, c'est Jon Smith, ajouta Price. Il se tourna vers Richardson. Frank et moi connaissons Smith depuis son implication dans l'opération Hadès. Avant cela, il travaillait à l'USAMRIID. Le bruit courait qu'il était proche de quelqu'un au sein de la Division du Renseignement Médical russe. La NSA a voulu se mettre sur les rangs, mais Smith ne s'est guère montré partageur. Il a prétendu qu'il ne possédait aucune source de ce genre.

— À présent, sa source, vous l'avez sous les yeux : Danko, reprit Bauer. Voici un mois, j'ai commencé de recevoir des rapports selon lesquels Danko fouinait à l'intérieur de Biopreparat, dans le cadre d'une de ses visites de sécurité. Alors que le jour du départ de notre courrier approchait, Danko a décampé. Mais il avait

99

l'air tellement pressé de déguerpir qu'il a manqué
rigueur. Les Russes ont découvert qu'il était sur
point de s'enfuir et ils m'ont transmis l'informati

— Et c'est là que vous avez pris vos dispositic
avec vos tueurs à gages, intervint Richardson. V
auriez dû vous payer des types plus doués.

— Mes exécuteurs étaient de premier ordre, rét
qua froidement Bauer. Je les avais déjà employ
précédemment et les résultats avaient toujours
satisfaisants.

— Pas cette fois-ci.

— Il aurait mieux valu disposer de Danko quan
se trouvait encore en Europe centrale, admit Bau
Quoi qu'il en soit, nous n'avons pas eu ce choix
était trop mobile, trop rapide, et il brouillait très b
les pistes. Venise était notre meilleure occasion. Qua
on a repéré Danko avec un contact, j'ai su immédia
ment qu'il allait falloir se débarrasser de cet homn
là également.

— Mais on ne s'en est pas débarrassé, souli
Price.

— Une erreur qui va être rectifiée, lui répli
Bauer. Sur le moment, nous n'avions aucune idée
l'identité du contact de Danko. L'essentiel, c'est (
Danko, qui a occupé son dernier poste à Bioprepa
soit mort. Ce qu'il savait a péri avec lui.

— À moins qu'il ne soit parvenu à le raconte
Smith, le coupa Richardson.

— Examinez le film, suggéra Bauer. Vérifiez
timing.

Il revint au début du disque. Richardson et Pr
examinèrent attentivement l'écran. Le carnage de
place Saint-Marc ne durait que quelques secondes.

— Repassez-le encore une fois, demanda Price.

Cette fois, les deux hommes se concentrèrent sur la rencontre de Danko avec Smith. Richardson avait sorti un chronomètre et, sans quitter des yeux les mains de Danko, décompta la durée de leur brève rencontre. Le Russe n'avait rien remis à Smith.

— Vous avez raison, reconnut finalement Price. Danko arrive, s'assoit, commande un café, Smith et lui se parlent et...

Bauer tira deux copies d'une transcription de leur conversation et il en tendit une à chacun des deux hommes.

— J'ai fait préparer ceci par lecture sur les lèvres. Du bavardage, c'est tout. Rien de plus.

Richardson parcourut les deux feuillets.

— Il semble que vous ayez raison : Danko n'a pas eu l'occasion de révéler quoi que ce soit. Mais vous pouvez être sûr que Smith ne va pas remballer son paquetage et se fondre comme ça dans la nuit pour autant. Il va creuser ferme, et en profondeur. Le général se tut un instant. Qui sait de quels autres contacts il dispose au sein de l'appareil militaire russe.

— Je comprends bien, acquiesça Bauer. Croyez-moi, je n'ai nullement l'intention de sous-estimer le docteur Jon Smith. C'est en partie la raison pour laquelle je vous ai prié de venir ici, afin que nous puissions décider de quelle manière procéder en ce qui le concerne.

Price, qui s'était servi de la télécommande pour faire défiler les images sur l'écran, figea le film sur un plan bien précis.

— Ce type, là, le bon samaritain. Il me dit quelque chose.

— Selon mes sources, il s'est présenté comme u
médecin italien.

— La police l'a-t-elle interrogé?

— Non. Il a disparu dans la foule.

— Qu'est-ce qui ne va pas, Tony? s'enqu
Richardson.

Le téléphone portable de Price tinta. Il l'ouvrit d'u
coup sec, se présenta, puis, en regardant les deu
autres, il leva un doigt.

— Bonjour, inspecteur Dionetti. Je suis heureu
que vous appeliez. J'ai quelques questions à vous pos
au sujet du second homme présent sur les lieux de l
fusillade...

Assis dans son élégant cabinet de travail tapissé c
livres, Dionetti contemplait un buste étrusque.

— Vous disiez que vous vouliez savoir si que
qu'un était venu poser des questions au sujet de
frères Rocca, lui répondit Dionetti.

— Et donc?

— Un de mes vieux amis... Peter Howell, l'ancie
du SAS...

— Je sais qui il est, l'interrompit Price. Que vou
lait-il?

Dionetti rapporta la teneur de son entretien ave
l'Anglais et finit par ajouter:

— Je regrette de n'avoir pas été en mesure d'e
tirer davantage d'information. Mais à poser trop d
questions...

— Et vous, qu'avez-vous dit à Howell?

Dionetti s'humecta les lèvres.

— Howell m'a demandé si nous avions identifié le
corps. Je lui ai indiqué qu'il s'agissait des frères Rocca
Je n'avais pas le choix. Howell dispose d'autre

contacts que moi à Venise. Si je ne le lui avais pas dit, d'autres l'auraient fait.

— Et quoi encore ? insista Price.

— Il a vu les résultats de l'explosion…

— Et vous lui avez spontanément indiqué qu'il s'agissait de C-12.

— Qu'aurais-je pu lui dire d'autre. Howell a été soldat. Il connaît. Écoutez-moi, Antonio. Howell est en route pour Palerme, d'où étaient venus les Rocca. Il voyage seul, c'est une cible facile.

Price réfléchit.

— Très bien, lâcha-t-il finalement. Mais si Howell vous contacte depuis Palerme, je veux être tenu au courant.

Après avoir coupé la communication, Price observa le visage sur l'écran.

— C'est Peter Howell, annonça-t-il à ses deux associés.

Il résuma les propos de Dionetti et leur livra un aperçu de la carrière de Howell.

— Que ferait un tel homme avec Jon Smith ? s'enquit Bauer.

— Il couvrait ses arrières, lui expliqua Richardson d'un ton maussade. Smith n'est pas un crétin. Il était hors de question qu'il aille tout seul à la rencontre de Danko. Le général se tourna vers Price. Ce salopard de Dionetti est une grande gueule. Est-ce qu'on peut encore se fier à lui ?

— Tant que nous le payons, oui, lui affirma Price. Sans nous, Dionetti est à un pas de la ruine. Cinq cents ans de tradition familiale… Il claqua des doigts…. envolés ! Aussi simple que ça. Et il avait raison : d'une manière ou d'une autre, concernant les Rocca et le C-12, Howell aurait tout découvert.

— Il semble que Smith ne soit pas le seul fil à dépasser de la pelote, fit observer Bauer.

— Exact, admit Richardson. Mais Palerme est un endroit dangereux… même pour un homme comme Peter Howell.

CHAPITRE SEPT

Dès son arrivée de Houston, Jon Smith se rendit en voiture directement de la base d'Andrews à son domicile de Bethesda. Il se doucha, prépara une valise de vêtements de rechange pour une semaine et appela une compagnie de taxis pour se faire déposer à l'aéroport Dulles.

Il armait le système de sécurité quand le téléphone de la ligne sécurisée sonna.

— Ici Klein, Jon. Avez-vous pris les dispositions nécessaires ?

— J'ai réservé sur un vol Delta Air Lines pour Moscou, monsieur. Il décolle dans trois heures.

— Bien. J'ai parlé avec le Président. Il donne au Réseau le feu vert pour agir au mieux… mais vite.

— Compris, monsieur.

— Voici l'information dont vous aurez besoin.

Après que Klein lui eut fourni tous les détails, il ajouta :

— Je sais qu'il y a eu une histoire entre Randi Russell et vous, Jon. Que cela n'interfère pas avec ce que vous avez besoin de savoir.

Smith refréna sa colère. Le tact n'était pas exactement le point fort de son chef.

— Je viendrai au rapport toutes les douze heures, monsieur.

— Alors bonne chance. Espérons que les Russes seront au courant du problème, quelle qu'en soit la nature.

*

Alors que le L-1011 de Delta Air Lines filait dans le ciel nocturne, Smith s'installa confortablement dans son fauteuil en classe affaires. Il mangea modérément, puis il dormit jusqu'à Londres. Après s'être ravitaillé en carburant, l'appareil continua son voyage vers l'est, et atterrit à Cheremetevo tôt dans la matinée. Voyageant sous son identité militaire, Smith n'eut aucun problème à la douane et avec les services de l'immigration. Après quarante minutes de trajet en taxi, il arriva au nouvel hôtel Sheraton, près de la Place Rouge.

Smith accrocha l'écriteau NE PAS DÉRANGER à la poignée extérieure de sa porte, se lava des miasmes du voyage et dormit encore quatre heures. Comme la plupart des soldats, il avait maîtrisé depuis longtemps l'art de prendre du repos chaque fois que c'était possible.

Un peu après midi, il sortit dans le printemps moscovite froid et humide, et marcha six pâtés de maisons jusqu'à une arcade couverte, en face d'un immeuble du XVIIIe siècle. Là, les boutiques étaient chic et proposaient de tout, depuis les fourrures et les parfums jusqu'aux icônes précieuses et autres diamants « bleus » de Sibérie. Smith se faufila, dépassa la foule de ces gens d'allure aisée venus là faire leurs courses, en se demandant lesquels appartenaient à la nouvelle élite du monde des affaires russe, et lesquels étaient de purs et simples criminels. Dans la Nouvelle Russie, la ligne de partage était quelque peu brouillée.

Il se rendit presque au bout de l'arcade avant de reconnaître l'adresse que lui avait communiquée Klein. Le lettrage doré — en caractères cyrilliques et en anglais — annonçait : BAY DIGITAL CORPORATION.

À travers la baie vitrée, Smith vit un bureau d'accueil, et, derrière celui-ci, un alignement de postes de travail informatiques semblables à tous ceux que l'on trouvait à Wall Street. Des hommes et des femmes élégamment vêtus vaquaient à leurs affaires avec efficacité et rapidité, mais l'une de ces personnes en particulier attira son attention. Une jeune femme, la trentaine, élancée, des cheveux d'or coupés court, et elle avait le même nez droit, le même menton affirmé qu'une autre femme qu'il avait connue, les mêmes yeux sombres… que Sophia.

Smith respira profondément et il entra. Il était sur le point de se présenter à la réceptionniste quand la jeune femme blonde leva les yeux. L'espace d'un instant, Smith fut incapable de reprendre son souffle. Ce fut comme si Sophia était soudainement revenue à la vie.

— Jon ?

Randi Russell ne put dissimuler sa surprise, s'attirant les regards curieux du reste de l'équipe. Elle s'approcha promptement du bureau de la réceptionniste.

— Pourquoi ne pas se parler dans mon bureau ? reprit-elle, tâchant de conserver un ton de voix professionnel.

Smith la suivit dans un bureau petit, mais agréablement décoré, rempli d'aquarelles encadrées représentant la côte de Santa Barbara. Randi Russell ferma la porte et le considéra des pieds à la tête.

— Je n'arrive pas à y croire, s'écria-t-elle en secouant la tête. Quand ? Et comment… ?

— Cela fait du bien de te revoir, Randi, fit Smith calmement. Je suis désolé de ne pas t'avoir prévenue. C'était un voyage improvisé à la dernière minute.

Randi plissa les yeux.

— Avec toi, rien ne se fait à la dernière minute, Jon. Comment as-tu su où me trouver ?

Smith avait appris qu'à la suite de la tragédie de l'opération Hadès, Randi avait été nommée en poste à Moscou, en qualité d'agent opérationnel de la CIA. Mais Klein avait dû dénicher la nature exacte de sa couverture et l'endroit où Smith serait en mesure de la retrouver.

Smith jeta un coup d'œil sur la pièce.

— On peut se parler en toute sécurité, ici ?

Randi désigna ce qui ressemblait à un lecteur de DVD.

— Le dernier cri en matière de détection de micros. Qui plus est, nos agents de nettoyage « balayent » l'endroit tous les soirs.

Smith opina du chef.

— Très bien. Premièrement, j'avais l'information que tu résidais à Moscou, mais j'ignorais où tu travaillais. Sur ce point, d'autres personnes m'ont apporté leurs lumières. Deuxièmement, j'ai besoin de ton aide parce qu'un homme… un type bien… est mort et je veux découvrir ce qui lui est arrivé.

Randi pesa ses propos. Elle savait fort bien quand les gens mentaient, même les professionnels dont la fausseté et le mensonge constituaient la spécialité. Son instinct lui souffla que Smith lui disait la vérité — tout au moins dans l'exacte mesure de ce qu'il était autorisé à lui dévoiler.

— Je t'écoute, Jon.

Smith lui traça le portrait de Danko, puis il lui décrivit sa rencontre avec le Russe, dans les moindres détails, sans esquiver les aspects macabres du massacre de la place Saint-Marc. Randi possédait une certaine habitude de la violence.

— Tu es certain que les chasseurs n'en avaient pas également après toi ? lui demanda-t-elle.

— Si j'avais été la cible principale, je serais mort, répondit Smith avec gravité. Leur cible, c'était Danko. Ils se sont assurés qu'il était bien mort. C'est seulement ensuite qu'ils s'en sont pris à moi.

Randi ponctua d'un mouvement de la tête.

— Sauvé par un piano. Mon Dieu ! Je n'arrive pas à croire que tu les aies poursuivis sans arme. Tu as de la chance que quelqu'un se soit chargé d'eux avant. Elle prit une profonde inspiration. Qu'est-ce que tu veux au juste, Jon ? Venger Danko ou pénétrer dans Biopreparat ?

— Youri a sacrifié sa vie pour m'apporter un secret, lui répliqua-t-il. Si je le découvre, je trouverai qui l'a tué. Mais selon moi, le commanditaire, quel qu'il soit, est également lié à Biopreparat.

— Qu'attends-tu de moi ?

— Tes meilleurs contacts en Russie, les gens qui occupent des postes de responsabilité, les individus auxquels tu te fierais.

Elle regarda fixement les aquarelles.

— Oleg Kirov, un major-général, au sein des Services de la Sécurité Fédérale de Russie[1]. Il ressemble beaucoup à la description que tu m'as faite de Danko : réaliste, digne de confiance, un patriote. Son numéro deux, c'est Lara Telegin. Très intelligente, grand savoir-faire politique, très bonne sur le terrain.

— Je me souviens d'avoir rencontré Kirov quand je travaillais pour l'USAMRIID, précisa Smith. Mais je ne le connais pas assez bien pour l'appeler comme cela, à brûle-pourpoint. Peux-tu m'arranger un rendez-vous ?

— Bien sûr. Mais Kirov voudra savoir si tu agis à titre officiel… et moi aussi.

— Je ne travaille pas pour l'USAMRIID, ni pour aucune agence de renseignement. C'est la vérité.

Elle le toisa d'un air narquois.

— Dans une certaine limite. Elle repoussa son éventuelle protestation des deux mains. Hé, je sais comment ces choses-là fonctionnent. Et Kirov aussi.

— Randi, cette affaire importe beaucoup à mes yeux.

D'un revers de main, elle balaya ses remerciements, et un silence gêné s'instaura entre eux.

— J'ai besoin de te parler de certaines questions, lui confessa enfin Smith. Des questions personnelles.

Il évoqua sa visite sur la tombe de Sophia et lui parla de la page qu'il avait finalement réussi à tourner.

— Après l'enterrement, j'ai eu le sentiment que nous devrions nous confier certaines choses, toi et moi, et nous nous en sommes toujours abstenus. Nous nous sommes perdus de vue, et c'est tout.

---

1. Federalnaya Sluzhba Bezopasnosti, ou FSB. Services de la sécurité fédérale, organisation issue de la réforme du KGB, et dépendante du seul gouvernement russe. *(N.d.T.)*

Randi le dévisagea.

— Je sais ce que tu veux dire. Mais à l'époque, une partie de moi-même te tenait pour responsable de ce qui était arrivé à Sophia. Il m'a fallu pas mal de temps pour surmonter cela.

— Tu m'en veux encore ?

— Non. Tu n'aurais rien pu tenter pour lui venir en aide. Tu ne savais rien de Tremont et de ses tueurs, ou de la menace que Sophia représentait pour eux.

— J'avais besoin de te l'entendre dire, lui avoua Smith.

Randi regarda la photo encadrée posée sur son bureau, une photo d'elle et Sophia à Santa Barbara, avant l'horreur. Même s'il s'était déjà écoulé une année, Randi avait été incapable de se pardonner sa propre absence quand sa sœur avait eu le plus grand besoin d'elle. Alors que Sophia gisait, mourante, sur un lit d'hôpital, Randi se trouvait à des milliers de kilomètres, en Irak, en train d'œuvrer dans le plus grand secret pour soutenir la résistance au régime de Saddam Hussein. Elle n'avait appris le pourquoi et le comment du meurtre de Sophia que des semaines plus tard, quand Jon Smith avait surgi à Bagdad comme un djinn noir.

Dans les décombres de son chagrin, Randi avait réussi à se raccrocher à une planche de salut. Mais ses sentiments à l'égard de Smith étaient demeurés ambivalents. Elle lui savait gré d'être resté auprès de Sophia jusque dans ses derniers instants, qu'elle ne soit pas morte seule. Pourtant, plus elle avait été au fait de l'écheveau Hadès, plus elle s'était demandé si Smith n'aurait pu, par un moyen ou un autre, empêcher le meurtre de sa sœur. Sur ce plan aussi, l'affaire était restée d'une opacité éprouvante pour son équilibre mental. Elle savait que Smith avait profondément aimé Sophia et qu'il ne l'aurait jamais mise en danger sciemment. Pourtant, quand elle s'était retrouvée devant la tombe de sa sœur, l'idée qu'il aurait pu tenter quelque chose pour la sauver ne l'avait pas quittée.

Randi écarta cette dernière pensée et se tourna vers Smith.

— Organiser un rendez-vous avec Kirov va réclamer un petit peu de temps. Cela te dirait qu'on se retrouve plus tard pour boire un verre ?

— Beaucoup.

Ils se décidèrent pour le salon du Sheraton, après que Randi aurait fermé le bureau.

— Bay Digital, qu'est-ce que c'est, au juste ? lui demanda Smith. Et qu'est-ce que tu fabriques ici ?

— Tu veux dire que les gens qui t'ont envoyé chez nous ne t'en ont pas informé ? ironisa Randi avec un sourire. Alors là, Jon, je suis consternée. Il se trouve que je suis la patronne du bureau moscovite d'une société de capital-risque très prospère qui cherche à investir dans les «jeunes pousses» prometteuses de la haute technologie russe.

— À ceci près que les capitaux n'émanent ni d'investisseurs privés ni de fonds spéculatifs, compléta Smith.

— Enfin, quoi qu'il en soit, en Russie, avec de l'argent, n'importe qui peut s'ouvrir toutes les portes. Je possède une palette de contacts qui s'étend du Kremlin à l'armée, et même à la mafia russe.

— J'ai toujours dit que tu avais des amis bas placés. Et dans ce pays il existe vraiment quelque chose qui ressemble à de la haute technologie ?

112

— Tu aurais tout intérêt à y croire. Les Russes n'ont pas notre équipement, mais donne-leur les bons outils et ils font des merveilles. Elle lui posa la main sur le bras. Ça fait vraiment du bien de te revoir, Jon… quelles que soient les raisons de ta présence ici. Est-ce que tu as besoin de quelque chose, là, tout de suite ?

Smith se représenta la veuve et l'enfant de Danko.

— Dis-moi ce que les Russes apportent quand ils rendent visite à une femme qui vient de perdre son mari… et qui ne le sait pas encore.

CHAPITRE HUIT

À 7 heures 36 du matin, heure de Houston, le docteur Adam Treloar embarqua à bord d'un appareil de
la British Airways pour un vol sans escale à destination de l'aéroport de Heathrow, à Londres, via le pôle
Nord. Dès son arrivée, il fut accompagné au salon des
voyageurs en transit où, en tant que passager de première classe, il bénéficia des services d'une masseuse.
Après une douche rapide, Treloar se fit remettre son
costume repassé de frais par un valet de chambre et se
dirigea vers la porte 68, où on le fit accéder à la cabine
avant d'un autre vol British Airways, cette fois pour
Moscou. Vingt-huit heures après le début de son
voyage, Treloar franchissait la douane et les services
moscovites de l'immigration, sans encombre.

Treloar s'en tint strictement à l'itinéraire que Reed
et lui avaient arrêté. Après s'être fait déposer par un
taxi au nouvel Hôtel Nikko, sur la rive opposée du
fleuve, en face du Kremlin, Treloar signa le registre,
puis il remit au portier un pourboire extravagant pour
qu'il lui monte ses bagages jusqu'à sa chambre.
Ensuite, il sortit de l'hôtel et héla un autre taxi, qui
l'emmena au cimetière de Mychalczuk Prospekt. La
vieille femme qui vendait des fleurs à l'entrée fut aba-

sourdie de recevoir vingt dollars pour un bouquet de marguerites et de tournesols fanés. Treloar se dirigea vers un carré de tombes relativement récentes creusées sous un alignement de bouleaux. Il déposa les fleurs au pied d'une croix orthodoxe caractéristique, dressée en hommage à la dernière demeure de sa mère, Helen Treloar, née Helena Sviatoslava Bounine.

Quand Treloar s'était porté candidat au poste de directeur du service médical, les enquêteurs du FBI, en menant leurs recherches sur ses origines, avaient dûment noté que sa mère était née en Russie. Mais sans que cela soulève aucune contre-indication. Dans sa rivalité avec le secteur privé pour attirer des représentants talentueux du monde médical, la NASA n'avait été que trop heureuse de voir un expert comme Adam Treloar intégrer l'agence après quinze années passées au service de Bauer-Zermatt A.G. Personne n'avait demandé à Treloar pourquoi il avait renoncé au privilège de son ancienneté au sein d'une firme prestigieuse, ou pourquoi il avait accepté une diminution de salaire de l'ordre de vingt pour cent. Au lieu de quoi, l'agence spatiale avait cédé devant les qualifications irréprochables et les références élogieuses de Treloar, et prié le FBI d'accélérer ses vérifications.

Avec la fin de la guerre froide, le voyage en Russie était devenu plus facile que jamais. Des milliers d'Américains allaient rendre visite à des parents qu'ils n'avaient vus, dans bien des cas, qu'en photographie. Adam Treloar était retourné, lui aussi, rendre visite à sa mère après son divorce et son retour dans sa Moscou natale. Au cours des trois années qui avaient suivi, chaque printemps, il avait pris l'avion pour passer une semaine avec elle.

Deux ans plus tôt, Treloar avait informé ses supérieurs de la NASA que sa mère souffrait d'un cancer au stade terminal. Ils avaient compati et l'avaient autorisé à prendre autant de congés personnels qu'il en aurait besoin. Le fils dévoué avait accru le nombre de ses visites, jusqu'à trois par an. Puis, à l'automne dernier, quand Helena Bounine avait finalement succombé, il était retourné en Russie un mois entier, en apparence pour s'occuper des affaires de sa mère.

Treloar était persuadé que le FBI se tenait informé de ses visites à Moscou. Mais il n'ignorait pas non plus que, comme n'importe quelle bureaucratie, le Bureau américain s'estimait satisfait tant qu'il pouvait isoler un certain schéma de comportement, et que ce schéma ne subissait pas de changements. Avec les années, Treloar avait justement créé un tel schéma, en ne le modifiant que lorsqu'il avait une raison infaillible pour ce faire. Comme sa mère était décédée six mois plus tôt, jour pour jour, c'était en quelque sorte le sixième anniversaire de sa mort, et il aurait semblé déplacé qu'il n'aille pas se recueillir sur sa tombe.

Durant le trajet du retour à son hôtel, Treloar repassa ses faits et gestes en revue. Le chauffeur de taxi depuis l'aéroport, le portier de l'hôtel, la vieille femme du cimetière, les autres chauffeurs de taxi — tous se souviendraient de lui à cause de ses généreux pourboires. Si quelqu'un venait vérifier, le schéma de sa visite était clair. À présent, il paraîtrait naturel qu'il se repose quelques jours à Moscou avant de rentrer. À ceci près que l'emploi du temps du médecin de la NASA ne comporterait pas que des escapades touristiques.

Il se retira dans sa chambre et dormit plusieurs heures. Lorsqu'il se réveilla, l'obscurité était descendue sur la ville. Il se doucha, se rasa, enfila un nouveau costume et, emmitouflé dans un pardessus bien chaud, il sortit dans la nuit.

Des pensées lui venaient spontanément à l'esprit. Comme ces pensées-là ne lui laissaient aucun répit, il ne parvenait pas à les chasser. Il capitulait donc, se laissait submerger, se livrait à leur murmure superficiel, jusqu'à les assouvir.

Adam Treloar se croyait marqué comme Caïn l'avait été. Il était affligé de terribles désirs, qu'il ne parvenait pas à dominer, auxquels il était incapable d'échapper. C'étaient ces raisons-là qui l'avaient contraint de brader sa carrière au sein de Bauer-Zermatt.

Dans une vie antérieure, Treloar avait été la vedette de la division Virologie du groupe pharmaceutique, et s'enorgueillissait du respect de ses pairs et de l'adulation de ses subordonnés — d'un subordonné en particulier, un jeune faon aux yeux de biche, si beau que Treloar en avait éprouvé une attraction irrésistible, une vraie tentation. Mais le jeune faon s'était révélé un lièvre, lié à un concurrent de Bauer-Zermatt. Il était prévu que le lièvre attire son soupirant imprudent dans un piège, et le force à se plier à la volonté de ces concurrents du groupe.

Treloar n'avait jamais flairé le piège. Il n'avait d'yeux que pour le jeune faon. Mais c'est ensuite qu'il en avait vu de toutes les couleurs, quand des hommes s'étaient présentés à son appartement et lui avaient fait visionner des cassettes vidéo d'ébats sexuels où il jouait le rôle principal. Ils lui avaient soumis un choix léonin : être démasqué, ou coopérer. En raison de la nature de la recherche au sein de Bauer-Zermatt, et des brevets détenus par le groupe, chaque employé était

117

tenu de signer un contrat strictement formulé, dont les dispositions prévoyaient une clause morale. Tout en lui révélant le contenu de ces cassettes vidéo, les tourmenteurs de Treloar ne s'étaient pas privés de lui remettre cette réalité en mémoire. Ils l'avaient confronté au peu de choix qui s'offraient à lui : soit leur transmettre des informations sur les recherches du groupe, soit se retrouver à visage découvert. Naturellement, on ne se bornerait pas à ces seules révélations. Il serait ensuite compromis publiquement, comme individu déviant. Là-dessus, après toute la publicité, on en viendrait aux poursuites civiles — et certainement pénales —, et il serait vraisemblablement vain de sa part d'espérer trouver quelque autre emploi que ce soit au sein de la communauté de la recherche.

Treloar s'était vu accorder quarante-huit heures pour peser le pour et le contre. Il avait gâché les premières vingt-quatre heures à n'envisager que cette seule alternative. Après quoi, à force d'entrevoir un avenir ressemblant à un champ de ruines, il avait compris que ses maîtres chanteurs avaient poussé trop loin leur avantage : ils l'avaient placé dans une position où il n'avait plus rien à perdre en rendant coup pour coup.

Eu égard à son ancienneté au sein de Bauer-Zermatt, Treloar avait pu obtenir un entretien avec le docteur Karl Bauer en personne. Dans le cadre élégant des bureaux de Bauer à Zurich, il avait exposé ses péchés et le chantage auquel il était soumis. Il avait proposé de faire amende honorable par tous les moyens possibles.

Il avait eu la surprise de constater que Bauer n'avait laissé paraître aucune perplexité devant le tour qu'avaient pris les événements auxquels son employé était mêlé. Il avait écouté sans émettre le moindre commentaire, puis il avait signifié à Treloar de revenir le lendemain matin.

À ce jour, Treloar n'avait toujours aucune idée de ce qui avait transpiré dans la coulisse. Le lendemain matin, quand il s'était présenté devant Bauer, ce dernier lui annonça qu'il n'entendrait plus jamais parler de ses maîtres chanteurs. Aucune preuve de ses peccadilles n'existait plus — en tout cas pas dans le domaine public. L'affaire n'entraînerait plus de répercussions — plus jamais.

Mais il y aurait une contrepartie. Bauer avait informé Treloar qu'en échange d'avoir sauvé son avenir au sein de la communauté des chercheurs, il allait le prier de bientôt quitter le groupe pharmaceutique. Une offre d'emploi lui parviendrait, émanant de la NASA : il l'accepterait. On informerait ses collègues qu'il avait saisi cette occasion de se consacrer à un type de recherche qui lui serait inaccessible tant qu'il conserverait son poste au sein de Bauer-Zermatt. Une fois entré à la NASA, il se tiendrait à la disposition du docteur Dylan Reed. Reed serait son guide et son mentor, et Treloar lui obéirait sans poser de questions.

Treloar se rappelait le ton précis et froid sur lequel Bauer avait rendu son arrêt. Il se souvenait de l'éclair de colère, puis de l'amusement dans les yeux du magnat helvétique quand son employé lui avait timidement demandé quel genre de recherche il allait mener au sein de la NASA. « Votre travail sera d'une importance secondaire, lui avait répondu Bauer. Ce qui m'intéresse, c'est votre lien avec votre mère, et avec la Russie. Vous fréquenterez l'une et l'autre de façon assez régulière, je pense. »

Treloar se frayait un chemin en luttant contre l[e] vent, et il s'éloignait des lumières de la place Gor[k]i pour s'enfoncer dans les rues sombres qui menaie[nt] au quartier de Sadovaia. Les bars avaient l'air pl[us] louches, les sans-abri et les ivrognes se montraie[nt] plus agressifs. Mais ce n'était pas la première visite d[e] Treloar à Sadovaia, et il n'avait pas peur.

À un demi-pâté de maisons de là, il aperçut l'en[-] seigne clignotante au néon qui lui était familière : KROKODIL. Un instant plus tard, il frappa quelque[s] coups secs à la lourde porte et attendit que le judas cou[-] lisse. Deux yeux noirs et soupçonneux l'examinère[nt] puis on tourna le verrou et la porte s'ouvrit. En entra[nt] Treloar remit un billet de vingt dollars, le prix de s[on] couvert, au videur mongol, un géant.

Tombant le manteau, Treloar sentit la dernière d[e] ses sombres pensées se dissiper sous l'effet des lumière[s] aux couleurs chaudes et de la musique qui hurlait. De[s] visages se tournèrent vers lui, des yeux impressionné[s] par son costume d'Occidental. Des corps qui se tré[-] moussaient vinrent le heurter, plus volontairement qu[e] par hasard. Le directeur, une créature mince, l'ai[r] d'une fouine, se précipita pour saluer son client étran[-] ger. En l'espace de quelques secondes, Treloar avait e[n] main un verre de vodka et on l'accompagnait, en lon[-] geant la piste de danse, vers un espace privé agrément[é] de canapés tapissés de velours et d'ottomanes moel[-] leuses.

Au milieu des coussins, il lâcha un soupir, il s[e] détendait. La chaleur de l'alcool lui picotait le bou[t] des doigts.

— Dois-je vous amener l'un de nos spécimens ? l[ui] chuchota la fouine.

Treloar opina du chef avec bonheur. Il patienta, les yeux clos, et laissa la musique rugir en lui. Quand quelque chose de doux lui effleura la joue, il se trémoussa.

Debout devant lui, il y avait là deux jeunes garçons blonds, aux yeux d'un bleu parfait, un teint de peau sans le moindre défaut. Ils ne devaient pas avoir plus de dix ans.

— Des jumeaux ?

La fouine hocha la tête.

— Et mieux que ça : vierges.

Treloar gémit.

— Mais ils sont très chers, le prévint la fouine.

— Peu importe, lâcha Treloar d'une voix rauque. Apportez-nous des zakouskis. Et des boissons sans alcool pour mes deux petits anges.

Il tapota les coussins de part et d'autre de lui.

— Venez me voir, mes anges. Faites-moi goûter au paradis…

*

À six kilomètres du Krokodil s'élève un ensemble de trois tours, connu sous le nom de place Djerzinski. Jusqu'au début des années 90, c'était le quartier général du KGB communiste. Après la démocratisation, ce complexe avait été repris par les nouveaux services de sécurité de la Russie, le FSB.

Le major-général Oleg Kirov, les mains dans le dos, se tenait devant les fenêtres de son bureau du quinzième étage, observant la ligne des toits, au loin.

— Les Américains vont venir ici, murmura-t-il.

— Qu'est-ce que tu as dit, *doucha* ?

Kirov entendit le claquement des talons sur le parquet, sentit des doigts gracieux et effilés lui caresser la poitrine, et il respira le parfum chaud et sucré qui accompagnait ces mots. Il se retourna et prit ce visage et cette tête magnifiques entre ses mains, l'embrassa avec avidité. Son baiser passionné lui fut rendu, et il sentit cette langue le taquiner, ces mains glisser vers sa ceinture, et puis plus bas.

Kirov recula, plantant son regard dans les yeux verts et provocateurs qui l'alléchaient tant.

— J'aimerais pouvoir, souffla-t-il.

Le lieutenant Lara Telegin, l'aide de camp de Kirov, se tenait bras croisés, observant son amant. Même dans cet uniforme militaire de toile terne, elle avait l'air d'un mannequin de défilé.

— Tu m'as promis un dîner pour ce soir, protesta-t-elle avec une moue.

Kirov ne put s'empêcher de sourire. Lara Telegin était sortie première de sa promotion de l'académie militaire de Froundzé. C'était une tireuse d'élite. Ces mêmes mains qui le caressaient auraient eu les moyens de le priver de la vie en l'espace de quelques secondes. Et pourtant elle pouvait se montrer aussi impudique et provocante qu'elle savait agir en professionnelle.

Kirov soupira. Deux femmes dans un seul corps. Parfois, il n'était pas certain de savoir laquelle était la vraie. Mais il profiterait des deux aussi longtemps qu'il le pourrait. À trente ans, Lara entamait à peine sa carrière. Inévitablement, elle allait être promue à d'autres postes et, en fin de compte, elle se verrait confier à son tour un commandement. Kirov, de vingt ans son aîné, cesserait d'être son amant pour devenir son parrain — ou, selon la formule qu'affectionnent les Américains, un «rabbin» qui veillerait aux intérêts de sa favorite.

— Tu ne m'avais pas parlé de cet Américain, reprit Lara, tout à fait professionnelle à présent. Duquel s'agit-il ? On en reçoit tellement en ce moment.

— Je ne t'en ai pas parlé parce que tu étais absente toute la journée et je n'ai eu personne sous la main pour m'aider à régler toute cette paperasse infernale, grommela Kirov. Il lui tend un tirage sur imprimante.

— Docteur Jon Smith, lut-elle. Quelle banalité. Elle fronça le sourcil. L'USAMRIID ?

— Notre docteur Smith est tout sauf banal, lui répliqua sèchement Kirov. Je l'ai rencontré quand il était en poste à Fort Detrick.

— «Était ?» Je croyais qu'il en faisait encore partie.

— Si j'en crois Randi Russell, il est encore attaché à l'USAMRIID, mais en congé pour une durée indéterminée. Elle m'a appelé pour savoir si j'accepterais de le recevoir.

— Randi Russell… Lara laissa le nom en suspens.
Kirov sourit.

— Inutile de sortir tes griffes.

— Je ne sors mes griffes que quand j'ai une bonne raison, lui répliqua Lara d'un ton acerbe. Donc elle ouvre des portes à Smith… qui, c'est indiqué ici, était le fiancé de sa sœur.

Kirov hocha la tête.

— Sa sœur est morte dans le cauchemar de l'opération Hadès.

— Et Russell… que nous soupçonnons tous les deux d'opérer sous une couverture pour la CIA… se porterait garante pour lui ? Ces deux-là sont-ils en train de monter une opération de leur cru ? Que se passe-t-il au juste, *doucha ?*

— Je pense que les Américains rencontrent un problème, lâcha Kirov d'un ton pesant. Soit nous faisons partie dudit problème, soit ils ont besoin de notre aide. Dans tous les cas de figure, nous le découvrirons bien assez tôt. Toi et moi, nous voyons Smith ce soir.

*

Dans l'après-midi qui s'achevait, Smith sortit de l'immeuble d'habitation situé sur Oulitsa Markovo. Il remonta son col pour se protéger du vent et leva les yeux sur la sinistre façade en béton du bâtiment. Quelque part derrière ces fenêtres anonymes du vingtième étage, Katrina Danko allait se charger de la tâche déchirante d'annoncer à sa fille de six ans, Olga, qu'elle ne reverrait plus jamais son papa.

Pour Smith, la mission de rendre visite aux parents d'un mort était de celles qui le chagrinaient plus qu'aucune autre. Comme toutes les épouses, et comme toutes les mères, Katrina avait compris la raison de sa présence à la minute même où elle lui avait ouvert la porte, où elle avait posé les yeux sur lui. Mais elle possédait une volonté de fer. Refusant de céder aux larmes, elle avait interrogé Smith pour savoir comment Youri était mort, et s'il avait souffert. Smith lui avait dit la vérité, autant que faire se pouvait, puis il l'avait assurée que des dispositions avaient déjà été prises pour que le corps de son mari soit rapatrié à Moscou par avion, dès que les autorités vénitiennes l'auraient restitué.

— Il m'a beaucoup parlé de vous, monsieur Smith,

lui avait rapporté Katrina. Il me disait que vous étiez un homme bon. Je m'aperçois que c'est la vérité.

— J'aurais aimé pouvoir vous en révéler davantage, avait ajouté Smith en toute sincérité.

— À quoi bon ? lui avait demandé Katrina. Je savais ce que le métier de Youri pouvait impliquer… le secret, les silences. Mais il l'a exercé parce qu'il aimait son pays. Il était fier d'être à son service. Tout ce que je demande, c'est que sa mort ne soit pas vaine.

— Je peux vous promettre qu'elle ne le sera pas.

Smith regagna son hôtel et passa l'heure suivante perdu dans ses pensées. Le spectacle de la famille de Danko avait ajouté à sa mission une dimension d'urgence toute personnelle. Naturellement, il veillerait à ce que Katrina et sa fille soient à l'abri du besoin. Mais cela ne suffisait pas. Maintenant plus que jamais, il devait découvrir qui avait tué Danko, et pourquoi. Il voulait être en mesure de regarder sa veuve droit dans les yeux et de lui garantir : non, l'homme que vous aimiez n'est pas mort en vain.

À la tombée de la nuit, Smith se dirigea vers le bar situé dans le hall. Randi, vêtue d'un tailleur bleu marine, l'y attendait déjà.

— Tu as l'air pâle, Jon, remarqua-t-elle aussitôt. Ça va ?

— Ça ira. Merci d'avoir accepté ce rendez-vous.

Ils commandèrent de la vodka au poivre et une assiette de zakouskis — des champignons macérés au vinaigre, du hareng et d'autres amuse-gueule. Après le départ de la serveuse, Randi leva son verre.

— Aux amis absents.

Smith répéta la formule.

— J'ai parlé à Kirov, annonça Randi, et elle lui

fournit les détails du rendez-vous à venir. Elle consulta sa montre. Il va falloir y aller. Y a-t-il autre chose que je puisse faire ?

Smith compta quelques roubles et les laissa sur la table.

— Voyons déjà comment les choses tournent avec Kirov ce soir.

Randi s'approcha de lui et lui glissa dans la main une carte de visite.

— Mon adresse et mon numéro de téléphone… juste au cas où. Tu disposes d'une ligne sécurisée, n'est-ce pas ?

Smith tapota sa poche.

— Le dernier cri en matière de téléphone portable à cryptage digital. Il lui confia le numéro.

— Jon, si tu découvres quoi que ce soit dont je doive être tenue au courant… Elle laissa le reste de sa pensée en suspens.

Smith lui serra la main.

— Compris.

*

Jon Smith était venu quantité de fois à Moscou, sans jamais avoir eu l'occasion de se rendre place Djerzinski. À présent, alors qu'il attendait dans le hall d'accueil caverneux de l'immeuble Zamat 3, toutes les histoires des combattants de la guerre froide lui revenaient en mémoire. Il émanait de cet endroit une impression d'indifférence et d'anonymat, une atmosphère privée d'âme, qu'aucun coup de peinture fraîche ne saurait dissimuler. L'écho des pas sur les parquets vernis résonnait comme une marche des morts — les hommes et les femmes qui, depuis la naissance du communisme, avaient été entraînés ici de force, vers les chambres d'interrogatoire des sous-sols. Smith se demanda comment ceux qui travaillaient ici parvenaient à supporter la présence de ces fantômes. Avaient-ils seulement conscience de leur existence ? Ou s'était-on empressé de congédier le passé de peur que, tel un golem, il puisse revenir à la vie ?

Smith suivit le sous-officier qui l'accompagna vers l'ascenseur. Pendant la montée de la cabine, il révisa mentalement les indications que Randi lui avait fournies sur la carrière du major-général Kirov, et sur celle de son adjointe, Lara Telegin.

Kirov semblait appartenir à ce style d'officier à mi-chemin entre le passé et l'avenir. Éduqué sous le régime communiste, il s'était distingué au combat en Afghanistan, le Vietnam de la Russie. Après quoi, il avait lié son destin à celui des réformateurs. Quand il s'était instauré une fragile démocratie, les maîtres de Kirov l'avaient récompensé par une nomination au sein du FSB, les nouveaux Services de la Sécurité Fédérale, tout récemment constitué. Les réformateurs étaient désireux de détruire l'ancien KGB et d'engager la purge des ultraconservateurs que la machine du renseignement soviétique comptait dans ses rangs. Les seuls individus auxquels ils faisaient confiance pour mener à bien ce nettoyage étaient des soldats aguerris à l'épreuve du feu, comme Kirov, dont la loyauté envers la Nouvelle Russie ne souffrait pas de contestation.

Si Kirov représentait une passerelle vers l'avenir, Lara Telegin, quant à elle, était le meilleur espoir de cet avenir-là. Éduquée en Russie et en Angleterre, Telegin appartenait à la nouvelle génération des technocrates russes : plurilingue, visiblement matérialiste, à en juger par son allure, ce petit génie de la technologie en savait davantage sur Internet et Windows que la plupart des Occidentaux.

Mais Randi avait souligné que tout ce qui touchait à la sécurité nationale rendait les Russes très secrets et très soupçonneux. Ils pouvaient boire avec vous toute la nuit, vous régaler des expériences les plus intimes ou les plus gênantes, mais si vous leur posiez la question qu'il ne fallait pas sur le sujet à ne pas aborder, ils s'en offenseraient immédiatement, et la relation de confiance serait rompue.

Biopreparat est une question sensible s'il en est, songea Smith tandis qu'on l'introduisait dans le bureau du major-général. *Si Kirov prend mal ce que je lui expose, je pourrais très bien me retrouver dans l'avion du retour avant demain matin.*

— Docteur Jon Smith !

La voix de l'officier russe tonna dans la pièce et il vint à la rencontre de Smith lui serrer la main. L'homme était grand, costaud, un casque de cheveux argentés, un visage que l'on aurait pu trouver gravé sur un sesterce.

— Je suis enchanté de vous revoir, lança-t-il. La dernière fois, c'était… à Genève, il y a cinq ans. Exact ?

— Oui, en effet, général.

— Permettez-moi de vous présenter mon adjointe, le lieutenant Lara Telegin.

— C'est un plaisir de faire votre connaissance, docteur, lui assura Telegin, jaugeant ouvertement

Smith, non sans un regard approbateur devant l'individu qu'elle découvrait.

Il songea qu'avec ses cheveux aile de corbeau et ses yeux noirs, Lara Telegin incarnait l'archétype de la tentatrice, tout droit sortie d'un roman russe du XIXe siècle, une sirène qui s'y entendait à courtiser des hommes par ailleurs rationnels, et jusqu'à causer leur perte.

Kirov lui désigna le bar.

— Puis-je vous offrir un rafraîchissement, docteur Smith ?

— Non, merci.

— Très bien. En ce cas, pour employer la formule que vous autres Américains affectionnez tant : quel est votre problème ?

Smith jeta un coup d'œil à Lara Telegin.

— Sans vouloir vous manquer de respect, lieutenant, le sujet est hautement confidentiel.

— Je ne m'offense nullement, docteur, répondit-elle d'une voix atone. Toutefois, j'ai accès à des données de niveau équivalent à votre classement COSMIC, le genre d'informations que vous communiquez à votre Président. En outre, j'ai cru comprendre que vous n'étiez pas ici à titre officiel. Je me trompe ?

— Le lieutenant a mon entière confiance, ajouta Kirov. Ici, docteur, vous pouvez parler librement.

— Parfait, acquiesça Smith. Je vais partir du principe que cette conversation n'est pas surveillée et que les lieux sont sûrs.

— Considérez que cela va de soi, lui assura Kirov.

— Biopreparat, commença Smith.

Ce simple mot suffit à provoquer la réaction à laquelle il s'était attendu : la stupeur et l'inquiétude.

— Que se passe-t-il à propos de Biopreparat, docteur ? lui demanda Kirov d'un ton calme.

— Général, j'ai de bonnes raisons de croire que le complexe souffre d'une brèche dans son système de sécurité. Si aucun matériel n'est déjà manquant, il existe un plan actuellement en cours pour dérober quelques-uns des échantillons que vous détenez là-bas.

— Grotesque ! le coupa Lara Telegin. Nous avons déjà entendu de semblables allégations par le passé, docteur Smith. Sincèrement, l'Occident nous prend un peu trop pour des écoliers indisciplinés qui joueraient avec des jouets dangereux. C'est insultant et...

— Lara !

La voix de Kirov se voulait apaisante, mais l'ordre était sans ambiguïté.

— Il faut pardonner au lieutenant, reprit-il en s'adressant à Smith. Dès que l'Occident fait mine de se montrer condescendant ou paternaliste, cela lui déplaît souverainement... Or c'est quelquefois le cas, vous l'admettrez, n'est-ce pas... ?

— Général, je ne suis pas ici pour émettre des critiques sur vos dispositifs de sécurité, rétorqua Smith. Je n'aurais pas effectué tout ce trajet si je ne croyais pas que vous rencontrez un grave souci... ou qu'au moins vous m'écouteriez jusqu'au bout.

— Alors je vous en prie, poursuivez l'exposé de notre « souci ».

Smith se reprit et respira profondément.

— La cible la plus plausible, c'est votre stock de virus de la variole.

Kirov blêmit.

— C'est insensé ! Aucun individu sain d'esprit ne tenterait de nous dérober ça !

— Aucun individu sain d'esprit ne tenterait de voler un des stocks que vous détenez à Biopreparat. Mais nous disposons d'informations selon lesquelles ce vol est bel et bien en cours.

— Quelle est votre source, docteur ? s'enquit Telegin. Est-elle fiable ?

— Extrêmement fiable, lieutenant.

— Afin de nous donner entière satisfaction sur ce point, iriez-vous jusqu'à nous révéler de qui il s'agit ?

— Cette source est morte, répliqua Smith, en tâchant de se maîtriser pour ne pas hausser le ton.

— Commode, fit-elle observer.

Smith se tourna vers Kirov.

— Je vous en prie, écoutez-moi. Je ne prétends nullement que vous-même ou le gouvernement russe soyez impliqués dans tout ceci. Ce vol a été manigancé par une tierce partie qui, à l'heure qu'il est, nous reste inconnue. Mais pour cette tierce partie, sortir cet échantillon de Russie exige la coopération de personnes employées au sein de Biopreparat.

— Vous laissez donc entendre que soit le personnel des chercheurs, soit celui de la sécurité sont impliqués, en conclut l'officier.

— Il pourrait s'agir de n'importe quel individu ayant accès aux échantillons du virus de la variole. Smith observa un temps de silence. Je n'émets pas de jugement sur vos équipes ou sur vos services de sécurité, général. Je sais que la plupart de ceux qui travaillent à Biopreparat sont aussi loyaux que ceux qui opèrent au sein de nos propres infrastructures. Mais je vous informe que vous êtes confrontés à une difficulté... qui va devenir la nôtre, et probablement celle du monde entier... si jamais ces échantillons sortent de chez vous.

Kirov alluma une cigarette.

— Et vous avez fait tout ce chemin pour venir m'annoncer ça, reprit-il avec lenteur. Mais vous possédez également un plan, n'est-ce pas ?

— Fermez Biopreparat, lui dit Smith. Immédiatement. Placez un cordon militaire tout autour. Que rien n'y entre plus... et que rien ni personne n'en sorte non plus, naturellement. Dans la matinée, vous inspectez personnellement le stock de virus. S'ils sont tous là, intacts, nous sommes en sécurité, et vous pouvez vous mettre en chasse de la taupe.

— Et vous, docteur Smith ? Pendant tout ce temps, où serez-vous ?

— Je vous demanderai de bien vouloir m'accorder le statut d'observateur.

— Vous ne vous fiez pas suffisamment à nous pour que nous vous indiquions si les stocks sont intacts ou non, docteur ? lâcha Telegin avec ironie.

— Ce n'est pas une affaire de confiance, lieutenant. Imaginez la situation inverse : vous-même, ne souhaiteriez-vous pas être présente sur le site de notre propre complexe ?

— Il reste encore la question de votre source, lui rappela Kirov. Comprenez-moi, docteur. Faire ce que vous me demandez m'impose d'aller consulter le président en personne. Je puis certainement me porter garant de vos qualifications. Mais pour le déranger dans son sommeil, il me faut de très bonnes raisons. Si je connaissais le nom de votre source, si je pouvais contrôler son pedigree... voilà qui validerait grandement tout ce que vous venez de nous révéler.

Smith se détourna. Il savait fort bien que l'on pouvait en arriver là, devoir fournir l'identité de Youri Danko en échange de l'attitude coopérative de Kirov.

— L'homme a une famille, souligna-t-il enfin. J'ai besoin d'avoir votre parole qu'elle ne subira aucune représaille et que, s'ils le désirent, ses membres pourront s'en aller librement. Avant que Kirov ait pu lui répondre, il leva la main. Cet homme n'était pas un traître, général. C'était un patriote. Il est venu me voir uniquement parce qu'il ignorait jusqu'à quel niveau remontait cette conspiration. Il a renoncé à tout ce qu'il possédait ici, pour que la Russie soit lavée de toute responsabilité au cas où il se produirait quelque chose.

— Je comprends cela, répliqua le major-général. Vous avez ma parole qu'il ne sera fait aucun mal à la famille de cet homme. Qui plus est, la seule personne à qui je vais en parler sera le président Potrenko… À moins que vous ne m'annonciez qu'il est en quelque façon entaché de suspicion ?

— Je n'ai aucune raison de supposer que ce soit le cas, lui assura Smith.

— Alors nous sommes d'accord. Lara, appelez l'officier de garde au Kremlin. Dites-lui que c'est urgent et que je suis en route.

Il se tourna vers Smith.

— Maintenant, ce nom, je vous prie.

*

— Je pense que tu accordes une bien grande confiance à cet Américain, confia Lara Telegin à son supérieur alors qu'ils traversaient le parking souterrain en direction de son véhicule. Peut-être une confiance trop grande. Si c'est un menteur, ou pire, un provocateur, tu pourrais finir par avoir à répondre à des questions gênantes.

Kirov rendit son salut à son chauffeur et s'effaça pour laisser Lara monter à bord.

— Des questions gênantes, répéta-t-il une fois qu'ils furent installés. Et cela s'arrêterait-là ?

Telegin jeta un coup œil à la cloison qui séparait le chauffeur du reste de l'habitacle, s'assurant qu'elle était complètement remontée. Ces réflexes de vérification, résultant de son entraînement d'officier du renseignement militaire, étaient enracinés en elle.

— Tu vois ce que je veux dire, insista-t-elle. Pour un soldat, tu affiches des opinions extrêmement progressistes. Elles t'ont valu ton lot d'ennemis.

— Si par « progressiste » tu entends par là que je souhaite voir la Russie rejoindre le XXIᵉ siècle, je plaide coupable, lui rétorqua Kirov. Et si je dois prendre quelques risques pour m'assurer que ces positions-là prévalent contre celles des hommes de Neandertal qui nous ramèneraient à un système politique en faillite, alors ainsi soit-il.

Lorsque la voiture déboucha en trombe sur le large boulevard qui longeait la place Djerzinski, il agrippa la poignée de la portière.

— Lara, écoute-moi, poursuivit-il. Des hommes comme Jon Smith ne donnent pas leur parole à tort et à travers. Tu peux être certaine qu'il n'est pas en mission truquée. Certains personnages haut placés au sein du gouvernement américain jugent l'information suffisamment importante pour nous envoyer Smith. Tu saisis ce que cela signifie ? La démarche que Smith a eu l'autorisation de tenter, ce qu'on lui a demandé de faire… et non pas ses propos… tout cela suffit à légitimer les éléments dont croient disposer les Américains.

— La parole d'un traître, lâcha-t-elle avec aigreur.

Il lui avait fallu vingt minutes bien comptées pour recevoir confirmation que Youri Danko était porté manquant et qu'on ne savait pas où il se trouvait. *Sauf que les Américains savaient qu'il était mort : un comble !*

— À première vue, Danko était un traître, admit l'officier. Mais tu perçois parfaitement son dilemme : s'il s'était adressé à son supérieur, ou même plus haut dans la chaîne de commandement, et que cette personne se soit révélée faire partie de cette «conspiration»? Danko serait mort quand même, et nous, nous ne saurions rien.

Il regarda fixement les feux de circulation clignoter à travers la vitre pare-balles.

— Crois-moi, j'espère que les Américains se trompent, ajouta-t-il d'une voix feutrée. Rien ne me plairait davantage que de démontrer à Smith que Biopreparat est totalement sûr et qu'il a été la victime d'une mystification. Mais tant que je ne peux pas le lui démontrer, je dois lui accorder le bénéfice du doute. Tu comprends, *doucha*?

Elle lui serra la main.

— Mieux que tu ne le penses. Après tout, avec un maître comme toi, j'ai été à bonne école.

L'imposante berline franchit la porte Spassky et pénétra dans le Kremlin, pour seulement s'arrêter au poste de contrôle où l'on visait les cartes d'identité des occupants de tout véhicule. Quelques minutes plus tard, Kirov et Telegin étaient escortés jusqu'à l'aile du

Kremlin qui abrite les appartements privés du président et ses bureaux personnels.

— J'aurais mieux fait d'attendre ici, glissa Telegin alors qu'ils se tenaient sous le dôme du majestueux foyer construit par Pierre le Grand. Nous allons forcément voir filtrer encore d'autres informations concernant Danko.

— Certainement… et Smith se chargera de nous les communiquer, acquiesça-t-il. Mais pour l'heure, j'estime qu'il est temps pour toi de prendre l'habitude de te présenter à tes maîtres civils.

Telegin parvint à peine à dissimuler son étonnement et son appréhension quand ils suivirent l'officier de garde dans l'escalier à double révolution. On les introduisit dans une bibliothèque élégamment aménagée, où une silhouette drapée dans une épaisse robe de chambre était assise près d'un feu crépitant.

— Oleg Ivanovitch, vous avez intérêt à posséder une bonne raison pour dérober un peu de son sommeil à un vieil homme.

Viktor Potrenko se leva, pour camper son personnage de patricien, et serra la main de Kirov.

— Puis-je vous présenter mon aide de camp, le lieutenant Lara Telegin, fit Kirov.

— Lieutenant Telegin, murmura Potrenko. J'ai entendu des propos élogieux à votre sujet. Je vous en prie, asseyez-vous.

Lara trouva que Potrenko s'attardait un peu trop en lui serrant la main. Peut-être les rumeurs sur ce président âgé de soixante-cinq ans étaient-elles véridiques — il aurait un faible pour les jeunes femmes, en particulier les ballerines.

Une fois assis, Potrenko continua :

136

— Alors, qu'est-ce que c'est que toute cette histoire à propos de Biopreparat ?

Promptement, le major-général résuma l'essentiel de sa conversation avec Smith.

— Je pense que c'est là une question à prendre très au sérieux, conclut-il.

— Vraiment ? commenta Potrenko. Lieutenant Telegin, quel est votre sentiment ?

Lara comprit que les propos qu'elle allait tenir pouvaient fort bien placer toute sa carrière dans le collimateur. Mais elle savait aussi que les deux hommes assis devant elle étaient des maîtres de la nuance et de la réflexion. Ils savaient déchiffrer le mensonge ou l'équivoque plus vite que le faucon ne repère le lièvre.

— Je crains fort d'avoir à jouer le rôle de l'avocat du diable, monsieur le Président, commença-t-elle, et elle expliqua les réserves qui l'empêchaient de prendre les révélations de Smith pour argent comptant.

— Bien parlé, la félicita Potrenko. Il se tourna vers Kirov : Celle-ci, ne la perdez pas de vue. Il réfléchit un instant. Alors, que devons-nous faire ? D'un côté, les Américains n'ont rien à gagner à crier au scandale. De l'autre, il est pour le moins vexant de constater qu'un vol de cette ampleur puisse survenir à notre nez et à notre barbe... sans même que nous en ayons connaissance.

Potrenko se leva et s'approcha de l'âtre, où il se réchauffa les mains. Il parut s'écouler un très long moment avant qu'il ne reprenne la parole.

— Nous possédons un site d'entraînement de nos Forces spéciales non loin de Vladimir, n'est-ce pas ?

— En effet, monsieur le Président.

— Appelez le commandant et autorisez-le à mettre

137

Biopreparat en quarantaine, avec effectivité immédiate. Vous, le lieutenant Telegin et le docteur Smith, dès l'aube, vous filez là-bas en avion. Si un vol s'est produit, vous me le notifiez immédiatement. Dans tous les cas de figure, je veux un rapport complet et détaillé sur nos procédures de sécurité.

— Oui, monsieur le Président.

— Oleg ?

— Monsieur ?

— Si un gramme de virus de la variole, rien qu'un gramme, est manquant, alertez aussitôt nos chasseurs de virus. Ensuite mettez tout le monde sur le site en état d'arrestation.

CHAPITRE NEUF

Après avoir atterri à l'aéroport de Naples, Peter Howell prit un taxi vers les quais, d'où il s'embarqua à destination du détroit de Messine. Par les grands hublots du salon, il vit la Sicile se profiler à l'horizon, d'abord les cratères de l'Etna, puis Palerme elle-même, nichée au pied de la masse calcaire du Monte Pellegrino, qui s'achevait en forme de plateau, au niveau de la mer.

Fondée par les Grecs, envahie par les Romains, les Arabes, les Normands et les Espagnols, la Sicile avait servi d'étape aux soldats et aux mercenaires durant des siècles. Appartenant lui-même à cette lignée, Howell était venu sur l'île à la fois en qualité de visiteur et de combattant. Il se rendit dans le cœur de la ville — le Quattro Centri. Là, il trouva de quoi se loger dans une petite *penzione* où il avait déjà résidé. L'endroit était situé suffisamment à l'écart du trafic touristique, tout en lui permettant de gagner à pied les endroits où il aurait besoin de se rendre.

Comme à son habitude, Howell alla effectuer une reconnaissance des quartiers de la ville où il était dans ses intentions de s'aventurer. Il ne fut pas étonné de constater que, depuis son dernier voyage, rien n'avait changé, et le plan qu'il conservait en tête lui fut très utile. Il rentra à la *penzione* et dormit jusqu'en début de soirée, puis il se dirigea vers l'Albergheria, un labyrinthe de ruelles étroites, dans le quartier des artisans de Palerme.

La Sicile était réputée pour ses couteliers et la qualité de leurs articles, et Howell n'eut aucun mal à trouver là une lame finement affûtée, longue de vingt-cinq centimètres, avec un manche robuste garni de cuir. Maintenant qu'il avait une arme, Howell continua en direction des docks, où les tavernes et les immeubles d'habitation n'étaient franchement pas du genre à mériter une mention dans les guides touristiques.

Même en l'absence de toute enseigne sur les murs de pierre, Howell connaissait le nom du bar : La Pretoria. À l'intérieur, il y avait une vaste salle au sol couvert de sciure, des poutres au plafond. Des pêcheurs et des armateurs, des mécaniciens et des marins étaient assis à de longues tables communes à boire de la grappa, de la bière ou du vin sicilien, frais et corsé. Vêtu d'un pantalon en velours côtelé, d'un vieux pull marin et d'un bonnet en laine, Howell attirait peu l'attention. Il commanda deux grappas au bar et emporta les verres au bout de l'une des tables.

L'homme assis en face de lui était petit et râblé, le visage pas rasé, tanné par la mer et le vent. Ses yeux gris et froids scrutèrent Howell à travers le brouillard de sa fumée de cigarette.

— J'ai été surpris d'entendre parler de toi, Peter, fit-il d'une voix rauque.

Howell leva son godet de grappa.

— *Salute*, Franco.

Franco Grimaldi — jadis membre de la Légion

étrangère, à présent contrebandier professionnel — posa sa cigarette et leva son verre. Il y était contraint car il ne possédait plus que son bras gauche, ayant dû abandonner le droit à l'épée d'un rebelle tunisien.

Les deux hommes vidèrent leur verre d'un trait, et Grimaldi planta de nouveau sa cigarette entre ses lèvres.

— Alors, mon vieux. Qu'est-ce qui t'amène dans mon salon ?

— Les frères Rocca.

Les lèvres charnues de Grimaldi se fendirent sur ce que l'on aurait pu interpréter comme un sourire.

— J'ai entendu raconter que les choses avaient assez mal tourné pour eux, à Venise. Il posa sur Howell un regard plein de perspicacité. Et toi tu arrives justement de là-bas, pas vrai ?

— Les Rocca ont exécuté un contrat, et ensuite quelqu'un les a liquidés, précisa Howell, d'une voix dure et neutre. Je veux savoir qui.

Grimaldi haussa les épaules.

— Il vaut mieux ne pas enquêter de trop près dans les affaires des Rocca… même s'ils sont morts.

Howell fit glisser un rouleau de dollars sur la table.

— J'ai besoin de savoir, Franco.

Le Sicilien escamota l'argent comme un magicien.

— J'ai entendu dire que c'était un contrat très spécial, reprit-il, la main venant masquer à moitié les lèvres, tandis qu'il en retirait sa cigarette.

— Des précisions, Franco, s'il te plaît.

— Je ne peux rien ajouter. En règle générale, les Rocca ne faisaient pas de secret autour de leurs contrats… surtout pas au bout de quelques verres. Mais sur ce boulot-là, ils se sont montrés très silencieux.

— Et toi tu étais au courant parce que… ?

Grimaldi eut un sourire.

— Parce que je couche avec leur sœur, qui tenait la maison des deux frères. Elle savait tout ce qui se passait entre ces murs-là. Et puis elle s'échauffe très facilement et elle adore papoter.

— Crois-tu que tu pourrais user de tes charmes pour en obtenir quelques détails supplémentaires ?

Le sourire de Grimaldi s'élargit encore davantage.

— Ça va être un boulot pas commode, mais pour un ami… Maria… c'est son nom… n'a probablement pas encore appris la nouvelle. Je vais la lui annoncer, et puis je vais la laisser pleurer un peu sur mon épaule. Rien de tel que le chagrin pour lubrifier la langue.

Howell lui donna le nom de la *penzione* où il était descendu.

— Je te rappelle plus tard dans la soirée, l'assura Grimaldi. Retrouve-moi à l'endroit habituel.

Alors que Howell regardait Grimaldi se faufiler et gagner la porte, il remarqua deux hommes assis à l'une des petites tables près du bar. Ils étaient habillés comme les gens du coin, mais leur physique de culturistes et leur coupe de cheveux en brosse trahissaient leur identité. *Des soldats.*

Howell connaissait bien la grande base américaine située à l'extérieur de Palerme. À l'époque de son appartenance au SAS, il avait eu l'occasion de s'en servir comme base-relais lors d'opérations conjointes avec les SEAL de l'US Navy. Pour des raisons de sécurité, la quasi-totalité du personnel restait à l'intérieur du périmètre de la base. Quand certains s'aventuraient à l'extérieur, c'était généralement par groupes de six ou plus, et uniquement dans les boîtes et les restaurants les plus fréquentés. Ces deux spécimens bien costauds n'avaient aucune raison d'être ici, à moins que…

C-12.

Les explosifs utilisés pour tuer les frères Rocca étaient de fabrication américaine. Du matériel sous contrôle étroit. Mais certainement accessible sur l'une des bases américaines les plus importantes de l'Europe du Sud.

Le commanditaire des Rocca — ce même individu qui les avait peut-être embauchés pour tuer Danko — était-il aussi celui qui avait piégé la gondole ?

En se levant de table, Howell jeta un autre coup d'œil sur les deux Américains.

Ou s'agissait-il d'une mission militaire depuis le début ?

*

Juste avant minuit, le concierge ensommeillé de la *penzione* vint frapper à la porte de la chambre de Peter Howell pour l'informer qu'il avait un coup de fil. Il eut la surprise de découvrir son client déjà tout habillé, comme s'il était prêt à sortir.

Howell échangea brièvement quelques mots au téléphone, remit un pourboire au concierge, et disparut dans la nuit. La lune brillait haut dans le ciel, illuminant les boutiques aux volets de fer baissés du marché de Vuccira. Howell traversa la piazza Bellini déserte, puis il longea le corso Vittorio-Emanuele, l'artère principale de la ville. Sur le corso Calatofini, il tourna à droite, à cent mètres à peine de sa destination.

En surplomb de la via Pindemonte s'élève le

Convento dei Cappuccini — le Couvent des Capucins. La véritable attraction du monastère, pourtant un exemple remarquable d'architecture du Moyen Âge, se cache sous terre. Dans les catacombes qui entourent le *convento* sont ensevelis huit mille défunts, des laïcs et des religieux. Préservés au moyen de différents procédés chimiques, ils sont logés dans des niches le long des galeries et vêtus d'habits que ces gens avaient pris soin de choisir eux-mêmes. Les corps qui ne sont pas alignés le long des murs de pierre calcaire froids et suintants reposent dans des cercueils de verre, empilés du sol au plafond.

Ouvertes au public durant la journée, les catacombes ont toutefois été la cachette de prédilection des contrebandiers depuis des siècles. Il existait une dizaine d'entrées et de sorties, et Peter Howell, qui avait étudié soigneusement ces catacombes, les connaissait toutes.

Alors qu'il approchait des portes qui donnaient sur une entrée semblable à celle d'un jardin public, il entendit un sifflement assourdi. Il fit mine de ne pas remarquer Grimaldi qui se glissait hors de la pénombre, jusqu'à ce que le contrebandier se trouve à quelques pas de lui. Le clair de lune allumait des têtes d'épingles qui dansaient dans les prunelles noires du Sicilien.

— Qu'est-ce que tu as découvert ? s'enquit Howell.

— Quelque chose qui vaut la peine de sortir de son lit, lui répliqua le contrebandier. Le nom de l'homme qui a engagé les Rocca. Il est terrorisé. Il pense qu'après les Rocca, le prochain, ce sera lui. Il veut de l'argent pour quitter l'île et se cacher sur le continent.

Howell approuva de la tête.

— L'argent, ce n'est pas un problème. Où est-il ?

Grimaldi fit signe à l'Anglais de le suivre. Ils contournèrent la haute grille de fer forgé, en progressant à couvert, dans l'ombre portée des hautes murailles du monastère. Le contrebandier ralentit, puis se tapit près d'une petite entrée pratiquée dans la grille. Ses doigts s'affairaient pour ouvrir le verrou quand Howell saisit l'anomalie.

Le verrou était déjà ouvert !

Howell agit à la vitesse de la pensée. Dès que Grimaldi eut poussé la porte, il lui assena à la tempe un coup destiné à étourdir, pas à tuer. Grimaldi laissa échapper un soupir étouffé et s'écroula, inconscient.

Howell enchaîna sans aucun temps d'arrêt. En se glissant par l'ouverture, il longea la haie qui formait un corridor jusqu'à l'entrée des catacombes. Il ne remarqua rien, autrement dit… Le piège était à l'extérieur du périmètre, pas à l'intérieur !

Juste à l'instant où il se retourna, Howell perçut le grincement des gonds de la porte. Deux ombres foncèrent vers lui. Dans la fraction de seconde où le clair de lune accrocha leurs visages, il reconnut les deux soldats de la taverne.

Instantanément, le couteau surgit dans sa main. Howell conserva la position jusqu'à la dernière seconde, puis, comme un matador, il pivota pour laisser le premier soldat le dépasser à toute vitesse. Il frappa, dans un mouvement de bas en haut, droit devant, et le tranchant de la lame cueillit l'homme à mi-corps.

Howell n'attendit pas de voir le tueur s'effondrer. Après une feinte à droite, il se jeta sur la gauche, mais cela ne trompa pas le second soldat. Il entendit un léger ftt !, et un automatique équipé d'un silencieux cracha son projectile. Le souffle brûlant de la balle lui frôla presque la tempe. Howell se baissa, lança la jambe en avant, et expédia son talon dans la rotule de son second agresseur.

Aussitôt, l'Anglais s'empara du pistolet, mais avant qu'il ait pu pointer l'arme sur le soldat, il vit Grimaldi se relever en titubant. La balle destinée au soldat déchiqueta la gorge du contrebandier, qui s'abattit. Lorsque le second soldat prit la fuite, Howell fourra le pistolet dans sa ceinture, se précipita sur Grimaldi et le tira du côté intérieur de la porte, jusqu'à l'entrée des catacombes. Comme il s'y attendait, cet accès-là n'était pas fermé à clef, lui non plus.

Quelques minutes plus tard, Howell se trouvait dans les profondeurs des galeries du monastère. La lumière d'une lampe qu'il avait trouvée éclaira ses prises de la nuit : Grimaldi, gisant à côté d'une grande ouverture circulaire bétonnée dont on avait déjà en partie soulevé le couvercle. Le soldat blessé, le blouson maculé de sang, était lui aussi calé contre le rebord en béton.

— Nom.

Le soldat avait la respiration irrégulière, le visage virant au gris à cause de l'hémorragie. Lentement, il leva la tête.

— Va te faire foutre !

— J'ai fouillé tes vêtements, lui rétorqua Howell. Pas de portefeuille, pas de plaque d'identité, même pas d'étiquettes sur tes sous-vêtements. Seuls des gens qui ont beaucoup à cacher se donnent autant de mal. Alors, qu'est-ce que tu caches, toi ?

Le soldat lui cracha dessus, mais Howell fut plus rapide. Il se releva, repoussa le couvercle de l'ouverture bétonnée. Puis il hissa son prisonnier.

— Les gardiens du monastère, vous les avez tués ? demanda-t-il. C'est là que vous les avez balancés ?

Empoignant le soldat par le col, il le força à basculer à moitié par-dessus le parapet.

— Et moi, c'est là que vous alliez me balancer ?

Quand Howell, toujours en l'empoignant par le col de son blouson, poussa le soldat au-dessus du trou noir béant, l'autre hurla. Une puanteur d'eau croupie remontait d'une quinzaine de mètres en contrebas.

Howell regarda tout en bas les taches rouges qui filaient en tous sens, tout au fond.

— Des rats. Il y a certainement assez d'eau pour que la chute ne te tue pas. Mais eux, ils vont s'en charger. Lentement.

D'une secousse, il ramena l'homme. Le soldat s'humecta les lèvres.

— Vous ne...

Howell planta ses yeux dans les siens.

— Tu es blessé. Ton acolyte a fichu le camp. Donne-moi ce dont j'ai besoin et je te promets que tu ne souffriras pas. Écoute.

Howell le plaqua à terre, puis il alla relever la forme inerte de Franco Grimaldi. Il le porta jusqu'au puits et, sans la moindre hésitation, il le bascula par-dessus le parapet de béton. Quelques secondes plus tard, il y eut un bruit d'impact, liquide et terrifiant, suivi par le jacassement suraigu des rats encerclant leur victime.

Le soldat écarquilla les yeux de terreur.

— Nom ?

— Nichols. Travis Nichols. Adjudant. Mon coéquipier, c'est Patrick Drake.

— Forces spéciales ?

Nichols hocha la tête en gémissant.

— Qui vous a envoyés après moi ?

Nichols le dévisagea.

— Je ne peux pas…

Howell l'agrippa et, d'un coup sec, l'amena tout près de lui.

— Écoute-moi. Même si tu survis, tu ne serais rien de plus qu'un fil qui dépasse de la pelote, un fil qu'il faudra couper. Surtout quand ils vont découvrir que je ne suis pas mort. Ta seule chance, c'est de me dire la vérité. Tu fais ça pour moi, et moi je fais le nécessaire pour toi.

Nichols se tassa contre l'anneau de béton. Il balbutia des mots qui enflèrent en forme de bulles écarlates.

— Drake et moi, on faisait partie d'une section spéciale. Communications par disjonctions uniquement. L'un de nous recevait un coup de fil… une erreur, qui n'en était pas une. Ensuite, on allait à la poste, on avait loué une boîte aux lettres, et les ordres nous attendaient là.

— Des ordres écrits ? s'enquit Howell, d'un ton dubitatif.

— Sur papier flash. Rien d'autre qu'un nom et une adresse. Après ça, on retrouvait un contact et il nous renseignait.

— Dans le cas précis, le contact, c'était Grimaldi. Quels étaient les ordres ?

— Vous tuer et nous débarrasser du corps.

— Pourquoi ?

Nichols leva les yeux sur Howell.

— Vous et moi, on est de la même espèce. Vous savez bien que pour un truc de ce genre, personne ne fournit de motifs.

— Qui est-ce, « personne » ?

148

— Les ordres auraient pu provenir d'une dizaine de sources : le Pentagone, le Renseignement militaire à Francfort, la NSA. Choisissez vous-même. Mais avec les actions spéciales, on sait que la source doit se trouver là, très haut placée. Écoutez, vous pouvez toujours me jeter aux rats, ça ne vous donnera aucun nom. Vous savez comment ça se passe.

En effet, Howell savait.

— Dionetti, c'est un nom qui vous dit quelque chose ?

Nichols remua la tête. Il avait les yeux vitreux.

Howell n'ignorait pas que personne, en dehors de Marco Dionetti — l'homme qui lui avait ouvert sa maison, accordé son amitié —, n'était au courant de son voyage à Palerme. Dionetti... avec lequel il faudrait qu'il ait une petite conversation.

— Comment deviez-vous informer du succès de votre mission ? demanda Howell à Nichols.

— En déposant un message dans une boîte, dans un autre bureau de poste... dès demain matin, à midi. N° 67. Quelqu'un passera... Oh, nom de Dieu, ça fait mal !

Howell approcha le visage tout près des lèvres de Nichols. Il avait besoin d'une dernière information, et il pria pour que le soldat conserve assez de force pour la lui livrer. Il tendit l'oreille pour entendre le mourant laisser enfin échapper ses secrets les plus précieux. Puis il entendit le léger gargouillement du râle mortel.

Laissant la lampe où elle était, Howell prit brièvement le temps de se ressaisir. Finalement, il hissa le cadavre et le balança par-dessus l'épaulement du puits. Très vite, pour ne pas avoir à entendre les rats, il remit le lourd couvercle en place et le verrouilla.

CHAPITRE DIX

À première vue, le complexe de Biopreparat aurait pu passer pour un petit campus universitaire. Les bâtiments en brique aux toits d'ardoise étaient ponctués de portes et de fenêtres à l'huisserie de bois blanc, et reliés entre eux par des chemins dallés. De la rosée scintillait dans l'herbe sous les réverbères à l'ancienne. Il y avait là plusieurs cours carrées, avec des bancs de pierre et des tables en béton préfabriqué où les employés pouvaient déjeuner ou jouer aux échecs.

L'effet rendu était légèrement moins bucolique dans la journée, quand on discernait mieux le fer feuillard qui surmontait le mur de béton de trois mètres cinquante de haut encerclant l'enceinte. De jour comme de nuit, des patrouilles de gardes armés de mitraillettes et escortés de dobermans étaient bien visibles. À l'intérieur de certains bâtiments, le système de sécurité était encore plus élaboré, encore plus sophistiqué.

Il existait une bonne raison pour laquelle on n'avait pas lésiné sur la dépense concernant l'aspect extérieur de Biopreparat : le complexe était ouvert aux inspecteurs internationaux. Les psychologues consultants avaient recommandé que l'ensemble évoque un environnement chaleureux et familier, qu'il ne présente rien de menaçant, tout en inspirant un certain respect. On avait étudié quantité de conceptions différentes : au bout du compte, le choix s'était arrêté sur un plan imité d'un campus. Ces psychologues avaient avancé l'argument que généralement les inspecteurs internationaux étaient ou avaient été des universitaires. Dans un cadre pareil, évoquant de purs et inoffensifs travaux de recherche, ils se sentiraient réconfortés. Une fois mis à l'aise, les inspecteurs accepteraient plus volontiers de se laisser guider dans les lieux, et renonceraient à jouer les médecins enquêteurs.

Ces psychologues ne s'étaient pas trompés : les équipes multinationales qui avaient visité Biopreparat s'étaient autant laissé impressionner par l'ambiance que par les installations ultramodernes. Une illusion qu'encourageait le style familier de l'endroit. La quasi-totalité des équipements de Biopreparat provenait de l'Occident : microscopes américains, fours et tubes à essai français, réacteurs américains, cuves de fermentation japonaises. Les inspecteurs étaient tentés d'associer ce genre d'instruments à certaines recherches spécifiques, notamment consacrées à la *Brucella melintensis*, une bactérie qui s'attaque au bétail, et à une protéine du lait, la caséine, qui stimule la croissance de diverses variétés de graines. Des dizaines de laborantins vêtus de blouses blanches amidonnées menant leurs travaux dans des laboratoires immaculés venaient compléter l'effet désiré. Abusés par cette impression d'ordre et d'efficacité, les inspecteurs étaient ainsi tout préparés à tenir pour argent comptant ce qu'ils avaient vu dans le bâtiment 103.

Le bâtiment 103 était une structure de Zone Deux, construite sur le modèle des matriochkas. Si l'on en retirait le toit, on aurait découvert un complexe de cubes emboîtés les uns dans les autres. L'enveloppe extérieure était réservée aux personnels administratifs et de sécurité, directement responsables de la protection des échantillons de variole. La première des deux enveloppes intérieures était une zone «chaude», qui contenait des animaux en cages, des labos spécialement conçus pour les travaux sur les virus pathogènes et des cuves de fermentation géantes de seize tonnes. La seconde enveloppe, le véritable noyau, ne contenait pas seulement le réfrigérateur en forme de coffre-fort où l'on stockait la variole, mais des rangées de centrifugeuses en acier inoxydable et d'appareils de séchage et de broyage. C'était là que l'on conduisait des expériences destinées à lever le mystère de la *Variola major*. La nature de ces tests, leur durée, la quantité de virus variolique employé, et les résultats, tout était saisi en tableaux dans un ordinateur auquel seules les équipes internationales d'inspection avaient accès. De tels garde-fous étaient prévus pour empêcher tout emploi non autorisé de la variole, dans le cadre d'expérimentations telles que la réplication ou la disjonction des gènes.

Les équipes d'inspection n'avaient jamais trouvé aucune preuve attestant que des recherches non autorisées se mèneraient dans le bâtiment 103. Leurs rapports ne comportaient que des louanges sur les tentatives déployées par les scientifiques russes pour découvrir si la variole recelait la clé de certaines maladies dont l'humanité était encore la proie. Finalement, après avoir passé au crible les formidables dispositifs de sécurité — qui reposaient presque exclusivement sur la surveillance électronique et vidéo, réduisant ainsi au minimum les besoins en personnel —, les inspecteurs avaient souscrit à l'intégrité du bâtiment 103. Après tout, jamais le moindre gramme de virus de la variole n'avait été porté manquant.

*

L'appel du président russe Potrenko à l'unité d'entraînement des Forces spéciales fut enregistré à 1 heure 03 du matin. Six minutes plus tard, l'un des officiers de garde frappait à la porte du bungalow du colonel Vassili Kravtchenko. À 1 heure 30, Kravtchenko était dans son bureau, écoutant les ordres détaillés du président Potrenko, qui le priait d'instaurer une procédure de quarantaine indétectable visant à couper Biopreparat du reste du monde.

Petit, trapu, Kravtchenko était un vétéran de l'Afghanistan, de Tchétchénie et d'autres lieux où ses Forces spéciales avaient été dépêchées. Blessé au combat, il avait été retiré du service actif et envoyé à Vladimir pour superviser l'entraînement des nouvelles recrues. Après avoir entendu ce que Potrenko avait à lui dire, il convint que l'appel intervenait à point nommé : il disposait de deux cents soldats qui venaient justement d'achever leurs exercices de campagne. Avec eux, il avait de quoi isoler la ville de Vladimir tout entière.

Kravtchenko apporta aux questions de Potrenko des réponses promptes et succinctes, lui assurant que, dans l'heure, il pouvait déployer ses hommes en position. Personne, à l'intérieur du complexe ou en ville, n'en aurait vent.

— Monsieur le Président, ajouta-t-il, quels sont

mes ordres précis dans l'hypothèse où quelqu'un tenterait de sortir de Biopreparat après la mise en place de cette quarantaine ?

— Une seule sommation, colonel. Une seule. S'il résiste ou s'il tente de s'enfuir, vous avez l'autorisation de recourir à la force. Je n'ai pas besoin de souligner pourquoi.

— Non, monsieur le Président.

Kravtchenko n'était que trop familiarisé avec les préparations diaboliques stockées dans les chambres fortes de Biopreparat. Il avait aussi été témoin des ravages de la guerre biochimique en Afghanistan, et ses conséquences étaient gravées dans sa mémoire de manière indélébile.

— J'exécuterai vos directives suivant les ordres, monsieur le Président.

— Et j'attends de vos nouvelles dès que le cordon de sécurité sera en place, colonel.

*

Tandis que Kravtchenko et Potrenko achevaient leur entretien téléphonique, le lieutenant Grigori Yardeni, du Détachement de Sécurité de Biopreparat (DSB), se trouvait dans son bureau du bâtiment 103. Il surveillait la batterie d'écrans de télévision en circuit fermé quand son téléphone portable sonna dans sa poche.

La voix brouillée par un synthétiseur émettait comme un chuchotement étranglé.

— Allez-y, tout de suite. Et préparez-vous à appliquer l'option deux. Vous avez compris ?

Yardeni réussit à peine à prononcer sa réponse :

154

— Option deux.

Il resta assis là un moment, figé par les implications de ce qu'il venait d'entendre. Voilà tant de nuits qu'il avait imaginé recevoir ce coup de fil, qu'à présent, l'ayant reçu, il lui paraissait irréel.

Tu as attendu cette occasion toute ta vie. Saisis-la !

Il y avait soixante caméras disséminées dans les Zones Un et Deux, toutes reliées à des magnétoscopes. Les appareils eux-mêmes étaient enfermés dans une armoire à l'épreuve du feu équipée d'une minuterie, qui ne pouvait être ouverte qu'à la fin d'un tour de garde, et uniquement par les supérieurs de Yardeni. En outre, les magnétoscopes étaient absolument sécurisés. Yardeni avait compris depuis longtemps qu'il n'avait guère le choix des moyens pour accomplir son larcin.

Le lieutenant était un jeune homme solide, dépassant nettement le mètre quatre-vingts, au cheveu blond et bouclé et aux traits burinés. Il était l'attraction préférée du Little Blue Boy, un cabaret de strip-tease masculin de Vladimir. Tous les mardis et jeudis, Yardeni et quelques autres officiers du DSB oignaient leurs corps de costauds de baby oil et se trémoussaient devant des femmes qui glapissaient. Ils gagnaient davantage d'argent au cours de ces quelques heures qu'en un mois de travail au service de l'État.

Mais pour sa part, Yardeni avait toujours nourri de plus hautes ambitions. C'était un admirateur fanatique des films d'action, Arnold Schwarzenegger était sa star préférée, à ceci près que l'acteur se faisait un peu trop vieux. Avec son allure et son physique, Yardeni ne voyait pas ce qui l'aurait empêché de prendre la place d'Arnold. Il avait entendu dire que Hollywood était la Mecque des beaux gosses un peu débrouillards, avec des airs de durs et une certaine allure.

Au cours des trois dernières années, Yardeni avait projeté de passer à l'Ouest. Le problème, qu'il partageait avec des milliers de ses compatriotes, c'était l'argent : non seulement pour acquitter les taxes d'émigration et les billets d'avion au coût prohibitif, mais ensuite pour avoir de quoi vivre. Yardeni avait vu des photos de Bel-Air. Il n'avait aucune intention d'arriver à Los Angeles sans un sou en poche, contraint de croupir dans le ghetto des Russes immigrants.

Le lieutenant consulta la pendule au-dessus de son bureau, et quand il se leva l'étoffe de sa vareuse militaire se tendit sur son torse. Il était bientôt 1 heure, l'heure de la nuit où l'organisme traverse son sommeil le plus profond, celle où il est le plus vulnérable à la mort. Hormis les patrouilles, humaines et animales, à l'extérieur, et la sécurité à l'intérieur, Biopreparat aussi était endormi.

Yardeni révisa les procédures qu'il connaissait déjà par cœur, puis il se tint paré et ouvrit la porte. Tout en traversant la Zone Un, il songea à l'homme qui l'avait approché voici presque un an. Le contact s'était établi au Little Blue Boy, et au début il avait pris l'homme, l'un des très rares de l'assistance, pour un homosexuel. Cette impression s'était prolongée jusqu'à ce que l'autre lui révèle tout ce qu'il savait de la vie de Yardeni. Il lui avait décrit ses parents et sa sœur, le détail de sa scolarité au lycée et de sa carrière militaire, son statut de champion de boxe au sein de sa division, et de quelle manière il avait été cassé par ses supérieurs après une crise de rage qui l'avait presque conduit à tuer l'un de ses camarades soldats, de ses poings nus. À toutes fins utiles, l'homme avait ajouté en guise de commentaire que la carrière de Yardeni, ici, à Biopreparat, suivrait une courbe plate : il allait végéter, à rêver de ce qu'aurait pu être sa vie, pendant qu'il jouait les baby-sitters pour tous ces gens qui se payaient, eux, tous les luxes et les lumières de la ville.

Naturellement, on pouvait toujours changer le cours de sa destinée…

Tâchant de ne pas penser aux caméras, Yardeni progressa vers la Zone Deux en franchissant un corridor baptisé le « passage sanitaire ». En réalité, il s'agissait d'une succession de petites chambres stériles reliées par des portes de communication équipées de serrures codées.

En pénétrant dans le premier box, un vestiaire, il se dévêtit et appuya sur le bouton du mur. Un léger aérosol de décontamination vint l'envelopper.

Les trois boxes suivants contenaient des éléments distincts de la tenue anti-épidémique : des chaussettes bleues et un long caleçon ; une blouse en coton à capuche ; l'appareil respiratoire, le masque, les bottines et les lunettes de sécurité. Avant d'en sortir pour entrer dans le dernier vestiaire, Yardeni alla chercher un objet qu'il avait dissimulé dans un placard au début de son tour de veille : un conteneur du type Thermos en aluminium anodisé, de la taille d'une flasque.

Il leva le conteneur dans sa main gantée. C'était une merveille d'ingénierie. De l'extérieur, cela ressemblait à l'un de ces jouets occidentaux coûteux, fonctionnels mais d'un luxe excessif, et rien de plus. Même si l'on dévissait le couvercle en regardant à l'intérieur, rien n'éveillait l'attention. Ce n'est qu'en tournant le socle du conteneur dans le sens inverse des aiguilles d'une montre que celui-ci révélait son secret.

Soigneusement, Yardeni fit tourner ce socle jusqu'à ce qu'il entende un cliquetis. À l'intérieur de la paroi double, de minuscules capsules libérèrent leur contenu de nitrogène. Immédiatement, le conteneur devint froid au toucher, comme un verre rempli de glace pilée.

Yardeni glissa le conteneur dans la poche de sa tenue anti-épidémique et ouvrit la porte conduisant au labo de la Zone Deux. À l'intérieur, il passa devant les paillasses en acier inoxydable pour arriver devant ce que les chercheurs appelaient en plaisantant le distributeur de Coca. En fait, il s'agissait d'un réfrigérateur de plain-pied, dans lequel pouvait entrer un homme debout, avec une porte en plexiglas construite tout spécialement, à fermeture hermétique. L'appareil rappelait toujours à Yardeni les barrières vitrées à l'épreuve des balles à l'agence de l'American Express.

Il glissa la clé magnétique codée dans la rainure, tapa la combinaison, et écouta le long sifflement sourd de la porte qui se rabattait en arrière. Trois secondes plus tard, elle se refermait derrière lui.

Yardeni ouvrit l'un des tiroirs, baissa les yeux sur des rangées de flacons en verre trempé. Opérant promptement, il dévissa le conteneur par le milieu et posa la partie supérieure de côté. Logés dans le socle, il y avait là six orifices, tout à fait semblables aux chambres d'un barillet de revolver. Il plaça une ampoule dans chaque, puis il remit en place la partie supérieure du conteneur, en serrant bien.

Utilisant sa carte magnétique, il sortit du distributeur de Coca et sortit du labo. Il suivit la procédure inverse dans les vestiaires successifs, en jetant les différentes parties de sa tenue dans des sacs destinés à être brûlés. Après un deuxième aérosol de décontamination, il était prêt à se rhabiller, si ce n'est que cette fois, il enfila une tenue décontractée — un jean, un sweat-shirt et une ample parka.

Quelques minutes plus tard, Yardeni était dehors, et respirait à fond dans l'air de la nuit. Une cigarette l'aida à se calmer. Option Deux, lui avait indiqué la voix. Cela signifiait que quelque chose n'allait pas. Au lieu de choisir son moment pour dérober les souches de variole, il avait dû s'exécuter sur-le-champ. Et en vitesse, qui plus est, car pour une raison ou une autre, Moscou avait des soupçons.

Yardeni était tout à fait informé de la présence de l'unité des Forces spéciales à l'extérieur de Vladimir. Il s'était lié d'amitié avec certaines de ces recrues dans les bars de la ville. Ces hommes étaient coriaces et capables, pas le genre de types auxquels il mourait d'envie de se frotter, même lui. Mais les tournées de vodka lui avaient valu quelques informations précieuses. Il savait exactement à quel genre d'exercices les Forces spéciales se livraient et combien de temps il leur fallait pour les exécuter.

Yardeni écrasa sa cigarette sous sa botte et se mit à marcher en direction du bâtiment 103, en se dirigeant vers l'un des postes de garde du périmètre. Cette nuit, comme toutes les nuits depuis un mois, c'étaient des camarades de son ancienne unité de l'armée qui y étaient affectés. Yardeni leur raconterait qu'il avait terminé son tour de garde nocturne. En plaisantant, ils lui répondraient qu'il devrait pouvoir encore arriver à l'heure pour la dernière séance au Little Blue Boy. Et si quelqu'un prenait la peine de consulter le tableau de service informatisé, tant pis.

*

Kravtchenko avait mis à profit les dernières cinquante minutes pour opérer promptement et en silence. Pas une seule lampe ne s'était allumée sur le terrain d'entraînement, pas une seule alarme n'avait retenti. Ses soldats furent arrachés à leur lit et regroupés sous le couvert de l'obscurité. Dès qu'ils eurent achevé leur rassemblement, les premiers véhicules blindés de transport de troupes franchirent les grilles dans un grondement. Kravtchenko ne pouvait rien faire pour éviter le bruit des moteurs, mais cela ne le préoccupait guère. Les citoyens de Vladimir, comme les employés de Biopreparat qui travaillaient au sein des équipes de nuit, étaient habitués aux exercices militaires nocturnes.

À bord de son AVAB de commandement, Kravtchenko conduisit sa colonne sur la route à deux voies qui menait hors de l'enceinte de son cantonnement. Ses ordres étaient clairs : si un traître se trouvait sur le site, il s'agissait de l'encercler. La seule chose que Kravtchenko, en homme extrêmement pragmatique, savait être à même de garantir, serait que personne ne pourrait enfreindre cette mise en quarantaine.

*

— Grigori ?

— Oleg, c'est moi. D'un pas nonchalant, Yardeni

160

s'approcha du poste de garde en brique. Un de ses camarades, un garde du DSB, se tenait debout devant.

— Ton tour de garde est terminé ?

Yardeni feignit la lassitude.

— Ouais. Arkadi a pointé tôt. Il me doit un peu de temps sur le mois dernier. Maintenant je vais pouvoir rentrer chez moi dormir un moment.

Arkadi était la relève de Yardeni et, à cette heure-ci, supposait-il, n'étant attendu que dans quatre heures, l'autre dormait à côté de sa femme. Mais Yardeni avait réussi à faire en sorte que l'ordinateur affiche une tout autre information.

— Un moment, s'il te plaît.

Il se retourna dans la direction de la voix qui s'était élevée par la fenêtre du poste. À l'intérieur, il entrevit un garde qu'il n'avait jamais vu auparavant. Yardeni jeta un coup d'œil à son ami.

— Tu ne m'avais pas précisé qu'Alex n'était pas en service cette nuit.

— Il a la grippe. Lui, c'est Marko. D'habitude, il travaille de jour.

— Bon. Mais tu veux bien lui dire de me laisser sortir de ce trou ? Je commence à avoir froid.

Quand Oleg lui ouvrit la porte du poste de garde, Yardeni s'aperçut qu'il était déjà trop tard : l'autre garde était en train de contrôler sur l'ordinateur.

— J'ai bien le pointage de votre relève, lieutenant, mais sur le tableau de service je n'ai pas de changement d'équipe, remarqua-t-il. Techniquement, vous avez laissé votre poste sans surveillance.

Le ton accusateur du garde décida du geste suivant de Yardeni. Son ami Oleg lui tournait le dos. Il ne vit pas le bras de Yardeni venir lui enserrer le cou, et il ne sentit qu'une violente secousse avant que sa nuque ne se brise d'un coup sec.

Le deuxième garde essayait maladroitement d'extraire son pistolet de son étui quand Yardeni le cueillit à la trachée, du tranchant de la main droite. Dès qu'il se fut effondré au sol, en se débattant pour respirer, il le tua sans grande difficulté, en lui brisant également la nuque.

Yardeni sortit de la guérite en chancelant et claqua la porte derrière lui. L'instinct et l'entraînement reprirent le dessus. Il se mit à marcher, en se répétant mentalement, sans relâche, le vieux refrain de l'infanterie : *Un pied devant l'autre, et un pied devant l'autre, et un, et un...*

À l'extérieur du mur d'enceinte, Yardeni aperçut les lumières de Vladimir. Il entendit le coup de sifflet isolé d'un train encore lointain. Ce coup de sifflet le ramena brusquement à la réalité, lui rappela ce qui lui restait à faire. Quittant la route, il se dirigea vers les bois qui entouraient Biopreparat. Il y avait passé tellement d'heures que trouver les bons chemins par une nuit de clair de lune ne présentait guère de difficulté. Il se mit en route d'un pas rapide.

Dans sa course, Yardeni se remémora quelques images bien précises. Un contact l'attendrait. Il lui remettrait un passeport identifiant Yardeni comme un cadre canadien en visite dans le pays. Il aurait aussi un billet d'avion pour un vol d'Air Canada et une liasse épaisse de devises américaines, de quoi le dépanner jusqu'à son arrivée à Toronto, le temps qu'il se rende à la banque où son argent et de nouveaux papiers d'identité auraient été placés en dépôt à son intention.

*Oublie Oleg ! Et oublie l'autre type ! Tu es quasi-
ment libre !*

Yardeni s'était profondément enfoncé dans les bois
quand il ralentit pour finalement s'arrêter. Il plongea
la main dans la poche zippée de sa parka, et ses doigts
se refermèrent sur le conteneur glacial en aluminium.
L'emblème de sa nouvelle vie était là, en sécurité.

Et c'est alors qu'il entendit le léger ronronnement
des véhicules lourds à l'approche. Ils se dirigeaient
vers l'ouest, vers le complexe. Yardeni n'eut aucun
mal à les identifier rien qu'au bruit : des APC, remplis
d'hommes des Forces spéciales. Mais il ne céda pas à
la panique. Il était désormais familier des procédures
qu'ils allaient suivre. Tant qu'il se trouvait à l'extérieur du périmètre qu'ils allaient établir, il n'avait rien
à craindre. Il se remit à courir.

*

À huit cents mètres de la ville, Kravtchenko vit les
éclairages de sécurité qui baignaient le périmètre
de Biopreparat d'une lumière chaude et blanche. Il
ordonna à la colonne de quitter la route, et la guida par
des voies secondaires et des chemins jusqu'à ce que
les véhicules blindés créent un cercle d'acier infran-
chissable autour du périmètre. On érigea des barrages
routiers sur toutes les artères partant du complexe ou y
conduisant. Des unités de guet furent postées à trente
mètres du mur de brique, par intervalles de cinquante
mètres. Des tireurs d'élite munis de viseurs thermiques
se dissimulèrent dans ces intervalles. À 2 heures 45 du
matin, via un relais satellite, Kravtchenko informa le
président que la nasse était en place.

— Monsieur ?

Kravtchenko se tourna vers son second.

— Oui, numéro deux ?

— Monsieur, quelques hommes se sont… interrogés. Il se passe quelque chose d'anormal à l'intérieur ? Y a-t-il eu un accident ?

Kravtchenko sortit ses cigarettes.

— Je sais que certains de mes hommes ont une famille en ville. Dites-leur de ne pas s'inquiéter. Et c'est tout ce que vous pouvez leur indiquer… pour l'instant.

— Merci, monsieur.

Kravtchenko relâcha la fumée de sa cigarette avec un léger sifflement. Il était un bon commandant, qui comprenait la nécessité d'une certaine honnêteté quand on avait des hommes sous ses ordres. À la longue, rien d'autre ne fonctionnait mieux que ça. Mais dans le cas présent, il ne jugeait pas prudent d'ajouter, alors même qu'il tenait ces propos, qu'à Moscou on était en train d'affréter un appareil de transport militaire Iliouchine appartenant à l'unité de contrôle des risques biologiques. Il serait temps de s'inquiéter si — ou quand — cet appareil quitterait la piste.

*

Le train de passagers qui s'arrêta en gare de Vladimir à 3 heures du matin exactement avait entamé son voyage près de deux mille kilomètres plus à l'ouest, à Kolina, dans les monts Oural. Vladimir était son dernier arrêt — une courte halte — avant le tronçon final de trois heures jusqu'à Moscou.

Lorsqu'il immobilisa son train en gare, le machiniste sortit la tête par la fenêtre de sa locomotive. À la

164

vue du passager solitaire debout sur le quai, il lâcha un borborygme. La seule raison pour laquelle Vladimir bénéficiait d'une desserte régulière sur la ligne, c'était les soldats partant en permission pour Moscou. Cette nuit-là, il estima pouvoir grappiller quelques minutes sur l'horaire.

La haute silhouette, enveloppée dans un manteau, ne bougea pas lorsque le train défila devant lui. Debout à quelques pas de la bordure du quai, il continua de scruter l'obscurité par-delà les faibles lumières de la gare.

Ivan Beria, né en Macédoine trente-huit ans plus tôt, était un homme patient. Élevé dans ce chaudron de la haine et du massacre ethnique qu'étaient les Balkans, il avait acquis une connaissance très directe des rouages de la patience : votre grand-père vous raconte comment les Albanais de souche ont tué la quasi-totalité de votre famille. L'histoire vous est répétée tant de fois que ces événements vous semblent dater de la veille. Aussi, quand l'opportunité de se venger finit par se présenter, vous la saisissez à deux mains — et de préférence en empoignant l'ennemi par le cou.

Beria avait tué son premier homme à l'âge de douze ans. Et il avait continué de tuer, jusqu'à solder toutes les dettes sanglantes de la famille. À vingt ans, sa réputation d'assassin n'était plus à faire. Les membres d'autres familles, dont les fils ou les maris étaient mutilés ou morts, s'étaient adressés à lui, en lui proposant l'or qu'ils portaient aux doigts ou autour de leur cou en paiement des services à leur rendre.

Beria était rapidement passé du règlement des querelles familiales au statut d'opérateur indépendant dont les services étaient accessibles au plus offrant, d'ordinaire le KGB. Avec le crépuscule du communisme, l'appareil de sécurité recourait de plus en plus souvent à ces mercenaires afin de pouvoir se réserver la latitude de tous les démentis possibles. Simultanément, alors que les investissements occidentaux commençaient de pénétrer en Russie, les mêmes capitalistes qui arrivaient là-bas pour réaliser des affaires s'intéressaient également à des investissements de nature plus exotique. Ils étaient à la recherche d'un genre d'homme très particulier, de plus en plus difficile à dénicher en Occident, du fait des échanges informatisés à l'échelon mondial entre la police et les services de renseignement. À travers ses contacts au KGB, Beria avait découvert la profondeur insondable des poches des Américains et des Européens, surtout quand il était nécessaire de paralyser ou d'éliminer un concurrent.

Sur une période de cinq ans, Beria avait enlevé plus d'une dizaine de cadres dirigeants. Sept d'entre eux avaient été exécutés, les exigences de rançon n'ayant pas été satisfaites. L'une de ses cibles était un dirigeant d'une firme suisse, Bauer-Zermatt. Lors du paiement de la rançon, Beria eut la stupeur de découvrir qu'on lui avait remis le double de la somme exigée. On y avait joint une requête : que Beria ne se contente pas de libérer le dirigeant de la firme, mais qu'il entrave fortement, y compris par le recours à la violence, les velléités des concurrents de Bauer-Zermatt de s'implanter dans la région. Beria n'avait été que trop heureux de leur rendre ce service, et cela avait marqué le début de sa relation durable et profitable avec le docteur Karl Bauer.

— Hé! Vous là! Vous montez ou quoi? J'ai un horaire à respecter, moi.

Beria considéra le chef de train, un homme gras, le visage rougeaud, son uniforme tout fripé à force d'avoir dormi dedans. Même dans la fraîcheur de l'air, il sentait les relents aigres d'alcool qui émanaient de l'homme.

— Mais vous ne partez pas avant trois minutes.

— Ce train part quand je le décide, et allez vous faire voir!

Le chef de train descendait de la plate-forme du wagon quand, sans autre avertissement, il se retrouva plaqué contre le flanc d'acier du wagon. La voix qui lui souffla à l'oreille était aussi doucereuse que la langue du serpent.

— L'horaire est modifié!

Le chef de train sentit qu'on lui fourrait un objet dans la main. Quand il osa baisser les yeux dessus, d'un coup d'œil furtif, il avisa un rouleau de dollars, là, serré dans le poing du tueur.

— Va donner au mécanicien la part qu'il lui faut, chuchota Beria. C'est moi qui te dirai quand on s'en va d'ici.

Il repoussa le chef de train, le regarda s'éloigner quasiment au pas de course, à moitié titubant, en direction de la locomotive. Il consulta sa montre. L'homme de Biopreparat était en retard. Même ce pot-de-vin ne suffirait pas à retarder le train bien longtemps.

Beria était arrivé à Vladimir plus tôt dans la semaine. Son commanditaire lui avait indiqué d'attendre un homme qui sortirait de Biopreparat. Beria devait garantir un acheminement en toute sécurité, à l'homme et à ce qu'il transportait, jusqu'à Moscou.

Beria avait attendu patiemment, séjournant le plus clair de son temps dans une chambre petite et froide du meilleur hôtel de la ville. L'appel qu'il attendait était intervenu quelques heures auparavant. Son commanditaire avait évoqué un changement de plan, la nécessité d'improviser. Beria avait écouté et assuré le commanditaire qu'il saurait s'accommoder de ces développements imprévus.

Il vérifia de nouveau sa montre. Le train aurait dû être déjà reparti depuis cinq minutes. Il avisa le chef de train grassouillet, qui revenait de la locomotive en se dandinant. Et qui, lui aussi, consultait sa montre.

Beria repensa à la colonne armée qu'il avait entendue et aperçue précédemment dans la soirée. Grâce à son commanditaire, il savait tout ce qu'il avait besoin de connaître concernant les Forces spéciales, vers où elles se dirigeaient, et pourquoi. Si l'homme de Biopreparat n'était pas parvenu à quitter l'enceinte du complexe…

Il entendit un martèlement de bottes sur le quai. Sa main plongea dans la poche de son manteau, ses doigts se refermèrent sur la crosse de son Taurus 9 mm. Il relâcha sa prise lorsque la silhouette entra en courant sous une flaque de lumière. Il reconnut les traits qu'on lui avait décrits.

— Yardeni ?

La poitrine du lieutenant se soulevait, sous l'effet de l'épuisement.

— Oui ! Et vous êtes…

— Celui qui devait vous retrouver, comme on vous l'a dit. Sans quoi, comment saurais-je votre nom ? Allez, montez. Nous sommes en retard.

Beria poussa le jeune garde sur la plate-forme du

wagon. Quand le chef de train monta à son tour, en ahanant, le Macédonien lui brandit encore davantage d'argent sous le nez.

— Cette fois, c'est uniquement pour vous. Je veux être tranquille. Et s'il y a le moindre retard sur la route de Moscou, j'exige que vous m'en informiez aussitôt. Compris ?

Le chef de train lui arracha l'argent.

Le train s'ébranla tandis que Beria pilotait Yardeni dans l'étroite coursive du wagon jusque dans un compartiment de première classe. Les sièges avaient été convertis en couchettes, garnies de petits oreillers tachés et de couvertures élimées.

— Vous avez quelque chose pour moi, lui fit Beria en verrouillant la porte et en baissant le store.

Pour la première fois, Yardeni put observer attentivement son contact. Oui, la voix sépulcrale au téléphone aurait pu appartenir à un individu de ce genre. Subitement, il était très content d'être plus jeune, plus grand et plus fort que cette figure simiesque enveloppée de noir.

— On m'avait certifié que c'était vous qui auriez quelque chose pour moi, répliqua-t-il.

Beria exhiba une enveloppe cachetée, et regarda Yardeni l'ouvrir et examiner son contenu : un passeport canadien, un billet d'avion Air Canada, de l'argent liquide, plusieurs cartes de crédit.

— Tout est en ordre ? s'enquit Beria.

Yardeni acquiesça de la tête, puis il plongea la main dans la poche de sa parka et en ressortit le conteneur cylindrique en aluminium.

— Faites attention. C'est très froid.

Beria ne toucha pas le cylindre sans avoir enfilé des

169

gants. Il le tint un instant entre ses mains, comme un changeur soupesant un sac de poudre d'or, puis il le posa de côté. Il sortit un conteneur identique et le tendit à Yardeni.

— Qu'est-ce que c'est ? demanda le jeune garde.

— Gardez-moi ça. Vous n'avez pas besoin d'en savoir davantage pour le moment. Il s'interrompit. Dites-moi ce qui s'est passé, à Biopreparat.

— Il ne s'est rien passé. Je suis entré, j'ai pris le matériel et je suis ressorti.

— Vous étiez tout le temps dans le champ de la caméra ?

— Je ne pouvais rien y faire. J'ai dit à vos gars...

— Quand les bandes sont-elles visionnées ?

— À l'arrivée de l'équipe suivante, dans à peu près quatre heures. Qu'est-ce que ça peut faire ? De toute façon, j'ai pas l'intention d'y retourner.

— À la sortie, pas de problème ?

Yardeni avait le mensonge facile. Seulement, il ignorait à quel genre d'homme il était confronté.

— Aucun.

— Je vois. Et vous êtes arrivé à sortir avant l'arrivée des Forces spéciales.

Yardeni eut du mal à cacher son étonnement.

— Je suis ici, non ? aboya-t-il. Écoutez, je suis fatigué. Vous avez quelque chose à boire ?

En silence, Beria sortit un demi-litre de cognac et le tendit à Yardeni, qui examina l'étiquette.

— C'est du français, remarqua-t-il en arrachant la capsule en aluminium.

Yardeni leva la bouteille, en avala une généreuse gorgée, puis lâcha un soupir. Après avoir délacé ses bottes, il ôta sa parka et la plia sous un oreiller. Il s'étira quand Beria se leva.

— Où est-ce que vous allez ? lui demanda Yardeni.

— Aux toilettes. Ne vous inquiétez pas. Je reviens, et je ne vous réveillerai pas.

Beria sortit dans le couloir, referma la porte du compartiment à clef derrière lui, et se rendit au bout de la voiture. Il abaissa la moitié supérieure de la fenêtre, juste assez pour que l'antenne de son téléphone portable dépasse par l'interstice. Quelques secondes plus tard, la liaison avec Moscou était établie, et la voix à l'autre bout du fil aussi distincte que si son interlocuteur s'était trouvé à côté de lui.

CHAPITRE ONZE

Les coups frappés à la porte arrachèrent Smith à son léger sommeil. Il cherchait à tâtons la lampe de chevet, lorsque deux militaires firent irruption, suivis de Lara Telegin.

— Bon sang, qu'est-ce qui se passe ? demanda-t-il.

— Venez avec moi, docteur, je vous prie, lui répliqua la jeune femme. En se rapprochant, elle baissa la voix.

— Il y a du nouveau. Le général a besoin de vous voir dans son bureau, immédiatement. Nous vous attendons dehors.

Smith s'habilla en vitesse et suivit Telegin jusqu'à un ascenseur qui les attendait.

— Que s'est-il passé ?

— C'est le général qui va vous tenir informé, lui signifia-t-elle.

Ils traversèrent une réception déserte jusqu'à une berline garée le long du trottoir, moteur au ralenti. Le trajet jusqu'à la place Djerzinski prit moins de dix minutes. Smith ne détecta aucune activité inhabituelle dans le bâtiment, pas avant qu'ils n'atteignent le quinzième étage. Là, les couloirs étaient bondés de personnel en uniforme qui courait de bureau en bureau, dépêches en main. Dans chaque box, des hommes et des femmes, tous jeunes, étaient penchés sur des claviers d'ordinateur, et parlaient calmement dans des micros-casques. L'atmosphère était électrique, un mélange d'urgence et d'intensité.

— Docteur Smith, je vous souhaiterais volontiers le bonjour, à ceci près que la journée s'annonce tout sauf bonne. Lara, fermez la porte, voulez-vous ?

Smith jaugea Kirov du regard, et se dit qu'il avait dû lui aussi être arraché de son lit il y a peu.

— Qu'est-ce qui vous arrive ?

Kirov lui tendit un verre de thé glissé dans son support de métal filigrané.

— Tôt ce matin, le président Potrenko a ordonné au contingent des Forces spéciales stationné à côté de Vladimir d'encercler le complexe de Biopreparat et d'établir un cordon sanitaire. Ce qui s'est fait, sans incident. Pendant les quelques heures qui ont suivi, tout était calme. Toutefois, voici une trentaine de minutes, une patrouille volante rapportait que deux gardes avaient été découverts à leur poste, morts, assassinés.

Smith sentit une boule froide tout au fond de son ventre.

— Les Forces spéciales ont-elles intercepté quelqu'un qui tentait de sortir ?

Kirov secoua la tête.

— Non. Et personne n'a essayé non plus d'entrer.

— Et qu'en est-il du personnel de sécurité à l'intérieur du complexe... en particulier dans le bâtiment 103 ?

Kirov se tourna vers Telegin.

— Lecture de la cassette.

Elle braqua la télécommande sur un écran mural.

— Ceci est la bande vidéo des caméras de sécurité à l'intérieur du 103. Vous voudrez bien noter l'heure affichée dans le coin droit, en bas de l'écran.

Smith regarda les images en noir et blanc défiler sur l'écran. Un garde de grande taille, en uniforme, s'engageait dans un couloir et disparaissait dans la Zone Deux. Une autre batterie de caméras le reprenait dans les vestiaires des zones de décontamination.

— Arrêtez-vous là-dessus !

Smith pointa du doigt le cylindre que le garde, à présent en tenue complète de protection contre le risque biologique, tenait dans la main gauche.

— Qu'est-ce que c'est que ça ?

— Vous allez vous rendre compte par vous-même dans une minute. Lara ?

La bande défila. Gagné par l'incrédulité, Smith suivit le garde qui pénétrait dans le réfrigérateur-armoire et commençait d'en extraire des ampoules.

— Dites-moi que ce n'est pas la variole.

— J'aimerais bien, lui répondit Kirov.

Le voleur en tenue acheva son travail et regagna la première chambre de décontamination.

— Qu'en est-il des mesures de sécurité de secours ? s'enquit Smith. Comment a-t-il pu entrer là-dedans aussi simplement que ça, nom de Dieu ?

— De la même manière que votre personnel de sécurité à l'USAMRIID peut entrer dans vos chambres fortes, lui rétorqua Lara Telegin d'un ton cassant. Notre système est quasiment une réplique du vôtre, docteur. Nous nous appuyons tout autant que vous sur les serrures codées et les contre-mesures électroniques, afin de réduire les risques inhérents au facteur humain.

Mais au bout de la chaîne, tout finit par reposer sur un individu. Elle marqua une pause. Les gardes de Biopreparat sont soumis à une procédure de sélection intensive. Et pourtant, on ne peut pas lire à l'intérieur de l'âme d'un être, n'est-ce pas ?

Les yeux de Smith étaient rivés sur l'écran, qui montrait un gros plan du visage de Grigori Yardeni.

— Il se moque de savoir si la caméra le prend ou non. Il n'y peut rien, et on dirait qu'il le sait.

— Justement, intervint Kirov, et il expliqua rapidement pourquoi il était impossible aux gardes de manipuler les bandes enregistrées durant leur service. Si nous n'avions pas installé cet équipement, il nous aurait fallu beaucoup plus de temps pour identifier le voleur. En l'occurrence…

— En l'occurrence, il savait qu'il ne reviendrait plus. Comment diable a-t-il pu échapper à la quarantaine ?

— Veuillez noter l'heure, souligna Kirov, en pointant du doigt le coin de l'écran. Le vol survient avant que les Forces spéciales soient en position. Cet individu a eu une chance du diable : il a réussi à sortir quelques minutes seulement avant que le colonel Kravtchenko ait entamé le déploiement de ses troupes.

— Est-ce la raison pour laquelle il a tué les gardes du poste… parce qu'il était pressé par le temps ?

— Je n'en suis pas certain. Kirov le dévisagea attentivement. Où voulez-vous en venir, docteur ?

— Ce type devait avoir un plan très arrêté, poursuivit Smith. D'accord, il savait qu'il serait filmé. Cela lui était égal : il avait dû prendre ses dispositions à cet égard. Mais je ne crois pas qu'il ait eu l'intention de tuer les gardes. Pourquoi courir le risque que les

175

corps soient découverts avant qu'il n'ait pu s'enfuir ? Je pense qu'il a été contraint d'agir plus tôt qu'il ne s'y attendait, qu'il savait que les Forces spéciales étaient en route… et pourquoi.

— Êtes-vous en train de suggérer qu'il disposait d'un informateur, d'un complice, à l'extérieur ? s'enquit Telegin.

— À votre avis, lieutenant ? lui rétorqua Smith.

— Nous examinerons cette éventualité plus tard, intervint Kirov. Pour l'heure, nous devons remonter la piste de ce Grigori Yardeni. La quantité de virus de la variole qu'il a emportée…

Smith ferma les yeux. Le centième de ces virus suffisait, propagé par les moyens adéquats, à infecter une population d'un million de personnes, ou davantage.

— Quelles contre-mesures avez-vous mises en œuvre ?

Kirov pressa un bouton sur son bureau et un panneau mural se rétracta pour dévoiler un écran géant. Cet écran affichait le déroulement de l'action en temps réel.

Le major-général indiqua un point rouge en déplacement.

— Un transport Iliouchine de la Division du Renseignement Médical… nos chasseurs de virus… est en route pour Vladimir. Ce sont eux qui pénétreront dans Biopreparat… et personne d'autre.

Il désigna un cercle bleu.

— Voici le dispositif de quarantaine établi par l'équipe des Forces spéciales. Ici… (il esquissa un geste vers trois points jaunes)… nous avons les renforts de Sibiyarsk, qui ont déjà pris l'air. Il s'agit d'un bataillon prêt au combat, et qui va boucler Vladimir. Il ponctua d'un mouvement de la tête. À leur réveil, ces pauvres gens vont découvrir qu'ils sont prisonniers.

Smith se tourna vers le moniteur vidéo, où s'affichait encore la silhouette massive, dans sa tenue anti-épidémique.

— Et lui ?

Les doigts de Telegin voletèrent sur le clavier et un dossier militaire apparut à l'écran. Pendant qu'elle lançait le logiciel de traduction bilingue, Smith prit le temps de mieux étudier la physionomie de Yardeni. Ensuite, l'alphabet cyrillique se métamorphosa en anglais.

— Pas exactement le genre de gaillard dont on attendrait qu'il se lance dans une entreprise pareille, murmura-t-il. Si l'on excepte ceci. Il désigna le paragraphe traitant du passé violent de Yardeni.

— Exact, admit Kirov. Mais son mauvais caractère mis à part, rien n'indiquait que Yardeni envisagerait de commettre une trahison de cette ampleur. Réfléchissez : il n'avait ni parents, ni amis vivant à l'étranger. Il a accepté sa nomination à Biopreparat comme un moyen de faire pénitence et d'obtenir sa réintégration au sein des forces armées. Il regarda Smith. Vous vous êtes familiarisé avec Biopreparat, et surtout avec son dispositif de sécurité. Au contraire d'autres infrastructures, celle-ci est à la hauteur de tout ce qui existe à l'Ouest, notamment le CDC d'Atlanta. Les inspecteurs internationaux… avec des Américains parmi eux… se sont montrés plus que satisfaits de notre système.

Smith comprenait les intentions de Kirov : obtenir de lui qu'il tienne le rôle de l'avocat. Les Russes n'avaient pas péché par négligence. Leur dispositif de sécurité était bon. En l'occurrence, ils étaient confrontés à une entreprise de sabotage au niveau international, impossible à prévoir ou à contrecarrer.

— Nous souffrons tous des mêmes cauchemars, général, reconnut Smith. Il se trouve que vous venez de vous réveiller en plein milieu d'un de ces cauchemars-là.

Il se força à boire une gorgée de thé.

— Depuis combien de temps Yardeni est-il dans la nature ?

Telegin chargea le rapport médical.

— Selon le chirurgien de campagne des Forces spéciales, les gardes ont été assassinés aux alentours de 3 heures du matin.

— Il s'est écoulé un peu plus de trois heures… Il a pu aller loin, pendant tout ce temps.

Elle fit apparaître une autre image sur le grand écran, et des cercles concentriques s'affichèrent — vert, orange et noir.

— Biopreparat est au centre. Le cercle le plus petit, le noir, représente la distance qu'un homme convenablement entraîné a pu couvrir, comme un soldat lors d'une marche d'entraînement. Le cercle orange élargit le champ, au cas où Yardeni disposerait d'une voiture ou d'une moto.

— Et ces triangles, là ? s'enquit Smith.

— Ce sont les barrages routiers établis par la milice locale. Nous leur avons faxé sa photo et son signalement.

— Quels sont leurs ordres ?

— Tirer à vue, mais pas pour tuer. Elle remarqua l'expression déconcertée de Smith. Dans nos directives, nous le décrivons comme un tueur auteur de plusieurs meurtres. Et puis il est séropositif. Croyez-moi, docteur, aucun homme de la milice ne touchera Yardeni une fois à terre.

— Je pensais plus à ce qu'il porte sur lui. Si une balle fracasse le conteneur…

— Je comprends votre inquiétude pour ce conteneur, mais si nous repérons Yardeni, nous ne pouvons pas le laisser filer.

— Et le dernier cercle ?

— L'éventualité la pire : Yardeni a un acolyte qui l'attend avec un avion sur l'aérodrome de Vladimir.

— Y a-t-il eu des décollages ?

— Selon nos rapports, aucun, mais cela ne signifie rien. La Nouvelle Russie dispose de trop de pilotes expérimentés, pour la plupart des anciens de l'armée de l'air. Ils sont capables d'atterrir sur une route nationale ou dans un champ, d'embarquer leur cargaison et de décoller, le tout en l'espace de quelques minutes.

— Le président Potrenko a ordonné que la zone soit quadrillée par des intercepteurs, ajouta Kirov. Tout appareil léger sera arraisonné, après sommation. S'il ne se plie pas aux instructions, il sera immédiatement abattu.

L'écran mural hypnotisait Smith. Il ressemblait à un organisme vivant, en mutation constante, au fur et à mesure des déplacements de ces symboles clignotants. Mais il sentait bien, malgré l'impressionnant déploiement dirigé contre l'officier renégat, qu'il y manquait quelque chose.

Il s'approcha de l'écran, suivit du doigt une ligne blanche qui débutait à l'est de Vladimir et se prolongeait vers l'ouest, vers Moscou.

— Ça, qu'est-ce que c'est ?

— La ligne de chemin de fer entre la Kolyma, dans les monts Oural, et Moscou, lui expliqua Kirov. Il se tourna vers Telegin. Y avait-il un train programmé pour passer à Vladimir la nuit dernière ?

Telegin joua du clavier.

— En effet, annonça-t-elle. Il s'est arrêté à Vladimir à 3 heures 37.

— Trop tôt pour que Yardeni ait pu l'attraper.

Telegin se renfrogna.

— Pas nécessairement. Selon le tableau de marche, il n'aurait dû s'y arrêter que deux ou trois minutes. Mais il n'est pas reparti à l'heure. Il s'est arrêté douze minutes supplémentaires.

— Pourquoi ? la questionna Kirov.

— Aucune raison n'a été fournie. En fait, il ne s'arrête que lorsqu'il y a des soldats en partance pour Moscou, en permission...

— Mais il n'y avait pas de soldats, n'est-ce pas ? lança Smith.

— Bien deviné, docteur, le félicita Telegin. Personne n'était prévu pour un départ en permission.

— Alors pourquoi le mécanicien a-t-il traîné en gare ?

Kirov se rendit à la console de l'ordinateur. L'heure du meurtre des deux gardes fut confrontée à l'heure à laquelle le train était reparti de Vladimir. Ensuite, cette fenêtre horaire fut rapportée au temps de trajet nécessaire à un homme pour se rendre de Biopreparat à la gare.

— Il aurait pu y arriver ! chuchota Kirov. Il aurait fort bien pu attraper ce train, puisqu'il n'est pas reparti à l'heure.

— Le train a été retardé parce que quelqu'un l'a

stoppé ! renchérit Smith avec véhémence. Yardeni a emprunté le chemin le plus évident. Ce fils de pute savait que tôt ou tard les routes seraient bloquées. Il ne possédait pas d'avion. Il avait un complice, quelqu'un susceptible, si nécessaire, de retenir le train suffisamment longtemps pour qu'il y monte. Il se tourna vers Telegin. Ensuite, il n'avait plus qu'à rouler jusqu'à Moscou.

Elle tapa sur le clavier avec frénésie, puis elle leva les yeux.

— Seize minutes, fit-elle d'une voix rauque. Le train entre en gare centrale de Moscou dans seize minutes !

*

Ivan Beria oscillait au gré du balancement du train, mais à part ça il ne bougeait pas.

Il ne quittait pas non plus Grigori Yardeni des yeux. La tension du vol, et de la fuite qui s'était ensuivie, associée aux effets du cognac, avait fait son œuvre. Le garde de Biopreparat s'était endormi quelques minutes après le départ du train de la gare de Vladimir.

Beria se pencha vers Yardeni. Le garde était tellement immobile qu'il semblait mort. Beria tendit l'oreille et perçut le bruissement de gorge caractéristique de la respiration superficielle. Yardeni était très profondément endormi. Il ne s'en faudrait pas de beaucoup pour qu'il le soit plus profondément encore.

Il lui gifla les joues, à deux reprises.

— Nous sommes presque arrivés. C'est l'heure de se lever.

Beria regarda par la fenêtre alors que le train s'engageait sur l'immense écheveau des voies à l'approche de la gare centrale. Dans le reflet de la vitre, il observa Yardeni qui bâillait et s'étirait, qui tournait la tête de tous côtés pour se dénouer la nuque. Il avait la voix encore pâteuse de sommeil.

— Et à partir d'ici, on va où ?

— Chacun de son côté, lui répondit Beria. Je vous conduis hors de la gare jusqu'à un taxi. Après ça, vous vous débrouillez tout seul.

Yardeni lâcha un grognement et fit mine d'aller à la porte.

— Où allez-vous ? lui demanda Beria.

— Aux toilettes… avec votre permission.

— Asseyez-vous. Tout le monde dans la voiture va avoir la même idée. Vous allez vous retrouver à faire la queue. Ça ne sert à rien de fournir à je ne sais trop qui l'occasion de vous regarder bien en face, n'est-ce pas ?

Yardeni réfléchit, puis il se rassit. Il palpa l'une des poches de sa parka, pour s'assurer que les papiers et l'argent se trouvaient bien là où ils devaient se trouver. Satisfait, il estima qu'il arriverait bien à se retenir jusqu'à ce qu'ils arrivent dans le hall de la gare.

Lorsque le train pénétra dans le tunnel entre le dépôt et la gare proprement dite, les plafonniers clignotèrent, s'éteignirent brièvement, puis se rallumèrent en clignotant à nouveau.

— Allons-y, ordonna Beria.

Le couloir se remplissait de monde. À cause de sa taille, Yardeni n'avait aucun mal à garder Beria bien en vue, même sous cet éclairage qui flanchait. Négligeant les jurons étouffés des voyageurs, il se fraya un chemin à coups de coude vers la sortie.

Ils coururent vers les portes menant aux voies de garage, et Smith se tourna vers Kirov :

— Je ne vois pas vos gars.

Kirov tapota sur son oreillette en plastique.

— Ils sont là, croyez-moi.

Sur les quais, l'air était chargé de fumées de diesel. Smith et les autres coururent le long de locomotives électriques orange et gris, en attente sur leur voie de garage, et finirent par arriver au-devant d'un flot de voyageurs venant en sens inverse. Ils se rangèrent sur le côté et se mirent à scruter les visages.

— Je vais trouver un chef de train, lança Telegin. Peut-être que si je lui montre la photo de Yardeni, il se souviendra de ce visage.

Smith continua d'étudier les passants qui marchaient d'un pas lourd, le visage bouffi de sommeil, les épaules voûtées sous le poids de leurs valises et de leurs paquets emballés avec de la ficelle et de la corde.

Il se tourna vers Kirov.

— Il n'y a pas le compte de passagers. Ceux-là doivent venir des dernières voitures. Ceux qui voyageaient dans les voitures de tête sont déjà dans la gare !

*

Ivan Beria se tenait devant un kiosque à journaux qui venait juste d'ouvrir. Il lâcha quelques kopecks et ramassa un journal. S'adossant à un pilier, il se positionna de manière à pouvoir bénéficier d'une vue dégagée sur l'entrée des toilettes pour hommes.

Étant donné le gabarit de Yardeni et la dose de poison à action lente présente dans le cognac, Beria estimait que le grand garde ne devrait pas ressortir vivant des toilettes.

D'une seconde à l'autre, il s'attendait à ce que quelqu'un sorte en courant, en hurlant qu'un homme à l'intérieur avait une attaque.

Mais non, voilà Yardeni qui sortait des toilettes, sans se presser, l'air beaucoup plus heureux, et qui s'assurait — dans un geste de paysan — que sa braguette était remontée.

Beria glissa la main dans sa poche de manteau, jusqu'à son Taurus 9 mm, quand ses yeux captèrent une anomalie : un homme vêtu d'une combinaison, comme un éboueur, et qui s'occupait de vider une poubelle dans son chariot à main. Le seul problème, c'était qu'aussitôt après avoir vu Yardeni, l'homme avait tout oublié de ses ordures.

Quand il y en a un, il n'est jamais seul.

Beria contourna le pilier pour que Yardeni ne le remarque pas, et il balaya rapidement le hall de la gare des yeux. En l'espace de quelques secondes, il repéra deux autres hommes qui détonnaient : un livreur qui portait des pains, et un autre qui essayait de se faire passer pour un électricien.

Beria en savait beaucoup sur les Services de la Sécurité Fédérale. Il n'ignorait pas que cet intérêt nourri était réciproque. Mais il n'arrivait pas à croire qu'ils soient là pour lui. Manifestement, l'objet de leur attention, c'était Yardeni.

Se remémorant ce que Yardeni lui avait rapporté de sa sortie sans bavures hors de l'enceinte de Biopreparat, il lâcha un juron. Le garde allait payer chèrement ses mensonges.

Beria le regarda flâner entre les bancs en direction

des kiosques à journaux. Les trois agents en civil le prirent en filature, formant grosso modo un triangle derrière lui. L'un des trois parlait dans un micro de poignet.

C'est alors que Beria remarqua un homme de grande taille, élancé, qui franchissait les portes en direction des quais. Ce n'était pas un Russe, même si celui qui le suivait l'était, à n'en pas douter. Le visage du major-général Kirov était imprimé dans la mémoire de Beria de manière indélébile.

Beria s'aperçut de l'affluence croissante dans la gare. Bien. Il allait avoir besoin du maximum d'anonymat possible. Il s'écarta du pilier, juste le temps que Yardeni l'entrevoie fugitivement. À son avis, les hommes qui le suivaient comme son ombre n'avaient pas pu repérer exactement ce que Yardeni avait vu, et qui, à l'instant même, l'attirait dans cette direction, mais ils allaient certainement lui emboîter le pas.

Beria décompta les secondes, puis il se dégagea de nouveau du pilier. Yardeni n'était plus qu'à cinq mètres. Beria avait son pistolet en main, prêt à le braquer quand, sans crier gare, l'autre tituba, vacilla, puis s'abattit au sol. Immédiatement, les ombres se rapprochèrent.

— Au secours…

L'homme de Bioparat n'avait aucune idée de ce qui lui arrivait. D'abord, il avait eu la poitrine en feu. Et maintenant, c'était l'impression d'être pris entre les mâchoires d'un étau géant qui l'écrasait sans pitié, lui vidant le corps de tout son souffle vital.

Alors qu'il se débattait sur le sol de marbre froid, sa vision commença de se troubler. Mais il put encore distinguer les traits de l'homme qui l'avait amené à cette extrémité. Instinctivement, il tendit le bras vers lui.

— Au secours…

Beria n'hésita pas. Affichant un air préoccupé, il s'avança droit sur cet homme en détresse et sur les agents de la sécurité.

— Qui êtes-vous ? lui demanda l'un d'eux. Vous connaissez cet individu ?

— Nous nous sommes rencontrés dans le train, mentit Beria. Peut-être qu'il se souvient de moi. Mon Dieu, regardez-le. Il est en plein délire.

Le poison faisait remonter de l'écume aux lèvres de Yardeni, le privant de la parole. Beria était tout près de lui, à présent, à genoux.

— Il va falloir venir avec…, commença l'un des agents.

Il n'alla pas plus loin. La première balle de Beria lui déchiqueta la gorge. La seconde atteignit un autre agent à la tempe. La troisième trouva le cœur du dernier.

— Abattez-le !

Ces mots firent sursauter Beria, comme une détonation. Il se leva pour découvrir des voyageurs allongés à terre ou cachés du mieux qu'ils pouvaient sous les bancs. Mais aux portes il y avait Kirov, qui le désignait du doigt en criant à une jeune femme arrivée à hauteur de Beria, dans son angle mort :

— Lara, abattez-le !

Beria fit volte-face pour se retrouver nez à nez avec Lara Telegin, son arme braquée sur lui. À la limite de son champ de vision, il entrevit trois autres silhouettes qui se précipitaient vers lui.

— Filez ! lâcha-t-elle à mi-voix.

Beria n'hésita pas. Il se déroba en se faufilant derrière elle et s'enfuit à toute vitesse vers les issues de la gare.

Une fois assurée que Beria s'était éclipsé en toute sécurité, Telegin se campa dans la position classique du tireur, jambes écartées. Aussi calmement qu'au champ de tir, elle abattit le reste des agents. Puis, sans le moindre temps mort, elle pivota pour faire face à un Kirov incrédule.

Il ne fallut à Smith qu'une fraction de seconde pour comprendre que la traîtrise de Telegin avait suffi à figer Kirov dans sa ligne de mire. Sans réfléchir, il se précipita sur le Russe un instant avant d'entendre le coup de feu. Kirov s'écroula avec Smith en poussant un cri.

Smith se remit précipitamment sur pieds et pressa deux fois sur la détente, coup sur coup. Telegin cria. Les balles lui étaient entrées dans le corps, la plaquant contre un pilier. L'espace d'un instant, elle resta dans cette posture, en suspens, la tête pendante sur le côté. Puis son pistolet heurta le sol avec un claquement métallique, ses genoux se dérobèrent sous elle, et elle glissa au sol, sans vie, comme une marionnette brisée.

Smith se tourna vers Kirov, qui s'était relevé en se soutenant contre une porte. Il ouvrit sa veste en arrachant les boutons, défit la manche, et vit sa chair ensanglantée à l'endroit où la balle de Telegin l'avait atteint à l'avant-bras.

Kirov serra les dents.

— La balle n'a fait que traverser. Je survivrai. Occupez-vous de Yardeni.

— Telegin...

— Qu'elle aille se faire foutre ! J'espère simplement que vous n'êtes pas bon tireur. J'ai beaucoup de questions à lui poser.

Smith zigzagua au milieu de la foule pétrifiée de peur, en contournant les corps des hommes de Kirov. Quand il arriva devant Telegin, un seul coup d'œil lui suffit à comprendre qu'elle ne répondrait plus jamais à aucune question. Aussitôt, il se tourna vers Yardeni et comprit que cela s'appliquait aussi au garde de Biopreparat.

Les hommes de la milice et la police investissaient la gare. Kirov était toujours sur pieds, chancelant sous le coup de la douleur, mais encore suffisamment solide pour aboyer des ordres. En quelques minutes, les voyageurs étaient refoulés à l'extérieur du périmètre.

Repoussant un médecin, Kirov s'approcha de Smith et s'agenouilla près des deux cadavres.

— L'écume qu'il a à la bouche… ?

— Du poison.

Kirov plongea le regard dans les yeux vitreux de Lara Telegin, puis il tendit la main et lui ferma les paupières.

— Pourquoi ? Pourquoi travaillait-elle avec lui ?

Smith secoua la tête.

— Avec Yardeni ?

— Avec lui aussi, probablement. Mais je faisais allusion à Ivan Beria.

Alors Smith se remémora l'homme en manteau noir, qui s'était évaporé.

— Qui est-ce ?

Kirov grimaça quand le médecin, d'un geste ferme, lui imposa de se rasseoir et s'occupa de sa blessure.

— Ivan Beria. Un opérateur serbe, un indépendant. Il a derrière lui un long passé sanglant dans les Balkans. Il hésita. C'était aussi l'un des interlocuteurs préférés du KGB. Plus récemment, il a vendu ses talents à la *mafiya* et à certains intérêts occidentaux.

Smith perçut quelque chose dans le ton de voix de Kirov.

— Entre vous, c'est une affaire personnelle, n'est-ce pas ?

— Deux de mes meilleurs agents infiltrés dans la *mafiya* ont été assassinés d'une manière particulièrement brutale, lui répliqua Kirov d'une voix monocorde. Les empreintes de Beria ont été retrouvées partout sur les restes de cette boucherie. Je vais déclencher l'état d'alerte…

— Non, ne le touchez pas ! hurla Smith lorsque le médecin allait tendre la main vers le corps de Yardeni. Il se rapprocha du cadavre, palpa délicatement les plis et les replis de la parka.

— Des papiers, fit-il, en exhibant le passeport et les billets d'avion de Yardeni.

Ses mains continuèrent de s'affairer à l'intérieur de la parka. Soudain, quelque chose de très froid lui effleura le bout des doigts.

— Donnez-moi des gants ! lança-t-il au médecin.

Quelques secondes plus tard, Smith extrayait doucement le conteneur de métal brillant et le posait précautionneusement sur le sol.

— Il me faut de la glace !

Kirov se rapprocha pour mieux voir.

— Il est intact, Dieu merci !

— Vous reconnaissez la forme de ce conteneur ?

— C'est un exemplaire standard destiné au transfert sécurisé des ampoules de Biopreparat vers les laboratoires. Il prononça quelques brèves paroles dans son micro, puis il adressa un regard à Smith. L'unité de prévention des risques biologiques sera ici dans quelques minutes.

Pendant que Kirov délivrait des ordres pour que l'on évacue la gare, Smith plaça le conteneur dans un seau de glace que le médecin avait réussi à se procurer. Le nitrogène renfermé dans le compartiment thermique maintenait le conteneur juste au-dessus de zéro, rendant ainsi le virus inactif. Mais Smith n'avait aucune idée de la durée d'efficacité du produit. Maintenir le cylindre dans la glace permettrait de s'assurer d'une certaine marge de sécurité en attendant l'arrivée de l'équipe de prévention.

Tout à coup, Smith se rendit compte du silence qui régnait désormais dans la gare. Regardant autour de lui, il s'aperçut que tous les hommes de la milice s'étaient retirés, en évacuant avec eux le reste des voyageurs et des employés travaillant sur les lieux. Il ne restait que Kirov et lui, entourés de cadavres.

— Vous avez déjà été au combat, docteur Smith ? lui demanda Kirov.

— Appelez-moi Jon. Et la réponse est oui…

— Alors ce silence vous est familier… après que les tirs et les cris ont cessé. Seuls les survivants ont la latitude de voir ce qu'ils ont généré. Il s'interrompit. Seul le survivant peut remercier l'homme qui lui a sauvé la vie.

Smith approuva de la tête.

— Je sais que vous en auriez fait autant. Dites-m'en plus au sujet de Beria. Qu'est-ce qu'il vient fabriquer dans tout ça ?

— Beria n'est pas seulement un exécuteur, c'est un passeur. Si vous voulez faire livrer quelque chose dans ce pays, si vous voulez en sortir quelque chose, il est l'homme qui vous en garantira la bonne exécution.

— Vous ne pensez pas que Yardeni et lui… avec l'aide de Telegin… aient planifié et exécuté ce vol à eux seuls, n'est-ce pas ?

— Exécuté, si. Planifié, non. La stratégie n'est pas le fort de Beria. Il est… comment formuleriez-vous ça ?… un opérateur de terrain. Son boulot devait consister à cornaquer Yardeni après sa sortie de Biopreparat.

— Le cornaquer vers où ?

Kirov brandit le passeport canadien.

— La frontière américano-canadienne est poreuse. Yardeni n'aurait eu aucun mal à introduire clandestinement le virus de la variole dans votre pays.

Cette idée donna la chair de poule à Smith.

— Vous êtes en train de dire que Yardeni était un voleur, et un courrier ?

— Un homme comme Yardeni n'a pas les moyens de se procurer un faux passeport, et encore moins de se payer les services d'un Beria. Mais quelqu'un les a. Et ce quelqu'un, qui voulait mettre la main sur un échantillon de variole, était disposé à payer le prix fort pour avoir ce privilège.

— Je suis désolé d'avoir à vous demander ça : où Telegin s'intègre-t-elle dans ce schéma ?

Kirov détourna le regard, visiblement déchiré par l'idée de cette trahison.

— Vous ne me faites pas l'impression d'un homme qui croit aux coïncidences, Jon. Réfléchissez : Yardeni est en place depuis un petit bout de temps. Mais ses maîtres choisissent cet instant précis pour qu'il passe à l'action. Pourquoi fallait-il que cela coïncide avec votre arrivée à Moscou ? Étaient-ils au courant de votre venue ? Si oui, ils en auront déduit que c'était leur dernière et unique chance de cambrioler Biopreparat. Et pourquoi Yardeni a-t-il reçu l'instruction de perpétrer son larcin ? Parce que quelqu'un l'a informé que les Forces spéciales étaient en route.

— Telegin a averti Yardeni ?

— Qui d'autre aurait pu le faire ?

— Mais elle n'agissait pas de son propre…

— Selon moi, Lara était les yeux et les oreilles de celui qui a planifié tout ceci. Dès qu'elle a su que vous étiez à Moscou, elle a contacté ses commanditaires, qui lui ont ordonné d'aller de l'avant, que Yardeni commette son forfait. Ils ne pouvaient pas se permettre de mettre en péril la voie d'accès qu'il leur avait fournie.

Il observa un temps de silence et jeta un coup d'œil au corps de sa maîtresse.

— Songez-y, Jon. Pourquoi Lara aurait-elle tout risqué… sa carrière, son avenir… un amour… si la récompense promise n'avait pas été une tentation irrésistible ? Jamais elle n'aurait pu toucher une telle manne en Russie.

Kirov leva les yeux vers les portes de la gare qui s'ouvraient pour livrer passage à l'équipe de prévention des risques biologiques, en tenue anti-épidémique complète. En quelques minutes, le conteneur pour lequel Telegin et Yardeni avaient péri était scellé dans un coffret en acier inoxydable et acheminé sur un chariot jusqu'à un camion pareil à une chambre forte, paré au transfert vers le premier laboratoire de recherches moscovite, l'Institut Serbski.

— Je vais lancer les recherches pour retrouver

Beria, fit Kirov tandis que Smith et lui sortaient de la gare.

L'Américain regarda le camion des chasseurs de virus démarrer et s'éloigner, escorté par des motards.

— Vous m'avez expliqué quelque chose, général. Sur le rôle de passeur de Beria. Et si Yardeni n'était pas la responsabilité primordiale de Beria ?

— Que voulez-vous dire ?

— Yardeni était important… essentiel… parce qu'il était leur homme dans la place, celui qui devait entrer se procurer l'échantillon. Mais que représentait-il pour qui que ce soit, après ça ? Plutôt un poids mort, dirais-je. Yardeni n'est pas mort d'une balle de pistolet. Beria l'a empoisonné.

— Où voulez-vous en venir ?

— Que les directives de Beria étaient de protéger la variole, pas Yardeni.

— Mais Yardeni avait les échantillons sur lui. Vous avez vu le conteneur.

— Ah oui, général ? Tout ce que j'ai vu, c'est un conteneur. Cela ne vous tente pas, de voir ce qu'il renferme ?

*

Le bus-navette de la gare roulait dans une circulation moscovite de plus en plus chargée. En raison de l'heure, Ivan Beria était l'un des six passagers présents à bord. Assis à l'arrière, à côté des portières, il suivit du regard un flot de voitures de la milice qui dévalait le boulevard, sirènes hurlantes, en direction de la gare, et il écouta les autres passagers spéculer sur ce qui se passait.

Si seulement ils savaient...

Beria ne redoutait pas que le bus se fasse arrêter. Même le major-général Kirov, l'homme qui avait mis sa tête à prix pour cent mille roubles, était incapable d'organiser des recherches aussi minutieuses dans un délai aussi bref. La première action de Kirov consisterait à vérifier du côté des voituriers à la station de taxi. À la gare, la police produirait une photo de lui et voudrait savoir si aucun individu répondant à cette description n'était monté à bord d'une voiture individuelle. Kirov pourrait éventuellement songer au bus, mais pas assez vite pour en tirer parti.

Dans un fracas de ferraille, le bus traversa les rails du tramway, avant de peiner pour gravir une rampe d'accès au boulevard périphérique. Il s'assura que le conteneur qu'il s'était fait remettre par Yardeni était bien logé au fond de sa poche. La confusion et la désorientation étaient ses alliées : elles lui feraient gagner le temps dont il avait besoin. Dès que Kirov aurait fouillé le corps de Yardeni, il découvrirait le conteneur que Beria avait confié au garde de Biopreparat. Kirov croirait détenir les échantillons de variole dérobés dans le bâtiment 103. Sa première préoccupation serait de les faire porter en lieu sûr, mais il n'aurait aucune raison d'en contrôler le contenu. Le temps que cette vérification soit effectuée, la variole serait en sûreté, à l'Ouest.

Beria sourit et se tourna vers les fenêtres : le complexe tentaculaire de l'aéroport de Cheremetevo était déjà en vue.

*

Les motards d'escorte s'écartèrent, et le camion emportant le conteneur de Yardeni tourna pour s'engager dans le parking souterrain de l'Institut Serbski. La berline avec Kirov et Smith à son bord s'arrêta suffisamment près du camion pour que les deux hommes puissent suivre le déchargement du coffre de protection bio-épidémique scellé en acier inoxydable.

— On va l'emporter dans les laboratoires de Niveau Quatre, au deuxième sous-sol, expliqua Kirov à Smith.

— Combien de temps avant que nous sachions ce que nous avons entre les mains ?

— Une trentaine de minutes, lui répondit Kirov. J'aimerais que cela soit plus rapide, mais il convient de respecter certaines procédures.

Smith n'émit aucune objection.

Accompagnés d'une escouade d'agents fraîchement arrivés des Services de la Sécurité Fédérale, ils prirent un ascenseur qui les conduisit au deuxième sous-sol. Le directeur de l'Institut, un homme fluet, l'air d'un oiseau, cligna rapidement les yeux quand Kirov lui apprit que son bureau était désormais transformé en poste de commandement.

— Dès que les résultats sont disponibles, vous me le faites savoir, l'enjoignit le major-général.

Le directeur attrapa sa blouse de laborantin sur le portemanteau et battit promptement en retraite.

L'officier se tourna vers Smith.

— Jon. Vu les circonstances, il est temps que vous me disiez exactement pourquoi vous êtes venu ici et pour qui vous travaillez.

L'Américain pesa les paroles de son interlocuteur. Étant donné que les Russes s'étaient montrés inca-

197

pables de retenir les virus dérobés à l'intérieur de leurs frontières, il n'avait pas d'autre choix que de contacter Klein immédiatement.

— Pouvez-vous me donner accès à un moyen de communication ?

Kirov désigna d'un geste la console téléphonique installée sur le bureau.

— Toutes les lignes sont des liaisons sécurisées par satellite. J'attendrai dehors…

— Non, l'interrompit-il. Il faut que vous entendiez ce qui va être dit.

Il composa le numéro qui le reliait invariablement à Klein, comme par l'opération du Saint-Esprit. La voix à l'autre bout du fil était claire et distincte.

— Ici Klein.

— Monsieur, c'est moi. Je suis dans le bureau du directeur de l'Institut Serbski. Le major-général Kirov est avec moi. Il est nécessaire que je vous tienne au courant, monsieur.

— Allez-y, Jon.

Il lui fallut une dizaine de minutes pour livrer son récit complet des événements.

— Monsieur, nous attendons les résultats de ces examens d'ici… Il consulta sa montre…. une quinzaine de minutes.

— Jon, branchez le haut-parleur, voulez-vous.

Un instant plus tard, la voix monocorde de Klein envahissait la pièce.

— Général Kirov ?

— Oui ?

— Je m'appelle Nathaniel Klein. J'effectue le même travail que celui qu'accomplit Valeri Antonov

198

pour votre gouvernement. En fait, je connais fort bien Valeri.

Smith vit le visage de Kirov devenir livide.

— Général ?

— Oui, je suis là. Je… je comprends ce que vous êtes en train de me dire, monsieur Klein.

Le Russe ne comprenait en effet que trop bien. Valeri Antonov était davantage une ombre qu'un homme. Selon les rumeurs, il était le conseiller le mieux renseigné du président Potrenko, mais on ne l'apercevait guère aux réunions du conseil. En fait, peu de gens l'avaient même jamais vu. Et pourtant, son influence était indéniable. Que Klein connaisse l'existence d'Antonov — qu'il le connaisse « très bien » —, voilà qui était assez éloquent.

— Général, reprit Klein. Je recommande, en attendant que nous disposions de plus d'informations, que vous n'alertiez aucun de vos organismes de sécurité d'État. Évoquez l'épidémie et vous aurez sur les bras une panique généralisée que Beria emploiera à son avantage.

— Je suis d'accord, monsieur Klein.

— Alors s'il vous plaît, prenez ce que je vais vous dire au pied de la lettre et sans vous méprendre : y a-t-il quoi que ce soit que nous puissions faire, moi-même ou l'un des services de mon pays, pour vous aider ?

— J'apprécie votre proposition… sincèrement, répondit Kirov. Mais pour l'heure, il s'agit d'une affaire intérieure russe.

— Y a-t-il des mesures d'alerte que vous nous suggéreriez de prendre ?

Kirov consulta Smith du regard, qui secoua la tête.

— Non, monsieur. Pas pour l'instant.

Une deuxième ligne de la console sonna.

— Monsieur Klein, veuillez m'excuser un instant, je vous prie.

Le major-général décrocha l'autre combiné et écouta attentivement. Après avoir prononcé quelques mots en russe, il se tourna vers Smith.

— Les résultats des tests sur le contenu de la première ampoule sont complets, lâcha-t-il d'une voix atone. C'est du thé, pas le virus de la variole.

On entendit Klein respirer, un sifflement dans l'éther.

— Combien d'ampoules possédez-vous ?

— Cinq. Il n'y a aucune raison de penser que les autres résultats seront différents.

— Beria a opéré une substitution ! s'écria Smith. Il a pris le conteneur de Yardeni et lui a confié à transporter un leurre. Il resta songeur un instant. C'est pour ça que Yardeni a été empoisonné. Beria voulait que nous trouvions ce qu'il transportait, pour nous laisser croire que nous avions capturé le voleur à temps.

— C'est assez cohérent, admit Kirov. Si le plan originel de Beria avait fonctionné, nous n'aurions découvert le vol que bien plus tard. À ce moment-là, Yardeni serait mort, mais l'identification du corps aurait pris du temps. Les pièces du puzzle se seraient trouvées éparpillées un peu partout dans Moscou. Beria aurait eu amplement le temps d'achever sa mission.

— Quelle est exactement sa mission ? intervint Klein.

— Escamoter la variole hors de Russie, lâcha Smith avec lenteur.

Kirov lui lança un regard.

— L'aéroport ! Beria a la variole sur lui, et il se dirige vers Cheremetevo !

La conclusion que venait de tirer Kirov — et ses implications — figèrent la conversation. *Le virus de la variole à bord d'un avion de ligne en route pour Dieu sait où... C'était de la démence !*

— Pourquoi Cheremetevo, général ? s'enquit Smith.

— C'est le seul endroit logique. Autrement, comment pourrait-il espérer sortir le virus du pays ?

— J'ai peur qu'il n'ait raison, Jon. Général, avez-vous un moyen quelconque de mettre la main sur Beria avant qu'il n'atteigne Cheremetevo ?

— Étant donné sa longueur d'avance, pas la moindre chance. Le mieux que je puisse faire, c'est d'appeler le président Potrenko et qu'il fasse fermer l'aéroport.

— Je suggère que vous l'appeliez sans tarder. Si un avion décolle avec Beria à bord, toutes les conditions d'un holocauste sont réunies !

*

Le bus s'arrêta devant la zone des départs du terminal international, et Ivan Beria en descendit. En raison du décalage horaire entre Moscou et les capitales occidentales, la plupart des vols partaient tôt dans la matinée. Les gens qui avaient leurs affaires à Zurich, Paris, Londres ou même New York arriveraient juste à l'heure où les rouages économiques de ces villes se mettraient en branle.

Beria surveilla les patrouilles en uniforme qui rôdaient à proximité des comptoirs d'enregistrement. Ne détectant aucune activité inhabituelle, aucun renforcement de la sécurité, il se rendit au bout du hall, vers les boutiques de cadeaux et de produits détaxés. En chemin, il ralentit le pas une fraction de seconde, afin de jeter un œil à l'écran qui affichait la liste des départs de la matinée. Le vol auquel on l'avait prié de s'intéresser venait à peine d'entamer sa procédure d'embarquement.

Beria s'approcha de la vitrine de la boutique détaxée et fit mine de jeter un œil sur les présentoirs des parfums et des cigares. En s'approchant de l'entrée, il chercha du regard l'homme qu'il était censé retrouver.

Une minute s'écoula au ralenti. Des passagers entraient et sortaient de la boutique. Beria commença de se demander si son contact se trouvait bien à l'intérieur. Il n'avait aucun moyen de s'en assurer, car il n'était pas autorisé à pénétrer dans la zone de détaxe sans carte d'embarquement.

C'est alors qu'il aperçut le détail caractéristique qu'il cherchait : un crâne chauve et luisant se détachant dans la foule. Il se rapprocha, et il remarqua le second trait distinctif du personnage : les yeux très particuliers, de forme ovoïde, qui donnaient à Adam Treloar son expression de permanente perplexité et son air un peu effarouché.

— David, lança-t-il d'une voix feutrée.

En entendant prononcer son nom de code, Treloar, qui faisait les cent pas à l'entrée de la boutique, faillit s'évanouir. Il regarda autour de lui, tâchant de comprendre qui venait de lui adresser la parole, et puis il sentit une main le retenir par le coude.

— David, j'ai cru que je t'avais loupé.

Treloar regarda fixement les yeux froids et noirs de l'homme qui se tenait debout en face de lui. La fente du sourire, visant à rassurer, lui évoquait une entaille, un coup de rasoir.

— Vous êtes en retard ! chuchota Treloar. J'attends depuis…

Il entendit le petit rire de Beria, avant qu'une poigne d'une force incroyable le saisisse par le bras, à en avoir le souffle coupé. Il n'offrit pas de résistance. Beria le conduisit vers une buvette et le fit asseoir au bout du comptoir.

— Des oranges et des citrons…, reprit le Macédonien sur le ton de la ritournelle.

L'espace d'un instant, Treloar demeura l'esprit vide. Il tenta désespérément de se rappeler les mots qui étaient censés compléter cette phrase.

— Sonnent… sonnent… sonnent les cloches de St. Clemens !

Beria sourit.

— Donne-moi ta sacoche.

Treloar souleva la petite besace en cuir posée à ses pieds et la posa sur le comptoir.

— La liqueur.

Le scientifique de la NASA sortit une petite bouteille de liqueur de prune qu'il avait achetée au magasin de l'hôtel.

Beria dévissa le bouchon, porta la bouteille à ses lèvres, et fit semblant de boire. Il la rendit à Treloar, qui l'imita. Dans le même temps, Beria fit passer le conteneur de sa poche sur le comptoir.

— Souris, conseilla-t-il, sur le ton de la conversation. Nous sommes deux amis qui prennent un verre avant de prendre congé. Lorsqu'il dévissa le bouchon du conteneur, les yeux de Treloar saillirent hors de leurs orbites. Et comme on ne peut pas finir la bouteille, je te donne le reste pour que tu aies de quoi te régaler pendant le vol.

Soigneusement, il versa quelques mesures de liqueur dans le conteneur.

— Comme ça, s'il prenait aux inspecteurs de la sécurité l'envie de vérifier, tu le leur ouvres et tu les laisses renifler ce qu'il y a là-dedans.

Repoussant son tabouret, Beria agrippa Treloar par l'épaule.

— Fais un bon vol. Il cligna de l'œil. Et tu ne m'as jamais vu. Oublie.

*

L'avis d'alerte générale concernant Ivan Beria parvint aux services de sécurité de Cheremetevo à l'instant précis où Adam Treloar franchissait le portique de détection des objets métalliques. Le garde affecté au scanner remarqua un objet cylindrique dans la sacoche et demanda à l'Américain de se ranger sur le côté. Un autre garde ouvrit le sac, en sortit le conteneur, et dévissa le couvercle. Reniflant une odeur de prune bien reconnaissable, il sourit et referma le couvercle.

Il le tendit à Treloar, en ajoutant un petit conseil :

— Votre liqueur, elle est très froide. C'est bien meilleur chambré.

Le temps que l'escouade de la milice investisse le terminal international, Treloar était confortablement installé dans son fauteuil de première classe. On remorquait le DC-10 d'American Airlines à l'écart de son satellite d'embarquement juste au moment où les services de sécurité se mettaient à visionner leurs bandes de surveillance, à la recherche d'un individu ressemblant à Ivan Beria.

Le vol 1710 d'American Airlines, sans escale jusqu'à Londres, et qui continuait vers l'aéroport Dulles de Washington, occupait la deuxième position pour le décollage, derrière un Airbus d'Air France à destination de Paris. L'appel du ministre de la Défense parvint au directeur des opérations, dans la tour de contrôle, alors que le vol 1710 recevait du contrôle aérien son autorisation de décoller.

— Fermez tout ! cria le directeur dans le haut-parleur.

Vingt-deux visages se retournèrent et le dévisagèrent comme s'il était devenu complètement fou.

— Fermer quoi ? lui demanda l'un des contrôleurs.

— L'aéroport, espèce d'imbécile !

— En totalité ?

— Oui ! Plus rien ne quitte le sol.

Dans la tour de contrôle, toute l'activité se centra sur la transmission de ce message d'arrêt complet des opérations au sol à tous les appareils, ceux qui venaient de se placer en position sur les pistes en service, et ceux qui attendaient sur les aires de stationnement. Personne n'eut le temps de penser aux avions qui avaient déjà pris l'air. Le temps qu'on y songe, le vol 1710 d'American Airlines avait effectué son virage au-dessus de Moscou et grimpait en douceur vers son altitude de croisière de douze mille mètres.

CHAPITRE DOUZE

À cause du décalage horaire entre Moscou et la côte Est des États-Unis, c'était encore le milieu de la nuit quand Anthony Price s'immobilisa au poste de garde nord de Fort Belvoir, en Virginie.

Après que l'ordinateur eut lu sa pièce d'identité, il emprunta l'allée sablée de miettes de coquillages conduisant à la résidence du général Richardson, une majestueuse demeure victorienne ceinte d'un gazon manucuré. Au troisième étage, la lumière était allumée, comme s'y était attendu Price.

Le chef de l'Agence pour la Sécurité Nationale (NSA) trouva Richardson dans son cabinet de travail, avec sa bibliothèque rutilante remplie de volumes aux reliures de cuir, de souvenirs et de citations militaires encadrées. Le général se leva et, sans s'écarter de son bureau, esquissa un geste vers le plateau de café.

— Désolé de vous avoir tiré du lit, Tony, mais je voulais que vous jugiez par vous-même.

Price, qui dormait rarement plus de quatre heures par nuit, se servit un café, puis il passa derrière le bureau afin de pouvoir consulter l'écran de l'ordinateur.

— Le dernier message de Telegin, expliqua Richardson, en lui désignant le texte décrypté.

Price lut les premières phrases, puis leva les yeux.

— Donc, à Biopreparat tout s'est déroulé suivant nos plans. Où est le problème ?

— Lisez la suite.

Les yeux de Price se plissèrent.

— Jon Smith ? Qu'est-ce qu'il fabrique à Moscou, nom de Dieu ?

— Selon Telegin, il fourre son nez dans nos affaires. Il semble qu'il ait pu avertir Kirov, et il s'en est fallu de peu.

— Mais Beria et Yardeni se sont tous les deux échappés... Je me trompe ?

Richardson frotta ses yeux fatigués.

— C'est la raison pour laquelle je vous ai appelé : je n'en sais rien. Telegin était censée transmettre son rapport une fois que les deux hommes seraient en sécurité. Elle n'en a rien fait. Regardez ceci.

Richardson appuya sur plusieurs touches et les dernières dépêches de CNN remplirent l'écran.

— Un problème à la gare de Moscou, commentat-il. Quelqu'un a jugé bon de déclencher une fusillade en règle, façon OK Corral. Les Russes ont pris des mesures, ils ont frappé vite et fort, et donc les détails sont plutôt sommaires. Mais on peut se demander ce qui est arrivé à Telegin.

— Si vous n'avez pas eu de nouvelles d'elle, c'est qu'elle est morte, lâcha Price d'un ton catégorique.

— Ou prisonnière. Si Kirov l'a...

— Mais non ! Telegin était une pro. Elle ne se serait jamais laissé capturer vivante. Il désigna l'écran. On indique ici qu'il y a eu au moins cinq morts... uniquement du côté des personnels de sécurité. Je sais que Beria est bon, mais pour en descendre autant, il a

207

dû recevoir de l'aide. Je pense que Telegin s'en est mêlée.

Après un silence, Richardson reprit la parole :

— À supposer que Beria s'en soit tiré proprement, il subsiste encore un problème. Kirov et Smith vont passer Telegin au crible : ses faits et gestes, ses contacts, toute sa panoplie. Elle a peut-être laissé des empreintes digitales.

Price fit les cent pas sur le tapis oriental digne d'un musée.

— Je me rends à Fort Meade. Une fusillade dans une gare moscovite ? Bon sang, mais c'est un acte terroriste, le domaine de la NSA. Je vais mettre des gens au travail là-dessus, et personne ne trouvera rien à y redire.

— Et Smith ? s'enquit Richardson.

— Il est de l'armée, alors en ce qui le concerne, c'est vous qui effectuez vos vérifications. Il faut bien qu'il travaille pour quelqu'un, et il est en train d'établir beaucoup trop de connexions pour mon goût. D'abord, Youri Danko, et maintenant voilà qu'il pointe son nez en Russie…

— Randi Russell est agent de la CIA à Moscou.

— Je ne pense pas que Smith se soit appuyé un vol de treize mille kilomètres pour un joli cul, Frank. Il faut qu'on sache qui lui délivre ses ordres… et ensuite on lui coupe les jarrets !

*

La première chose que Randi Russell remarqua, après avoir désactivé l'alarme et ouvert la porte de Bay Digital, c'est qu'elle n'était pas seule. Le système de sécurité avait beau n'indiquer aucune intrusion, elle capta la légère odeur de tabac au clou de girofle.

— Poil de Carotte, c'est toi ? questionna-t-elle.

— Par ici, Randi.

Poussant un soupir, Randi verrouilla la porte derrière elle. Elle était venue tôt, espérant mettre à profit un peu de tranquillité et de calme pour rattraper son retard sur quelques rapports.

— Où ça ?

— Dans la salle des classeurs.

— Bon sang !

Grinçant des dents, Randi se rendit tout au fond des locaux, au pas de charge. La salle des classeurs était en réalité une grande chambre forte, haute de plafond, où étaient installés les tout derniers équipements informatiques. En théorie, elle était la seule à en détenir la combinaison d'accès.

Randi pénétra dans la chambre forte à la température contrôlée électroniquement, où elle découvrit l'intrus, occupé à télécharger la toute dernière version d'un jeu vidéo à partir des fichiers confidentiels d'un fabricant de matériel électronique japonais.

— Poil de Carotte, là-dessus, je t'ai averti, fit-elle, en s'efforçant de prendre un air sévère.

Sacha Roublev — surnommé Poil de Carotte à cause de sa masse de cheveux filasse rouge orangé — lui adressa un grand sourire. Grand et maigre, avec des yeux verts et liquides qui, Randi le savait, rendaient les filles folles de lui, il avait dix-sept ans (au moins) — et c'était sans aucun doute le tout premier des petits génies informatiques russes.

— Sacha, un de ces jours, tu déclencheras une

alarme et ensuite tu vas m'appeler du commissariat du quartier.

Sacha feignit d'être offensé.

— Randi, comment peux-tu supposer une chose pareille ? Tes dispositifs de sécurité sont très bons, mais…

Pour quelqu'un comme toi, c'est du gâteau.

Randi avait découvert Sacha Roublev lors d'un séminaire d'informatique que Bay Digital avait animé pour des étudiants de l'Université de Moscou. Cet adolescent dégingandé avait attiré son attention, pas seulement parce qu'il était le plus jeune des individus présents dans la salle, mais parce qu'il était tranquillement en train de travailler sur un portable, piratant l'accès à l'ordinateur de la Banque Centrale de Russie pour vérifier l'état des réserves d'or.

Randi avait tout de suite compris que Roublev était un prodige encore méconnu. Entre quelques cheeseburgers et autres Coca, elle fut sidérée d'apprendre que ce fils de conducteur de métro moscovite possédait un QI hors norme, mais que, à cause de la bureaucratie de son pays, il restait embourbé dans un système d'enseignement secondaire hors d'âge. Par la suite, elle avait obtenu la permission, auprès de la famille de Sacha, qu'il travaille quelques heures par semaine et le week-end chez Bay Digital. À mesure que le lien s'était renforcé entre le mentor et son émule, Randi lui avait autorisé l'accès à quelques-uns des équipements les plus modernes de sa société-écran — en échange de la promesse solennelle de Sacha de ne pas en faire mauvais usage. Mais comme un chiot espiègle, Sacha insistait pour lui rapporter des cadeaux — à savoir, des informations puisées à des sources dont elle préférait tout ignorer.

— D'accord, fit-elle. Qu'y a-t-il de si important, au point que tu ne puisses pas attendre mon arrivée ?

— La fusillade à la gare.

— J'ai écouté la radio en route. Et alors ?

Les phalanges osseuses et fuselées de Sacha survolèrent le clavier.

— Ils racontent que c'est une action des rebelles tchétchènes.

— Et donc ?

— Alors pourquoi fermer l'aéroport de Moscou ?

Randi observa fixement l'écran par-dessus son épaule. Sacha avait piraté l'accès à l'ordinateur central des Services de la Sécurité Fédérale et il lisait le dernier échange d'instructions au sujet de la fermeture imminente de l'aéroport de Cheremetevo.

— Les Tchétchènes qui prennent l'aéroport pour cible ? s'interrogea-t-il à voix haute, sceptique. Je n'y crois pas. Il se passe quelque chose de sérieux, Randi. Et le FSB veut que personne n'en sache rien.

Randi réfléchit un petit moment.

— Coupe la connexion, lui demanda-t-elle calmement.

— Pourquoi ? J'ai mis en place cinq disjonctions. Même s'ils captent l'intrusion, ils croiront que ça vient de Bombay.

— Sacha…

Guère rassuré par son ton de voix, il rabattit l'écran du portable.

— Randi, tu as l'air inquiète. Ne t'inquiète pas. Mes disjonctions, c'est du…

— Ce n'est pas pour tes disjonctions, Sacha. C'est ce que tu viens de me dire : pourquoi fermer l'aéroport ?

*

La logistique que suppose la fermeture d'un grand aéroport est de l'ordre du cauchemar. À leur entrée dans l'aérogare, Smith et Kirov trouvèrent des centaines de voyageurs grouillant dans tous les sens, assiégeant les comptoirs d'enregistrement, quémandant des explications auprès d'employés des compagnies aériennes tous harcelés de questions, mais incapables de proposer la moindre réponse. Des miliciens armés étaient stationnés à chaque entrée, à chaque sortie, transformant pratiquement la totalité des voyageurs en prisonniers. Des patrouilles de trois hommes investissaient les boutiques, les toilettes et les réserves de fournitures, contrôlaient les zones de bagages et de fret, les aires de repos et les vestiaires des employés, y compris la chapelle et le centre d'accueil de jour. Les rumeurs allaient bon train et la colère montait. Sous l'effet combiné des deux, la peur, chez tous ceux qui étaient pris au piège dans le terminal international, croissait de façon exponentielle.

— Quelqu'un, à la salle de surveillance, pense avoir repéré Beria sur la bande, annonça Kirov à Smith alors qu'ils se faufilaient dans le hall.

— J'espère bien que c'est lui, nom de Dieu, lui répliqua Smith tandis que les deux hommes se dirigeaient vers le poste de commandement de la sécurité de l'aéroport.

Smith et Kirov firent irruption dans les locaux, une salle qui ressemblait à un vaste studio de télévision.

Devant une console longue de plus de sept mètres, six techniciens contrôlaient les quatre-vingt-dix caméras disposées un peu partout dans le complexe aéroportuaire. Ces caméras étaient pilotées par des minuteries et manœuvrées par télécommande. En quelques frappes sur le clavier, les techniciens pouvaient faire le point ou les orienter pour couvrir telle ou telle zone en particulier.

Au-dessus de la console, des écrans montés en façade offraient au directeur de la sécurité une vision d'ensemble du terminal, et en temps réel. Les magnétoscopes, qui enregistraient fidèlement les images prises par les caméras, étaient installés à l'écart dans une pièce à la température contrôlée.

— Alors, que possédez-vous ? demanda Kirov.

Le directeur de la sécurité désigna l'un des écrans. L'image en noir et blanc montrait deux hommes assis au comptoir d'une buvette.

— La résolution est mauvaise, concéda-t-il. Mais il semble que ce soit votre homme.

Kirov s'avança pour regarder de plus près.

— C'est bien lui. Il se tourna vers Smith. Qu'en pensez-vous ? Vous qui l'avez vu de près.

Smith examina l'image.

— C'est lui. D'après vous, il parle à l'homme assis à côté ?

Kirov se tourna vers le directeur.

— Pouvez-vous améliorer l'image ?

Le directeur eut un mouvement de la tête.

— J'ai fait tout mon possible avec l'équipement dont je dispose.

— Avez-vous d'autres clichés de ces deux-là ensemble ? s'enquit Smith.

— C'est le seul. Les caméras sont réglées sur minuterie. Elles n'ont saisi qu'un seul cliché de Beria avant de passer sur un autre secteur.

Smith prit Kirov à part.

— Général, je comprends que Beria soit votre cible principale, mais nous avons besoin de savoir qui est cet autre type. Et si vos services scannaient la bande ?

Kirov désigna les visages flous sur l'écran.

— Regardez comment tombe la lumière. Et cette colonne, là… nous n'avons pas les moyens d'améliorer le pictogramme. Nous ne possédons pas le logiciel.

Smith tenta une autre tactique.

— Vous connaissez Beria mieux que quiconque. A-t-il déjà travaillé avec un partenaire ?

— Jamais. Beria a toujours opéré en solo. C'est l'une des raisons pour lesquelles il a toujours échappé à la capture : il ne laisse dans son sillage personne permettant de remonter jusqu'à lui. À mon avis, il se sert de l'autre comme d'une couverture.

Quelque chose dans cette image interdisait à Smith de se résigner. Il prit Kirov de nouveau à part.

— Général, il se pourrait que j'aie les moyens d'améliorer l'image.

— À votre ambassade ? le questionna Kirov.

Smith haussa les épaules.

— Qu'en dites-vous ?

Kirov réfléchit.

— Très bien.

— Telegin… disposait-elle d'un ordinateur ou d'un téléphone portables ?

— Les deux.

— Je peux les vérifier aussi.

Kirov hocha la tête.

— Je vais vous faire escorter jusqu'à mon appartement par un officier de sécurité. Les deux appareils se trouvent dans ma cuisine.

— Ce qui nous amène à la question suivante, insista Smith. Et si Beria n'est pas dans le terminal ?

Le major-général ouvrit grand les yeux, car il saisissait ce qu'impliquaient les mots de l'Américain.

— Il me faut la désignation et la destination des trois derniers vols qui ont réussi à décoller avant la fermeture de l'aéroport, signifia-t-il au directeur.

Smith avisa l'horaire imprimé sur la bande vidéo, puis l'horloge digitale sur l'écran où le directeur affichait le tableau des départs.

— Swissair 101, Air France 612, American Airlines 1710. Beria a pu embarquer sur n'importe lequel des trois.

— Procurez-moi les bandes des caméras qui couvraient les passerelles d'accès à ces vols, lança Kirov avec hargne. Et la liste des passagers.

Alors que le directeur s'éloignait au pas de course, le Russe se tourna vers Smith.

— Il est possible que Beria ait embarqué à bord d'un de ces vols, Jon, mais c'est peu probable. Il y a de fortes chances pour qu'il ait quitté l'aéroport, mais sans quitter la ville.

Smith comprenait ce que l'autre laissait entendre. Il y avait là trois vols, moyens et longs courriers, transportant au total plus d'un millier de personnes, en direction de l'Europe de l'Ouest. Était-il prêt à créer toute une série d'incidents internationaux sur la seule éventualité que Beria voyageait à bord d'un de ces appareils ?

— Et si la situation était inversée, général ? s'enquit Smith. Si la destination n'était pas Zurich, Paris ou Londres, mais Moscou ? Vous n'auriez pas envie de savoir ? Ou vous contenteriez-vous de « chances » ?

Kirov le dévisagea, approuva de la tête, et attrapa le téléphone.

*

Le major-général était plus près de la réalité qu'il ne le pensait : Beria était parvenu à sortir de l'aéroport, et il était encore à Moscou. Mais plus pour très longtemps.

Il avait quitté l'aéroport en utilisant le même moyen qu'à l'aller — le bus de la navette. À ceci près que cette navette-ci l'emmenait directement à la gare routière centrale de Moscou.

Après avoir pénétré dans le bâtiment glacial et délabré, Beria se présenta directement au guichet et acheta un aller simple pour Saint-Pétersbourg. Il lui restait une vingtaine de minutes à perdre. Il se rendit aux toilettes, qui sentaient l'urine et le nettoyant industriel, et s'aspergea le visage d'eau. Une fois ressorti, il acheta plusieurs pâtisseries plutôt grasses à une femme derrière une échoppe et les engloutit avec une tasse de thé. Ayant repris des forces, il rejoignit la file des passagers qui attendaient sur l'aire des départs.

Beria scruta les visages autour de lui. Ils appartenaient surtout à des gens âgés, et à son avis il y en avait plus d'un qui devait voyager avec la totalité de ses possessions enfermées dans ces valises en carton ou dans ces paquets clos avec du ruban adhésif. Ces images lui remémorèrent d'autres temps, d'autres lieux, l'époque où, enfant, on l'avait laissé errer d'un village en flammes à un autre, avec des colonnes de réfugiés. Il avait voyagé sur le plateau de remorques tirées par des tracteurs et, quand le tracteur tombait en panne, dans des charrettes tirées par des chevaux. Quand les chevaux s'étaient fait massacrer — soit par les réfugiés, pour leur viande, soit par l'ennemi, des actes de pure cruauté —, il marchait, kilomètre après kilomètre, jour après jour, en quête du refuge qui, jusqu'à ce jour, s'était toujours refusé à lui.

Au milieu de ces gens qui embarquaient devant lui, Beria se sentait comme un poisson dans l'eau. Abattus, vaincus par les circonstances de la vie, inexistants aux yeux de la nouvelle classe fortunée, ils étaient davantage encore que des anonymes. Aucun milicien ne prendrait jamais la peine de vérifier leurs papiers, aucune caméra n'enregistrerait jamais leur départ. Et le fin du fin, c'est qu'ici chacun restait de son côté, sans aucune envie d'endosser les épreuves du voisin.

Beria se faufila vers l'arrière du bus, jusqu'à la longue banquette qui courait sur toute la largeur du véhicule. Il se cala dans le coin et écouta le grincement de la transmission quand le chauffeur enclencha la marche arrière et sortit à reculons. Peu de temps après, le grondement du moteur diminua, la circulation derrière la fenêtre se fit plus clairsemée, et il s'endormit enfin.

*

Il fallut à Smith et à Kirov une trentaine de minutes pour visionner les bandes des passerelles d'accès aux avions et passer en revue les passagers qui avaient embarqué à bord des trois vols pour l'Europe.

— Quatre possibilités, conclut Smith. C'est tout ce que j'en ai tiré.

Le Russe approuva d'un hochement de tête.

— Aucune franche ressemblance avec Beria, uniquement des visages un peu indéfinissables.

Smith consulta l'horloge du poste de commandement de la sécurité.

— Le premier vol, le Swissair 101, atteindra Zurich dans deux heures.

— Passons nos coups de téléphone, lâcha Kirov d'une voix résignée.

Depuis le début des années 80, un certain nombre de plans avaient été mis en place, destinés à traiter non seulement le problème des pirates de l'air munis d'explosifs, mais aussi ceux qui emportaient avec eux des armes biochimiques. Kirov se mit en relation téléphonique avec ses homologues de la Sécurité Intérieure Suisse, du Deuxième Bureau français et du MI5 anglais. Quand les représentants des trois agences furent prêts, il fit signe à Smith, qui s'entretenait avec Nathaniel Klein sur une ligne distincte. Ensuite, il raccorda Klein à la téléconférence sans informer les trois autres que l'Américain était à l'écoute.

— Messieurs, commença-t-il. Nous rencontrons un problème qui se complique.

Kirov ne s'étendit pas sur le contexte de cette situation de crise. Il n'informa ses interlocuteurs que du strict nécessaire. Chaque minute écoulée réduisait d'autant leurs délais de déploiement.

— Vous dites qu'il est possible, mais nullement certain, que cet individu, ce Beria, voyage à bord de notre appareil d'Air France, intervint le Français. Êtes-vous en mesure de nous confirmer cet élément ?

— J'aimerais bien, lui répondit Kirov. Mais à moins que je ne retrouve Beria dans les deux prochaines heures, il va nous falloir travailler sur la base de cette seule hypothèse : il est parvenu à s'embarquer à bord d'un de ces appareils.

— Et qu'en est-il de son dossier ? s'enquit le directeur adjoint du MI5. Si j'en crois mes propres sources, pour notre part, messieurs, nous disposons d'informations fort maigres concernant cette créature.

— Tout ce qui est en notre possession vous est acheminé en ce moment même par courrier électronique sécurisé, lui répondit Kirov.

— Beria sait-il que vous l'avez suivi jusqu'à l'aéroport ? voulut savoir le Suisse. Est-il possible qu'il soupçonne déjà l'éventualité de son arrestation ? Je demande ça car il est impératif que nous sachions à qui nous avons affaire : cet individu aurait-il une raison pour larguer son arme biologique en plein ciel ?

— Il agit en qualité de courrier, pas en tant que terroriste, le rassura Kirov. Il est financièrement dans son intérêt de livrer ce qu'il a volé à Biopreparat. Il n'est ni un idéologue, ni un martyr.

Les trois Européens présents sur la ligne discutèrent de la meilleure façon de réagir à la crise qui leur fondait dessus. Ils possédaient peu d'alternatives, et leur choix était assez prévisible.

— Comme le premier vol atterrit sur notre sol, on commence par nous, proposa le Suisse. Nous allons traiter ça comme une menace terroriste potentielle et prendre les mesures appropriées. Si Beria est dans cet avion, nous allons le rendre inoffensif, par tous les moyens à notre disposition. Nous allons déployer sur place du personnel et des équipements prêts à s'assurer de ces souches de variole. Il marqua un temps de silence. Ou à maîtriser du mieux que nous pourrons une éventuelle contamination. En revanche, si nous nous apercevons que Beria n'est pas à bord, nous vous tiendrons tous aussitôt informés.

— Et même plus vite que ça, mon vieux, renchérit le Français. Le vol Air France arrive à Paris dix-sept minutes après celui de Zurich.

— Je préconise que l'on instaure une ligne permanente pour surveiller les événements au fur et à mesure de leur déroulement, proposa l'Anglais. Ainsi, nous pourrons suivre le processus d'élimination... si élimination il y a.

— J'aimerais vous rappeler une chose, Londres, souligna Kirov. Le vol se dirige vers votre capitale, mais il s'agit d'un équipage et d'un avion américains. J'ai obligation d'en informer l'ambassadeur des États-Unis.

— Pourvu que ça ne débouche pas sur une prise de bec juridique chez nous, insista Londres.

— Je suis certain que non, affirma Kirov. Maintenant, s'il n'y a plus ni commentaires ni suggestions, je vous propose de mettre un terme à cette conversation afin de vous permettre de déployer vos ressources d'intervention.

Et en effet, il n'y avait plus de questions. L'un après l'autre, les différents interlocuteurs raccrochèrent, jusqu'à ce que Klein reste seul en ligne.

— Jon, est-ce que vous rentrez ? s'enquit-il.

— Puis-je émettre à mon tour une suggestion, monsieur ?

— Allez-y.

— J'estime préférable de rester dans l'arène, mon-

220

sieur. Si le général Kirov a de quoi me fournir un moyen de transport, j'aurai la possibilité de me poster en attente dans l'espace aérien ouest-européen avant que le vol Swissair ne touche le sol. Je pourrai surveiller la situation en vol, et ensuite diriger le pilote sur la ville où atterrira l'avion de la cible. Je serai au point zéro, en position pour vous transmettre des rapports en temps réel.

— Votre avis, général ? demanda Klein.

— J'aime assez l'idée d'avoir votre propre expert en armes biochimiques sur place, répondit le Russe. Je lui organise un moyen de transport sur-le-champ.

— J'aurais préconisé la même solution, moi aussi. Bonne chance, Jon. Tenez-nous au courant.

*

Vingt minutes plus tard, Jon Smith se faisait escorter dans l'appartement de Kirov. Sous l'œil vigilant de l'homme de la sécurité, il entra dans la cuisine, où il trouva l'ordinateur et le téléphone portables qui avaient appartenu à Lara Telegin.

Son escorte conduisit Smith à l'ambassade, le suivant du regard tandis qu'il se faisait identifier par le marine de service au poste de garde, avant de disparaître derrière les portes. L'agent de la sécurité démarra, mais ce qu'il ne vit pas, c'est Smith faisant demi-tour.

Ce dernier avança d'un pas rapide en direction des arcades, situées à huit cents mètres de l'ambassade. À peine franchi la porte d'entrée de Bay Digital, il fut soulagé de voir Randi.

— Pourquoi, mais pourquoi donc m'attendais-je à te revoir aujourd'hui ? lui demanda-t-elle benoîtement.

— Randi, il faut qu'on se parle.

L'arrivée de Smith tira des sourires amusés à l'équipe, en particulier à un garçon rouquin dont l'expression fit même rougir Randi.

— Ils te prennent pour mon amant, confia-t-elle à Smith, une fois qu'ils furent dans son bureau.

— Ah…

Elle rit de l'avoir pris au dépourvu.

— Comme réputation, il y a pire, Jon.

— En effet, je suis flatté.

— Que puis-je pour toi ?

Smith sortit la cassette vidéo, l'ordinateur portable et le cellulaire.

— Comme tu l'as probablement appris, il y a un souci à l'aéroport.

— Un « souci » du genre : les Russes sont carrément en train de le fermer.

— Randi, tout ce que je peux te dire, c'est qu'ils recherchent quelqu'un. Crois-moi, il est important que tu nous aides à le retrouver.

Il expliqua le problème de la cassette vidéo.

— C'est une question de traitement de l'image. Les Russes ne possèdent pas le logiciel ni la compétence pour effectuer ça en vitesse.

Randi désigna le portable et le téléphone.

— Et ça ?

— Le massacre de la gare et la situation actuelle à Cheremetevo sont les conséquences directes d'un certain nombre de communications entre deux conspirateurs, lui répondit Smith. Je n'espère pas grand-chose du téléphone. Mais le portable… Peut-être des courriers électroniques ont-ils été échangés. Je n'en sais rien.

— Si tes conspirateurs étaient des professionnels… et je suppose qu'ils l'étaient… ils recourraient à un cryptage et à des filtrages par disjonction. Ça pourrait prendre un petit moment d'arriver à percer l'un et l'autre.

— Je te serais reconnaissant d'essayer.

— Ce qui nous amène au problème suivant. Tu ne t'imagines tout de même pas que je vais pouvoir introduire tranquillement toute cette quincaillerie à l'intérieur de l'ambassade, non ? Je suis ici en mission officieuse. Mes contacts avec le chef de station de la CIA sont inexistants. Il faudrait que je contacte Langley et que ce soient eux qui alertent le chef de station. Et là, dans la minute, les états-majors vont vouloir savoir pourquoi je déclenche le signal d'alarme. Elle poursuivit après un temps de silence. Recourir à cette procédure exigerait que tu m'en révèles beaucoup plus que tu ne veux… ou que tu ne le peux, je suppose.

Smith secoua la tête, contrarié.

— D'accord, je comprends. Je pensais que peut-être…

— Je n'ai pas dit qu'il n'existait pas d'alternative. Aussitôt, Randi enchaîna en lui mentionnant l'existence de Sacha Roublev.

— Je ne sais pas… hésita Smith.

— Jon, je sais ce que tu penses. Mais réfléchis : le FBI lui-même embauche des pirates informatiques, des ados, pour l'aider à remonter la piste des cyberterroristes. Et moi, je vais surveiller Sacha en regardant par-dessus son épaule ce qu'il fabrique, à chaque minute, sans interruption.

— Tu fais vraiment confiance à ce gamin ?

— Sacha fait partie de la Nouvelle Russie, Jon, une

Russie qui se tourne vers le monde, pas celle qui le tient à l'écart. Quant à la politique, pour Sacha, c'est le truc le plus rasoir du monde. En outre, j'imagine que tu n'es pas tombé sur cet ordinateur grâce à un coup de chance. Pour dégotter cette prise-là, il t'a bien fallu l'autorisation des Russes.

Smith opina du chef.

— En effet. Très bien. Il faut que je quitte Moscou dans environ une heure. Tu as mon numéro. Appelle-moi à la minute où ton petit génie nous dénichera quelque chose. Il lui sourit. Et puis, Randi, merci. Merci beaucoup.

— Je suis heureuse de t'aider, Jon. Mais il y a une contrepartie. Si j'ai besoin de savoir quelque chose...

— Tu l'apprendras par moi, pas par CNN. Promis.

CHAPITRE TREIZE

Les Suisses possèdent l'une des phalanges antiterroristes les mieux organisées du monde. Magnifiquement entraînée, équipée de façon experte, cette unité de vingt hommes, connue sous le nom de Groupe d'Opérations Spéciales, était en route pour l'aéroport international de Zurich quelques minutes après avoir reçu le signal du départ du ministère de la Défense.

Le vol Swissair 101 était à une vingtaine de minutes de son atterrissage, et les commandos avaient déjà pris position. La moitié d'entre eux portaient des uniformes de la patrouille frontalière helvétique, dont l'omniprésence dans les aéroports et les gares de la Confédération finissait par passer inaperçue des voyageurs accoutumés à des services de sécurité bien visibles. L'autre moitié portait des tenues de mécaniciens, de responsables du ravitaillement en carburant ou de la restauration à bord, et de bagagistes — le genre de personnes que l'on s'attend à voir évoluer autour d'un avion sur son aire de stationnement.

Le contingent des agents en civil, lourdement armé de mitraillettes MP-5 et de grenades lacrymogènes ou cataplexiantes, formerait la première vague d'assaut si la situation dégénérait en crise, avec détention d'otages.

Les patrouilles en uniforme composaient le second périmètre, prêtes à intervenir si Beria parvenait d'une manière ou d'une autre à se glisser hors de l'invisible cordon de sécurité que l'on allait établir autour de l'appareil.

Enfin, il y avait un troisième cercle, composé de tireurs d'élite de l'armée suisse, qui s'était posté sur les toits du terminal international et des hangars de maintenance. Ils auraient une vue dégagée sur l'appareil lorsque celui-ci viendrait se ranger à hauteur de la dernière porte. Là, on effectuerait une tentative d'accoupler le satellite de débarquement au fuselage. Cette tentative échouerait. Le commandant annoncerait une défaillance technique et aviserait les passagers qu'une passerelle allait être avancée à hauteur de la porte avant de l'appareil.

Une fois que les passagers auraient commencé de descendre par cette passerelle, les tireurs d'élite tâcheraient de repérer Beria et d'accrocher leur cible. S'ils y parvenaient, il n'y aurait pas moins de trois fusils à lunette couvrant l'objectif en permanence. Selon le plan prévu, ce sont les commandos en civil qui se chargeraient d'amener Beria au pied de l'appareil, de le plaquer au sol de force et de le neutraliser. Mais si, pour une raison quelconque, ils rencontraient une difficulté, les tireurs d'élite avaient l'autorisation de viser au torse ou à la tête.

Vêtu d'une ample combinaison blanche de la société fournisseur de plateaux-repas, le commandant du Groupe d'Opérations Spéciales contacta tranquillement la tour de contrôle et reçut la dernière information : le vol 101 était en approche finale. On passa le mot : les crans de sûreté des armes furent relevés.

*

Le bus arrivait en gare routière de Saint-Pétersbourg dans un bringuebalement métallique à l'instant même où, à Zurich, le vol Swissair 101 touchait la piste. Suivant la foule, Ivan Beria entra dans le hall d'un pas nonchalant, puis se dirigea vers les consignes. Il retira une clef, ouvrit un compartiment et en sortit une valise de pauvre apparence.

Les lavabos étaient abominables, mais un pourboire à l'employé valut à Beria d'accéder à un cabinet relativement propre. Il retira son manteau, sa veste, son pantalon, et sortit de la valise un blazer bleu marine tout neuf, un pantalon gris, une chemise sport et une confortable paire de mocassins. Dans la valise, il y avait également un blouson molletonné, plusieurs sacs en plastique remplis de souvenirs du musée de l'Hermitage, et un portefeuille contenant un billet d'avion, un passeport, des cartes de crédit et de l'argent américain. Beria ouvrit le passeport et examina sa photo, sur laquelle il portait les vêtements qu'il venait d'enfiler. Il estima qu'il avait effectivement bien l'air de John Strelnikov, citoyen naturalisé américain, employé comme ingénieur civil au sein d'une société de construction dont le siège était situé à Baltimore.

Il emballa ses anciens vêtements dans la valise et quitta les toilettes. Dans la gare, il s'arrêta à la buvette, posa la valise par terre, s'acheta un Coca et continua son chemin. Étant donné la population de sans-abri qui vagabondait dans le hall de la gare, la valise allait disparaître avant même qu'il n'ait atteint les portes.

Dehors, il monta dans un taxi et proposa au chauffeur dix dollars de plus que le tarif forfaitaire s'il le déposait à l'aéroport en une trentaine de minutes. Le chauffeur y parvint avec deux minutes de mieux.

Beria savait qu'à partir de maintenant, sa photo et son signalement avaient été transmis à toutes les principales infrastructures de transport du pays. Peu lui importait. Il n'avait aucune intention de venir au contact des autorités.

Traversant l'aérogare récemment rénovée, il atteignit la zone réservée aux groupes de touristes et se fondit dans un troupeau de voyageurs autour de la soixantaine massés devant un comptoir Finnair.

— Où est votre badge ? Il me faut votre badge.

Beria sourit aimablement à la jeune femme quelque peu à cran qui portait, elle, un badge indiquant : OMNI-TOURS : LES TRÉSORS DES TSARS.

Il lui tendit son passeport et son billet en bredouillant :

— Je l'ai perdu.

La jeune femme poussa un soupir, lui retira ses papiers des mains et le guida vers un comptoir d'où elle sortit un badge en papier plastifié.

— John Strel…

— Strelnikov.

— Vu. On va juste marquer « John », d'accord ?

En se servant d'un feutre, elle écrivit le nom sur le badge, en décolla le dos pour dénuder la partie adhésive, et l'appuya fermement sur le revers de veste de Beria.

— Ne le perdez pas ! lui fit-elle sur le ton de la réprimande. Sans quoi vous allez vous créer des problèmes à la douane. Vous avez envie de faire du shopping dans les boutiques de détaxe ?

228

Beria lui répondit que ça pourrait être sympa.

— Vous récupérerez votre passeport et vos billets après votre passage devant les services de l'immigration, conclut la jeune femme, en s'éloignant déjà pour aller étouffer dans l'œuf une autre crise, quelque part ailleurs dans le groupe.

Beria comptait bien là-dessus. Il valait beaucoup mieux avoir sous la main une guide touristique américaine à bout de nerfs pour s'occuper des visas de sortie et des billets d'avion.

Après avoir acheté de l'eau de Cologne qu'il rangea dans son sac de souvenirs du musée de l'Hermitage, Beria rejoignit la file qui s'acheminait d'un pas traînant vers les guichets de l'immigration. Il observa dans le box les deux fonctionnaires, qui avaient l'air de s'ennuyer ferme en tamponnant les passeports que la jeune guide touristique leur avait remis. À l'appel de son nom, il s'avança, récupéra son passeport et franchit la douane pour accéder à la salle d'embarquement.

Beria prit un siège à côté d'un couple d'âge moyen qui se révéla être originaire de San Francisco. Comme il fit mine de parler un anglais à peine passable, ce furent ses nouveaux amis qui entretinrent l'essentiel de la conversation. Beria apprit ainsi que le vol Finnair mettrait environ dix heures à rallier l'aéroport Dulles de Washington, et que le dîner serait probablement correct, mais certainement pas mémorable.

*

Le jet privé Iliouchine C-22 venait juste de traverser l'espace aérien allemand quand Smith reçut l'information que Beria ne se trouvait pas à bord du vol Swissair 101.

— C'est confirmé ?

— Absolument, lui répondit Klein par liaison téléphonique satellite. Ils ont observé chaque passager à la loupe. Il n'était pas à bord.

— Le vol pour Paris atterrit dans dix-neuf minutes. Ils sont prêts ?

— Les gens à qui j'ai parlé me l'ont certifié. Par voie officieuse, on me précise que le gouvernement français n'en mène pas large. S'il arrive quelque chose et que plus tard l'information transpire selon laquelle ils ont autorisé l'appareil à atterrir… enfin, vous imaginez aisément les retombées.

— Pensez-vous que leur gouvernement organise délibérément les fuites ?

— Franchement, c'est de l'ordre du possible. Les Français ont une élection prévue dans deux semaines. L'opposition est à l'affût de toutes les cartouches sur lesquelles elle pourrait mettre la main.

Smith en revint à une idée qui lui était venue à Moscou, mais qu'il n'avait pas exprimée.

— Monsieur, et si nous facilitions la tâche aux Français, indirectement ?

— Comment cela ?

— Leurs Airbus ne sont pas équipés du système SecFax. Le vol American Airlines 1701 est à même de recevoir des transmissions de télécopie sécurisée par satellite. Vous pourriez vous adresser directement au commandant de bord du vol American, le mettre au courant et ensuite lui transmettre une photo de Beria par télécopie.

Smith attendit dans le silence. Ce qu'il proposait

était, à tout le moins, dangereux. Si sa suggestion était retenue et si quelque chose se passait mal à bord du vol d'American, les conséquences seraient tout bonnement désastreuses.

— Laissez-moi le temps de vérifier quelque chose, lui répondit enfin Klein. Je reviens vers vous.

Quelques minutes plus tard, il était de retour.

— Je me suis entretenu avec le directeur de la sécurité d'American Airlines à l'aéroport de Dallas-Fort-Worth. Il m'a indiqué que le vol 1710 avait embarqué à son bord un agent fédéral, un spécialiste du piratage aérien.

— Encore mieux. Qu'il...

— « Elle », Jon.

— Pardonnez-moi. Il faut que le pilote ait un moyen de communiquer avec elle. Une fois le contact établi, elle pourra s'occuper de contrôler l'appareil.

— Il faut prendre en compte la possibilité que Beria voyage incognito.

— Kirov n'a jamais évoqué le fait que la cible soit un maître du déguisement. C'est peut-être parce que le personnage n'a jamais opéré en dehors de territoires bien connus de lui. Et puis, un agent chevronné doit être en mesure de lire à travers les maquillages et les prothèses.

— Proposez-vous que nous en informions Kirov... ou qui que ce soit d'autre ?

— L'avion est sous notre responsabilité. Si l'agent embarqué à bord repère Beria, nous pouvons donner aux Français le signal de lever l'alerte et avertir les Britanniques qu'il est en route pour chez eux. Tout délai que nous serions en mesure de leur accorder serait pour eux très précieux.

Il s'ensuivit un autre moment de silence.

— Très bien, Jon. Je me charge de la mise en œuvre de mon côté. Le vol se trouve à quatre-vingt-dix minutes de Heathrow. Restez en l'air jusqu'à ce que je vous rappelle.

*

Captant un effluve de parfum exotique, Adam Treloar s'étira dans son spacieux fauteuil de première classe. Il perçut le léger bruissement de la soie contre la chair, puis il entrevit au passage une paire de fesses bien galbées qui traversaient son champ de vision en oscillant. Comme si elle s'était sentie regardée, la jeune femme, une rousse aux longues jambes, se retourna. Lorsqu'elle posa les yeux sur Treloar, il en rougit. Sa gêne s'accentua quand elle lui sourit en haussant les sourcils, l'air de dire « espèce de vilain petit coquin ! ». Là-dessus, elle disparut derrière la cloison, vers le compartiment où l'on préparait les boissons et les plats.

Treloar lâcha un soupir, non parce qu'il aurait convoité la fille : aucune femme ne l'intéressait sur le plan sexuel, quel que soit son âge. Mais il appréciait la beauté sous toutes ses formes. Dans certains coins des Caraïbes, à bord de yachts privés, il avait remarqué, tout extasié, des beautés de ce genre, soumises à seule fin de stimuler les appétits de l'assistance.

Une annonce du pilote interrompit sa rêverie :

« Mesdames et messieurs, je souhaitais vous informer que le dernier bulletin météo au-dessus de Londres nous signale une bruine légère, avec une température de 23 degrés. Nous sommes à l'heure, avec une arrivée prévue dans une heure et cinq minutes. »

Quel ennui, se dit Treloar.

Il s'agaçait encore, en son for intérieur, de l'inanité de ce genre d'annonces, quand la jeune femme refit son apparition. Elle paraissait marcher plus lentement, comme si elle prenait le temps de s'étirer les jambes. Une fois encore, Treloar se sentit effleuré par son regard un rien sans-gêne : il redevint écarlate.

La jeune femme s'appelait Ellen Diforio. Elle avait vingt-huit ans, était titulaire d'un diplôme d'arts martiaux et championne de tir. C'était sa cinquième année au sein du service des agents fédéraux, la deuxième dans la division du piratage aérien.

Comme par hasard. C'est mon dernier tour de piste, et il faut que ça tombe sur moi.

Un quart d'heure plus tôt, Diforio pensait déjà à son rendez-vous de ce soir avec son petit ami, un avocat de Washington. Ses rêves éveillés avaient été interrompus par une annonce apparemment anodine de la boutique de produits détaxés du bord, proposant une offre spéciale sur les parfums Jean Patou 1000. Cette formule codée avait sèchement ramené Diforio à la réalité. Elle avait compté dix secondes, attrapé son sac, et quitté son fauteuil de classe affaires pour se diriger vers les toilettes. Elle avait continué son chemin vers la première classe, contourné le panneau de séparation de l'aire de service avant de se glisser subrepticement dans le poste de pilotage.

Diforio avait lu le message du directeur de la sécurité et elle avait étudié attentivement la photo télécopiée. Ses ordres étaient clairs : déterminer si oui ou non cet individu était à bord. Si elle le repérait, elle ne devait établir aucun contact, et pas davantage tenter de le maîtriser. En revanche, elle devait en référer immédiatement au commandant dans le poste de pilotage.

— Est-il armé ? avait demandé Diforio au pilote. Ce message n'évoque rien à propos d'un pistolet ou d'une bombe. Et pas de bio non plus. Qui est ce type ?

Le pilote avait haussé les épaules.

— Tout ce que je sais, c'est que les Britanniques ont convoqué d'urgence les types du SAS. C'est du sérieux. S'il est à bord et que nous arrivions à nous poser, c'est eux qui se chargeront de le ramener à terre. Il avait posé un regard insistant sur son sac à main : Faites-moi plaisir : pas de joujou frelaté en cabine.

En traversant la première classe, Diforio avait déjà noté l'embarras de cet homme curieux avec ses yeux à fleur de tête.

Ah non, sûrement pas ce rigolo.

Elle avait tout à fait conscience de l'effet qu'elle exerçait sur les hommes et se réservait d'en faire le meilleur usage. De dix-sept à soixante-dix-sept ans, tous, ils la remarquaient. Certains savaient se montrer un peu plus subtils que d'autres. Mais si elle en avait envie, elle savait comment les amener à poser le regard sur elle sans détour. Une ébauche de sourire, un scintillement dans les yeux, il n'en fallait pas plus.

Dans les cabines de première classe et de classe affaires, elle fit chou blanc. Elle ne s'était d'ailleurs pas attendue à y trouver sa cible. Les types comme ce Beria aimaient assez se fondre dans la foule. Diforio tira le rideau de séparation et pénétra en classe économique.

Les sièges de la cabine étaient configurés en 3-3-3, séparés par deux allées centrales. Tout en faisant mine de consulter le présentoir des revues, Diforio passa au crible les six premières rangées le long de l'allée de gauche : des retraités, des gamins en vacances scolaires, des familles jeunes qui voyageaient à petit budget. Elle gagna l'arrière de l'appareil.

Quelques minutes plus tard, Diforio était devant les toilettes, tout à fait dans le fond. Elle avait bien examiné tous les passagers qui attendaient dans le périmètre, plus deux qui étaient sortis des toilettes. Le reste des sièges était occupé. Aucun de leurs occupants ne ressemblait à la cible.

Et maintenant, deuxième partie, un peu plus salée.

Diforio s'en retourna par le même chemin, pénétra en classe affaires, fit le tour en passant de l'autre côté de la cloison, et revint par la classe économique. Cambrant les reins, elle fit en sorte de donner l'impression d'une crampe, et qu'elle se dégourdissait les jambes. Des visages masculins évoluèrent de la curiosité à la bienveillance attentive — et admirative — lorsque ses seins saillirent dans les bonnets de son soutien-gorge, sous son tailleur. Elle encouragea les œillades avec un petit sourire tout en descendant le long de l'allée de droite, son regard allant et venant sans jamais s'arrêter sur un visage en particulier. Là encore, la chance était avec elle. Tous les sièges étaient occupés. Les passagers de sexe masculin étaient soit endormis, soit en train de lire, soit plongés dans des papiers d'affaires. Elle était heureuse que le film soit terminé et que presque tous les pare-soleil soient relevés, laissant affluer la lumière du jour.

De nouveau, Diforio se retrouva au fond de l'avion. Elle passa devant les toilettes, puis remonta par l'allée de gauche, vérifiant une deuxième fois afin de s'assurer qu'elle n'avait négligé aucun siège. Un instant plus tard, elle regagnait le poste de pilotage.

— Négatif sur la cible, rapporta-t-elle au pilote.

— Vous en êtes certaine ?

— La première classe et la classe affaires sont claires. Pas un seul passager qui ressemble même vaguement à ce type. En classe économique, vous faites salle comble — deux cent trente-huit personnes. Cent dix-sept sont des femmes… et ce sont vraiment des femmes, croyez-moi. Vingt-deux sont des enfants au-dessous de quinze ans, quarante-trois sont des gamins dans les vingt ans. Sur les soixante-trois hommes possibles, vingt-huit ont plus de soixante-cinq ans, et ils les font. Seize autres ont plus de la cinquantaine. Cela laisse dix-neuf possibilités… et aucune ne correspond.

Le pilote adressa un geste du menton à son copilote.

— Danny va vous établir une liaison avec Dallas. Dites-leur ce que vous avez trouvé… ou pas trouvé. Il se tut. Ça veut dire que je peux me remettre à respirer ?

*

Le matériel de communications à bord du C-22 permettait à Smith d'écouter aux portes sur la fréquence opérationnelle de sécurité des Français. Il entendit les agents du Deuxième Bureau transmettre leur rapport sur le débarquement du vol Air France 612. Les trois quarts des passagers étaient déjà descendus et il n'y avait toujours pas signe de Beria. Smith reporta son attention sur le vol d'American Airlines, qui était à moins de vingt minutes de son atterrissage, quand le téléphone par satellite pépia.

— C'est Klein. Jon, je viens de recevoir un rapport de Dallas. L'agent de la sécurité à bord du vol 1710 nous informe qu'il n'y a personne qui ressemble à Beria.

— C'est impossible ! Les passagers du vol français viennent de débarquer. Rien là-bas. Il doit forcément se trouver à bord du vol American Airlines.

— Pas selon cet agent à bord. Elle est à peu près formelle : Beria ne se trouve pas dans cet avion.

— « À peu près », c'est insuffisant.

— Je m'en rends bien compte. J'ai transmis ses conclusions aux Britanniques. Ils nous en remercient, mais ils ne vont pas lever le pied pour autant. Le SAS est en position et va le rester.

— Monsieur, je pense qu'il nous faut envisager la possibilité que Beria ait emprunté un autre vol ou qu'il va recourir à un autre moyen de s'introduire aux États-Unis.

Smith entendit la respiration de Klein, un sifflement sur la ligne.

— Pensez-vous qu'il ait assez d'audace pour tenter ça ? Il doit bien savoir que nous avons déployé tous les contre-feux pour l'abattre.

— Beria a entamé un boulot, monsieur. Pour mener son affaire à bien, il a déjà tué. Oui, je l'estime suffisamment déterminé pour essayer d'atteindre les États-Unis. Il réfléchit. Moscou est le point de départ principal des vols pour l'Ouest, mais ce n'est pas la seule voie de sortie.

— Saint-Pétersbourg ?

— Qui traite beaucoup de vols avec la Scandinavie et l'Europe du Nord. Aeroflot, Scandinavian Airlines, Finnair, Royal Dutch… toutes ces compagnies entretiennent un trafic régulier avec Saint-Pétersbourg, au départ et à l'arrivée.

— Quand je vais lui laisser entendre que Beria a pu aller aussi loin que Saint-Pétersbourg, Kirov va nous faire une embolie.

— Il est déjà allé extrêmement loin en l'état actuel des choses, monsieur. Ce type n'est pas en fuite. Il suit un plan bien conçu. C'est ce qui lui permet de conserver une longueur d'avance sur nous.

Smith capta quelque chose sur la fréquence française. Il pria Klein de l'excuser, écouta brièvement, puis revint vers son chef.

— Paris confirme que leur vol est clair.

— Quelle est votre prochaine étape, Jon ?

Smith réfléchit un instant.

— Londres, monsieur. C'est là que je descends.

CHAPITRE QUATORZE

Avec des touffes de fumée bleue jaillissant sous ses pneus et l'odeur forte des freins surchauffés, le vol American Airlines 1710 se posa à Heathrow, l'aéroport de Londres. Suivant les instructions du commandant du Special Air Service, le pilote informa les passagers qu'un problème mécanique interdisait l'accès au satellite affecté à leur porte de débarquement. La tour de contrôle les déroutait vers une autre partie du terrain, où des passerelles pourraient être amenées contre les portes de l'avion.

Le personnel de bord arpenta les cabines de première et de classe affaires, assurant aux passagers qu'ils ne manqueraient pas leurs correspondances.

— Et pour moi qui continue vers Dulles ? s'enquit Treloar.

— Notre escale sera aussi courte que possible, lui affirma le steward.

Treloar pria pour qu'il ait raison. Les charges de nitrogène à l'intérieur du conteneur métallique seraient encore actives douze heures. D'ordinaire, l'escale à Heathrow durait quatre-vingt-dix minutes. Le temps de vol jusqu'à l'aéroport de Dulles était de six heures quinze minutes. Après le passage de la douane et de l'immigration, il lui resterait une fenêtre de trois heures pour ranger les souches de variole dans une installation réfrigérée. Cela laissait peu de place à l'imprévu.

Sortant sur la passerelle, Treloar s'aperçut que l'appareil était garé à côté d'un immense hangar de maintenance. Alors qu'il descendait les marches, il vit des bagages que l'on chargeait sur des chariots et deux bus de l'aéroport, parqués près des portes du hangar, moteur au ralenti. Au pied des marches, un jeune officier des douanes fort courtois l'invita à entrer dans le hangar, provisoirement reconverti en aire d'accueil pour les passagers en transit.

Treloar et ses compagnons de voyage avancèrent en traînant un peu les semelles, sans du tout se rendre compte que des yeux sans pitié, collés à des lunettes de fusil à longue portée, surveillaient leurs moindres mouvements. Ils n'auraient pas pu deviner que ces jeunes fonctionnaires en uniforme des douanes et de l'immigration, ainsi que ces bagagistes, ces chauffeurs de bus et ces employés de la maintenance, étaient tous des agents du SAS fortement armés.

Juste avant que Treloar ne disparaisse par la porte qui s'ouvrait sur le hangar, il entendit un sifflement suraigu. Il se retourna et vit un jet privé à la silhouette fine et élancée atterrir avec grâce sur la piste à deux cents mètres de là. Il s'imagina que l'avion appartenait à quelque chef d'entreprise d'une richesse obscène, ou à un cheik arabe, sans suspecter une seule seconde qu'à l'intérieur de l'Iliouchine C-22, un homme recevait à l'instant même une description détaillée de sa personne par l'intermédiaire d'un tireur d'élite qui se trouvait avoir justement accroché le front dégarni de Treloar dans le réticule de son viseur.

*

— Les Britanniques nous indiquent que le vol 1710 est clair, monsieur.

La voix de Klein stridula de nouveau sur la ligne sécurisée.

— J'ai reçu un rapport similaire. Vous auriez dû entendre Kirov quand je lui ai communiqué la nouvelle. À Moscou, c'est le grand ramdam.

Assis à bord de l'Iliouchine en stationnement, Smith continuait de suivre l'activité autour du DC-10 d'American Airlines.

— Et du côté de Saint-Pétersbourg ?

— Kirov est en train de dresser la liste de tous les vols qui en sont partis jusqu'à maintenant. Il active son monde pour obtenir les cassettes vidéo du terminal des départs, et pour envoyer des hommes sur le terrain, qui vont interroger les employés.

Smith se mordit la lèvre.

— Tout ça prend trop de temps, monsieur. Avec chaque heure qui passe, Beria couvre sans cesse davantage de terrain.

— Je sais. Mais nous ne pouvons pas lancer la chasse sans connaître la cible. Klein se tut un instant. Où allez-vous maintenant ?

— Je n'ai plus rien à faire à Londres. J'ai demandé à American Airlines de me trouver une place à bord du vol 1710, et ils ont bien voulu me rendre ce service. Il est prévu pour décoller dans une heure et quinze minutes. Cela me met à Washington plus vite que si je devais attendre un transport militaire.

— Je n'aime pas trop l'idée de vous savoir sans liaison sécurisée.

— Dans le cockpit, on sera au courant de ma présence à bord, monsieur. Si vous recevez la moindre nouvelle de Moscou, vous pourrez contacter l'appareil par radio.

— Eu égard aux circonstances, il faudra bien s'en contenter. Entre-temps, tâchez de vous reposer un peu pendant ce vol. Toute cette affaire débute à peine.

*

Anthony Price se trouvait dans son bureau luxueux, au sixième étage du quartier général de la NSA, à Fort Meade, dans le Maryland. En tant que directeur adjoint, Price était responsable des opérations au jour le jour de l'agence de renseignement. Pour l'heure, cela signifiait que son équipe devait se tenir au fait de la situation à Moscou. Jusqu'à présent, les Russes s'en tenaient à leur histoire de rebelles tchétchènes responsables de ce massacre — ce qui convenait fort bien à Price. Cela lui fournissait un motif légitime de couvrir l'incident. Et plus longtemps les Russes chasseraient des terroristes fantômes, plus il serait facile, pour Beria et Treloar, de se glisser entre les mailles du filet.

Price leva les yeux en entendant frapper à sa porte.

— Entrez.

L'analyste principale de Price, une jeune femme corpulente avec des airs de bibliothécaire tarabiscotée, entra dans la pièce.

— La dernière mise à jour en provenance de nos

sources sur le terrain à Moscou, monsieur, annonça-t-elle. Il semble que le général Kirov soit très soucieux au sujet d'une cassette de surveillance vidéo émanant de l'aéroport de Cheremetevo, à Moscou.

Price sentit sa poitrine se serrer, mais il parvint à conserver le même timbre de voix.

— Vraiment ? Pourquoi ça ? Qui apparaît sur la bande ?

— Personne n'en sait rien. Mais pour une raison ou une autre, les Russes ont placé ça sous embargo. Apparemment, la vidéo est très mauvaise.

Price réfléchissait à toute vitesse.

— C'est tout ?

— Pour l'instant, monsieur.

— Concernant cette histoire de vidéo, je veux que vous restiez sur la brèche. Si quelqu'un apprend quoi que ce soit là-dessus, je veux le savoir.

— Oui, monsieur.

Après le départ de l'analyste, Price se tourna vers son ordinateur et afficha la liste des vols prévus à l'arrivée sur l'aéroport Dulles. Les Russes n'avaient qu'une seule raison de s'intéresser aux cassettes de surveillance vidéo : Beria avait été vu avec quelqu'un. Et ce quelqu'un ne pouvait être qu'Adam Treloar.

L'arrivée du vol American Airlines 1710 était prévue dans un peu plus de six heures. Les systèmes d'analyse et d'optimisation photographiques des Russes n'étaient guère de pointe. Leurs ordinateurs allaient tourner des heures pour remettre les images à niveau. D'ici là, le vol 1710 devrait s'être posé et Adam Treloar en sécurité.

Price se redressa dans son fauteuil directorial en cuir, retira ses lunettes, et se tapota les incisives avec son tuyau de pipe. La situation à Moscou avait dégénéré en quasi-fiasco. Que Beria ait échappé au carnage de la gare, voilà qui tenait du miracle. Il était tout aussi stupéfiant qu'il ait pu arriver à Cheremetevo à temps pour remettre le conteneur des souches de variole à Adam Treloar.

Mais les caméras de surveillance avaient saisi un lien entre les deux hommes. Kirov possédait ce lien. Dès qu'il aurait reconstitué la photo de Treloar, il se précipiterait sur les bases de données des douanes et de l'immigration. Il découvrirait très exactement quand Treloar était entré en Russie, et quand il en était sorti. Il alerterait les correspondants de la CIA et du FBI en poste à l'ambassade.

Et là, les nôtres vont tâcher de débusquer Treloar, ne serait-ce que pour la raison qu'il a été vu avec Beria... Mais Kirov soupçonne-t-il que Treloar est véritablement le courrier ?

Price ne le pensait pas. Jusqu'à présent, tout indiquait que la chasse restait centrée sur Beria. Et les Russes se rapprochaient de leur gibier. Les dépêches en provenance des infrastructures de la NSA à Saint-Pétersbourg signalaient là-bas une intense activité de contre-espionnage.

Price afficha une autre liste d'arrivées. Il était là, le vol Finnair, à cinq heures de l'aéroport Dulles. Les Russes étaient-ils parvenus à collationner leurs informations et à obtenir la confirmation que Beria s'était bien envolé de Saint-Pétersbourg ? S'ils donnaient l'alerte, combien de temps faudrait-il au FBI pour tendre son filet sur Dulles ?

Pas longtemps.

— Et c'est tout le temps dont tu disposes, mon vieux ! s'écria Price en s'adressant à l'écran.

Décrochant le téléphone, il tapa le numéro de la ligne sécurisée de Richardson. Leur plan principal qualifiait la présence de Beria aux États-Unis d'élément contingent. Mais Treloar étant forcément sur le point d'être démasqué, ce statut allait se trouver modifié.

*

Le major-général Kirov était resté debout quasiment toutes ces dernières vingt-quatre heures. S'il tenait le coup, c'était grâce aux analgésiques, à cause de la trahison innommable de Lara Telegin, et de son désir insatiable de retrouver Ivan Beria.

Regardant fixement par la fenêtre de son bureau le crépuscule qui tombait, il repassa la situation en revue. En dépit des assurances qu'il avait fournies à Klein, les recherches étaient restées concentrées sur Moscou. Il avait écouté les arguments de l'Américain, mais il était demeuré ouvertement sceptique sur la théorie selon laquelle Beria avait filé à Saint-Pétersbourg pour quitter la Russie. Kirov estimait que le fiasco de la gare avait complètement mis en pièces le plan déjà complexe du tueur. À l'évidence, un contact, peut-être tout prêt à se charger des souches de variole, l'attendait à proximité. Il n'était pas moins vrai que la fusillade aura effrayé ce contact. Un rendez-vous de repli était certainement prévu. Mais entre la police, la milice, et les forces de sécurité, Kirov pouvait compter sur plus de huit mille hommes quadrillant la ville, tous à la recherche d'un seul visage. Le monstre des Balkans ne pouvait plus se déplacer qu'en faisant courir de très gros risques à lui-même et à son contact. Connaissant Beria comme il le connaissait, Kirov estimait qu'il avait dû se terrer quelque part dans la ville. Dans cette hypothèse, d'ici à ce qu'il soit débusqué et les virus dérobés récupérés, ce n'était plus qu'une question de temps.

Mais, malgré toutes ses certitudes, le major-général s'était bien gardé de tout miser sur un seul coup de dés. Honorant sa promesse à Klein, il avait appelé le chef des Services de la Sécurité Fédérale à Saint-Pétersbourg. Le FSB et la police possédaient déjà la description et le signalement de Beria. Cet appel de Moscou les poussa à mettre un peu d'énergie dans leurs recherches. Kirov avait donné au commandant du FSB l'ordre de concentrer ses forces sur les gares ferroviaires et routières — points d'accès par lesquels Beria était très certainement entré dans la ville — et sur l'aéroport. Simultanément, les listes des passagers et les cassettes vidéo de la sécurité aéroportuaire devaient être minutieusement contrôlées. S'il existait la plus infime possibilité pour que Beria ait été ou soit encore à Saint-Pétersbourg, Kirov devait en être aussitôt informé.

*

Deux heures après le départ de Londres du vol American Airlines 1710, Adam Treloar terminait la bouteille de vin de son dîner et calait son plateau-repas dans l'accoudoir de son siège. Il marcha tranquillement vers les toilettes, se lava les mains et se brossa les dents en se servant des ustensiles fournis avec sa trousse de bord. En retournant s'asseoir, il décida de se dégourdir un peu les jambes.

Ouvrant le rideau, il entra en classe affaires et arpenta l'allée de gauche du compartiment plongé dans l'obscurité. Quelques passagers regardaient un film sur leur écran vidéo individuel. D'autres travaillaient, lisaient, ou dormaient.

Treloar continua vers l'arrière jusqu'en classe économique, fit demi-tour dans le fond, à la hauteur des toilettes, et remonta par l'allée de droite. De retour en classe affaires, il s'arrêta brusquement devant une calculette tombée à ses pieds. Il se pencha pour la ramasser et la tendit à son propriétaire assis dans le siège côté allée, quand il posa par hasard le regard sur l'homme endormi assis côté hublot.

— Est-ce que ça va ? lui chuchota le passager à la calculette.

Treloar hocha la tête et avança promptement de deux pas, pour se glisser derrière le rideau, en première classe.

Impossible ! Ça ne peut pas être lui.

Sa respiration se transforma en profonds hoquets, et il chercha désespérément à retrouver son calme. L'homme endormi dans le siège côté hublot avait le visage tourné vers lui : c'était Jon Smith.

— Souhaitez-vous que je vous apporte quelque chose, monsieur ?

Treloar dévisagea l'hôtesse de l'air qui s'était approchée de lui.

— Non... merci.

Il se dépêcha de regagner son siège, s'installa, et tira une couverture à lui.

Treloar se souvenait d'avoir rencontré Smith à

Houston. Il avait commis l'erreur de révéler qu'il avait surpris Reed en train de parler de Venise et de ce Smith. Reed l'avait averti : Smith, ce n'était pas son affaire. Et il avait affirmé à Treloar qu'il n'y avait aucune raison pour que l'enquêteur croise à nouveau la route du médecin de la NASA.

Alors que fabrique-t-il ici ? Me suit-il ?

Ces questions s'entrechoquaient dans son crâne alors qu'il baissait furtivement les yeux sur son sac, calé contre la cloison. Il se représenta le conteneur cylindrique luisant, et, à l'intérieur, les ampoules remplies de leur liquide mortel jaune mordoré. Trop paralysé pour bouger, il tenta de dominer sa peur panique.

Réfléchis, un peu de logique ! Si Smith était au courant pour la variole, t'aurait-il laissé embarquer à Londres ? Bien sûr que non ! À l'heure qu'il est, tu serais déjà sous les verrous. Donc il ne sait pas. Sa présence ici relève de la coïncidence. Forcément !

Raisonner l'apaisa un peu, mais dès qu'une batterie de questions trouvaient leur réponse, une autre pointait : peut-être Smith savait-il que Treloar se chargeait du virus, mais sans avoir eu le temps de l'arrêter en toute sécurité à Londres. Peut-être les Britanniques avaient-ils refusé de marcher avec lui. Smith lui permettait peut-être de rentrer parce qu'il avait besoin de temps pour s'assurer de pouvoir maîtriser la situation à l'aéroport de Dulles. Dès qu'il aurait débarqué, ils allaient lui tomber dessus...

Treloar remonta un peu plus la couverture, jusque sous son menton. À Houston, au soleil et à l'abri, le plan de Reed avait paru si simple, si parfait. Oui, il subsistait bien une part de danger, mais un danger infinitésimal comparé aux récompenses qu'il allait récolter. Et avant le danger, il y avait eu les délices de Moscou.

Treloar remua la tête. Il avait mémorisé ce qu'il était supposé faire dès son arrivée à Dulles. Désormais, la présence inexpliquée de Smith réduisait en cendres un plan minutieusement élaboré. Il avait besoin de conseils, d'explications, de paroles rassurantes.

Dégageant le bras de sous la couverture, Treloar sortit le téléphone du bord de son logement. À ce stade de l'opération, les communications étaient strictement interdites. Mais avec Smith à peine à quelques pas, cette règle ne s'appliquait plus. À tâtons, il fouilla pour sortir sa carte de crédit et l'introduisit dans la rainure pratiquée à l'intérieur du combiné. Quelques secondes plus tard, la transaction était acceptée et il était en ligne.

*

La pièce voisine du bureau de Randi avait été transformée en petit centre de conférence, équipée d'un matériel audiovisuel dernier cri, écrans plats et console professionnelle de montage vidéo-DVD égalant ce qu'on pouvait trouver de mieux au sein du département animation des studios Disney. Presque tous les vendredis après-midi, c'était là que l'équipe se réunissait, avalait de la nourriture de fast-food, et regardait les derniers films sur DVD, qui leur parvenaient grâce à Amazon.com.

Assise à côté de Sacha Roublev, Randi regardait l'ado dégingandé se servir du logiciel de montage et d'optimisation pour arriver à retraiter l'image floue du visage sur cette bande. Sacha n'avait pas bougé de l'ordinateur depuis des heures. De temps en temps, il s'arrêtait, juste assez longtemps pour descendre un Coca d'un seul trait. Une fois requinqué, il retournait à la tâche.

Tout ce temps, Randi était restée une observatrice silencieuse. Elle était fascinée par la maîtrise avec laquelle Sacha réussissait à tirer une image, pixel après pixel, de ce qui ressemblait à une simple tache floue. Petit à petit, l'image d'un visage d'homme prenait de la netteté.

Sacha effectua un dernier passage au clavier, puis il tourna la tête en tous sens, pour se dénouer la nuque.

— Voilà, Randi, annonça-t-il. Je ne peux pas faire mieux.

Randi lui serra un peu l'épaule.

— Tu as été formidable.

Elle regarda fixement le pictogramme d'un visage bien en chair, ponctué de joues rebondies et de lèvres épaisses. Les yeux étaient le trait le plus frappant : grands, de forme ovoïde, ils paraissaient saillir hors de leurs orbites.

— Il est monstrueux, cet homme.

Randi tressaillit au son de la voix de Sacha.

— Qu'est-ce que tu veux dire ?

— On dirait un troll. Il y a chez lui quelque chose de mauvais. Il hésita. La gare… ?

— Je n'en sais rien, lui répondit sincèrement Randi. Elle fit un bref baiser à Sacha. Merci. Tu m'as énormément aidée. Il me faut deux ou trois minutes pour tout terminer ici et ensuite on va s'offrir un Egg McMuffin. D'accord ?

Sacha désigna le portable et le téléphone cellulaire posés sur la table de conférence.

— Et ces machins-là ?

Randi sourit.

— Plus tard, peut-être.

Dès qu'elle fut seule, Randi établit une connexion sécurisée par courrier électronique avec le haut fonctionnaire du service diplomatique de l'ambassade — en fait, le chef de station de la CIA. Dès que son correspondant l'eut identifiée, elle expédia une demande urgente d'information sur l'homme dont la photo allait suivre.

Randi chargea un tirage d'imprimante de l'image dans le télécopieur et, en consultant sa montre, estima pouvoir recevoir une réponse d'ici une trentaine de minutes. En attrapant son sac à main, elle songea à Jon Smith et se demanda pourquoi cet homme « monstrueux » présentait une telle importance pour lui.

*

— Gardez votre calme, Adam. Surtout, gardez votre calme.

Adam Treloar était assis, enfoncé dans un coin de son spacieux fauteuil côté hublot. Il était heureux de l'intimité que lui procuraient sa cabine de première classe et le ronronnement des moteurs. Et malgré cela, il ne s'exprimait que par chuchotements.

— Qu'est-ce que je suis censé faire, Price ? demanda-t-il. Smith est à bord de cet avion. Je l'ai vu !

Anthony Price fit pivoter son fauteuil pour faire face aux fenêtres équipées de verre argus à l'épreuve des balles. Il choisit un point au hasard dans le ciel et y attacha son regard. Ensuite, il se vida l'esprit de tout, sauf de la question du moment.

— Mais lui, il ne vous a pas vu, n'est-ce pas ? souligna-t-il, en tâchant de se montrer aussi rassurant que possible. Et il ne vous verra pas. Pas si vous faites attention.

— Mais enfin, qu'est-ce qu'il fabrique dans cet avion, d'abord ?

Price aurait payé cher pour le savoir.

— Au juste, je l'ignore, répondit-il avec prudence. Dès que nous en aurons terminé, je vérifierai. Mais rappelez-vous : Smith, ce n'est pas votre problème. Et il n'a absolument aucune raison de s'intéresser à vous.

— Ne me mentez pas ! siffla Treloar. Vous croyez que je ne connais pas le rôle de Smith dans l'épouvante de l'opération Hadès ?

— Smith ne fait plus partie de l'USAMRIID, lui répliqua Price. Et il y a une chose que vous ne savez sans doute pas : au cours de l'opération Hadès, sa fiancée a été tuée. Or, la sœur de cette fille travaille pour une société de capital-risque à Moscou.

— Êtes-vous en train de me raconter que Smith était là-bas pour raisons personnelles ?

— Ça se pourrait bien.

— Je ne sais pas…, grommela Treloar. Je n'aime pas les coïncidences.

— Et pourtant, parfois ce n'est rien de plus que ça, lui assura Price d'un ton apaisant. Adam, écoutez-moi. J'ai transmis votre signalement à l'aéroport Dulles. Vous allez franchir les douanes et l'immigration comme une fleur. Un homme de chez nous vous attendra avec une voiture. Une fois à bon port, vous êtes libre. Alors détendez-vous.

— Faites simplement en sorte que rien ne tourne mal. S'ils découvrent…

— Adam ! le coupa sèchement Price. Inutile de nous étendre là-dessus.

— Désolé…

— Dès que vous êtes dans la voiture, appelez-moi. Et ne vous inquiétez pas.

Price coupa la communication. Treloar avait toujours été le maillon faible de la chaîne. Mais également un maillon indispensable. Il était le seul membre du Pacte qui ait une raison bien déterminée de se rendre en Russie de façon régulière. Il était aussi un scientifique qui savait comment manipuler le virus de la variole. Mais cela n'empêchait pas Price, qui détestait les faibles, de mépriser Treloar. «Contentez-vous d'arriver à bon port, Adam Treloar, murmura-t-il vers le ciel. Arrivez à bon port et vous recevrez votre juste récompense, j'y veillerai.»

CHAPITRE QUINZE

Une fois sorti de Washington, Nathaniel Klein emprunta la nationale US 15 jusqu'à Thurmont, dans le Maryland. Là, il prit la route 77, dépassa Hagerstown, suivit la direction de Hunting Creek et finit par atteindre le Centre d'Accueil et d'Information du Parc montagneux de Catoctin. Contournant le poste des gardes forestiers, il remonta une route goudronnée à deux voies, puis arriva à la hauteur d'un écriteau indiquant INTERDICTION DE S'ARRÊTER ET DE RALENTIR. MANŒUVRE ET STATIONNEMENT INTERDITS. Pour renforcer la portée du message, un véhicule blindé de l'armée s'écarta de l'accotement dans un cliquettement métallique et vint investir le milieu de la chaussée.

Klein arrêta sa berline Buick banalisée, baissa la vitre et tendit sa pièce d'identité. L'officier, qui avait été alerté de son arrivée, examina la carte. Satisfait, il indiqua à Klein d'avancer. À peine avait-il redémarré qu'il entendit retentir son téléphone de voiture.

— Ici Klein.

— Kirov, à Moscou. Comment allez-vous, monsieur ?

À en juger par le son de votre voix, mieux que vous. Mais il se contenta de répondre :

aura démarré. Il secoua la tête. Il m'a demandé… respectueusement, notez bien… quelles étaient mes sources.

— Je vous sais gré de votre attitude, monsieur, lui répondit Klein.

— C'est notamment ce qui m'a valu ma réussite.

Après le cauchemar Hadès et l'élection qui avait suivi, Samuel Castilla avait juré que les États-Unis ne se laisseraient plus jamais prendre au dépourvu. Tout en respectant le travail des agences de renseignement traditionnelles, il avait saisi la nécessité extrême de pouvoir disposer d'un groupe de type inédit — une petite élite, conduite par une seule individualité, qui ne serait redevable à personne, et ne rendrait de compte qu'au seul chef de l'exécutif.

Après avoir longuement réfléchi, Castilla avait choisi Nathaniel Klein pour diriger cette garde rapprochée, connue sous le nom de Réseau Bouclier. Usant de fonds prélevés avec précaution sur les budgets de divers ministères, employant uniquement les hommes et les femmes les plus talentueux et les plus dignes de confiance qui soient, Réseau Bouclier, à partir d'une simple idée, était devenu le bras armé du Président. Cette fois, se dit Castilla, nous avons une chance de stopper le monstre au lieu de nous empêtrer dans l'horreur qu'il aurait pu engendrer.

La sonnerie du téléphone fit irruption dans ses pensées.

— Oui, Jerry.

Castilla écouta, masqua de la main le micro du combiné, et se tourna vers Klein.

— Ils ont une touche avec ce Strelnikov. L'immigration a pointé son passage huit minutes avant la mise en place effective de Firewall. Le Président réfléchit. Voulez-vous maintenir l'alerte, Nate ?

Soudain, Klein se sentit très vieux. Beria les avait encore dupés. Pour un individu de son espèce, huit minutes, cela représentait une éternité.

— Il va nous falloir jouer une tout autre partie, maintenant, monsieur. Nous allons devoir recourir à un plan de secours.

Il exposa rapidement ce qu'il avait en tête.

Le Président reprit la ligne.

— Jerry, écoutez-moi attentivement…

Tandis que Samuel Adams Castilla lui parlait, le directeur du FBI alertait ses équipes antiterroristes d'élite stationnées à Buzzard's Point. Le signalement de Beria était transmis sur les écrans d'ordinateur de leurs véhicules. En l'espace d'une trentaine de minutes, les premières escouades allaient interroger les voituriers des stations de taxi, les porteurs, les chauffeurs de limousines, toute personne susceptible d'avoir vu ou d'être entrée en contact avec le suspect.

— À la minute où vous obtenez quelque chose, faites-le-moi savoir, conclut Adams Castilla, et il mit un terme à la communication. Il se tourna vers Klein :

— Très exactement, quelle quantité de virus ont-ils dérobée ?

— Suffisamment pour déclencher une vague d'épidémie sur toute la côte Est.

— Et nos stocks de vaccins… en dehors de ceux que l'USAMRIID conserve à usage militaire ?

— À peine de quoi protéger un million de personnes. J'anticipe votre question suivante, monsieur le Président : combien de temps pour en fabriquer en quantité suffisante ? Trop long. Des semaines.

— Quoi qu'il en soit, il faut essayer. Et la Grande-Bretagne, le Canada, le Japon… peut-on leur en acheter ?

— Ils en possèdent moins que nous, monsieur. Et ils en auraient besoin pour protéger leurs propres populations.

Un laps de temps s'écoula, dans le plus complet silence.

— Avons-nous une raison quelconque de penser que Beria est venu ici dans l'intention expresse de propager le virus ? s'enquit le Président.

— Non, monsieur. Ironie du sort, c'est là notre seule lueur d'espoir. Beria n'a jamais été qu'un tueur à gages, un passeur. Toute sa politique tourne autour d'un certain prix payé pour services rendus.

— Un passeur ? Laisseriez-vous entendre qu'il va livrer ces souches de virus à quelqu'un sur le territoire américain ?

— Je reconnais que c'est là une idée difficile à admettre, monsieur le Président. Après tout, si un terroriste voulait lancer une attaque biochimique, il serait bien plus sûr de son compte en assemblant l'arme à l'extérieur du pays, plutôt que sur notre territoire.

— Mais la variole est déjà une arme en soi, n'est-ce pas, général ?

— Oui, monsieur. Même sous sa forme brute, elle est extrêmement puissante. Versez-la dans les réseaux d'alimentation en eau de la ville de New York, et vous provoquez une crise de proportions gigantesques. Mais, monsieur le Président, prenez la même quantité de virus, reconfigurez-le pour l'employer en recourant à un système de diffusion par aérosol, et, si vous voulez, pulvérisez-le en pesticide, et vous contaminerez une zone bien plus étendue.

Le Président lâcha un grognement.

— En somme, ce que vous êtes en train de me dire, c'est : «pourquoi gâcher le potentiel de cette arme quand on peut le maximiser ?».

— Exactement.

— Supposons un instant que Beria soit un simple courrier, jusqu'où peut-il aller ?

— Heureusement, nous avons de quoi le circonscrire dans la région de Washington. Beria est affligé d'au moins deux handicaps : il ne parle pas bien l'anglais, il n'est jamais venu dans ce pays, et encore moins dans cette région en particulier. D'une manière ou d'une autre, il va attirer l'attention sur lui.

— En théorie, Nate. Mais il ne va pas non plus s'inscrire pour les visites guidées de la Maison Blanche. Il va livrer son stock de virus et ensuite il va s'envoler dans la nature. Ou essayer, en tout cas.

— Au bout du parcours, de ce côté-ci, Beria a besoin d'aide, insista Klein. Mais là encore, son rayon d'action est géographiquement limité. Il faut également se rappeler que ses employeurs ne souhaitent pas une propagation de ce virus avant qu'ils en aient décidé. Cela signifie qu'il va leur falloir le conserver… en sécurité. Et cela requiert un très bon laboratoire. Il ne s'agit pas là de chercher du côté des immeubles inhabités ou des entrepôts désaffectés, monsieur le Président. Quelque part, dans les comtés environnants, il existe un laboratoire ultramoderne qui a été créé justement dans ce but.

— Très bien, conclut le Président. La chasse à ce Beria est ouverte. Nous allons aussi rechercher ce labo. Pour l'heure, nous maintenons le couvercle sur les événements. Embargo complet sur les médias. Nous sommes d'accord ?

— Oui, monsieur. Concernant les médias, Kirov a accompli un travail de Romain pour préserver le plus grand secret sur la situation en Russie. Mais s'il y a une fuite, c'est de là qu'elle viendra. Lors de votre appel au président Potrenko, je suggère que vous lui demandiez quelles mesures il compte prendre de son côté pour maintenir l'embargo sur les médias.

— Vu. Maintenant, qu'en est-il de ce second individu que vous évoquiez, celui que Beria aurait ou non rencontré à Moscou ?

— Lui, c'est le joker, monsieur, lâcha Klein à mi-voix. Si nous arrivons à le pincer, nous pourrons nous en servir pour remonter jusqu'à Beria.

*

Dès qu'il entendit le double carillon signalant que le long courrier était arrivé à sa place de parking, Adam Treloar se leva de son siège et s'avança vers la porte avant. Le reste des passagers de première classe vint s'agglutiner derrière son dos, faisant ainsi tampon entre lui et l'homme qui ne devait l'apercevoir sous aucun prétexte.

Treloar tapotait des doigts sur sa sacoche, impatient de voir la porte s'écarter sur ses vérins. Ses instructions étaient très précises. Il se les rabâchait encore et encore, sans relâche, jusqu'à connaître cette litanie par cœur. Une seule question subsistait : serait-il en mesure de les appliquer sans que rien vienne interférer ?

La porte s'effaça le long de la coque, la chef de bord

recula, et il passa devant elle au pas de charge. Il avançait à petites enjambées nerveuses, parcourut tout le satellite d'accès pour déboucher sur un corridor, éclairé d'une lumière crue, qui s'arrêtait devant un escalator. Il en descendit les marches quatre à quatre et se retrouva devant les guichets de l'immigration. Au-delà, c'était les carrousels de bagages et les postes de douane.

Treloar avait espéré, aurait préféré la présence d'une foule de monde. Mais l'aéroport Dulles n'était pas aussi chargé que Kennedy à New York ou celui de Los Angeles, et aucun vol international n'avait atterri en même temps que le vol American Airlines 1710, ou même un peu avant. Il se rendit à un comptoir désert, tendit ses papiers à un fonctionnaire de l'immigration qui examina son passeport et lui posa des questions ineptes sur l'endroit d'où il venait. Il lui raconta la vérité sur sa mère, et sa visite sur sa tombe, qu'il veillait à entretenir convenablement. Le fonctionnaire hocha la tête avec solennité, griffonna quelque chose sur le formulaire de l'immigration, et lui fit signe de passer.

Treloar avait un bagage, mais ce n'était pas le moment de perdre du temps à attendre qu'il arrive sur le tapis roulant. Sur ce point, ses instructions étaient extrêmement nettes : il devait sortir du terminal aussi vite que possible. Dépassant les carrousels à bagages, il osa jeter un rapide coup d'œil par-dessus son épaule. Tout au fond, Jon Smith se trouvait au comptoir de l'immigration réservé aux équipages et aux diplomates. Mais enfin, pourquoi ça… ? Bien sûr ! Smith appartenait au Pentagone. Il voyageait sous son identité militaire, pas avec un passeport civil.

Tendant sa carte d'identité, Treloar s'approcha de l'agent des douanes.

— Vous voyagez léger, monsieur, commenta le fonctionnaire.

Se remémorant ses instructions, Treloar expliqua qu'il avait fait expédier ses bagages à l'avance, par l'intermédiaire d'un service d'enlèvement à domicile haut de gamme, qui se chargeait de tout pour les voyageurs aisés peu désireux de charioter leurs valises. Habitué à ce type de système, le fonctionnaire lui fit signe de passer.

Du coin de l'œil, Treloar capta la silhouette de Smith qui s'approchait de ce même douanier. Il s'éloigna côté droit, afin de ne pas traverser le champ de vision de Smith.

— Non, monsieur, l'interpella l'agent des douanes. À gauche.

Trelor se retourna brusquement et courut presque dans le tunnel qui conduisait au terminal.

*

— Docteur Smith ?

Il se tourna vers le fonctionnaire des douanes qui se présentait à lui.

— Oui ?

— Vous avez un appel, monsieur. Vous pouvez le prendre ici.

Le fonctionnaire ouvrit la porte d'une salle d'interrogatoire où l'on questionnait les passagers gardés à vue. Désignant un téléphone posé sur le bureau, il lui indiqua :

— Ligne une.

— Smith à l'appareil.

— Jon, c'est Randi.

— Randi !

— Écoute. Nous n'avons pas beaucoup de temps. Je viens de recevoir une identification formelle de ce type sur la photo. C'est Adam Treloar.

Smith s'agrippa au combiné.

— Tu en es sûre ?

— Certaine. Nous avons suffisamment nettoyé la vidéo pour obtenir un tirage papier de bonne qualité, que j'ai expédié à l'ambassade. Ne t'inquiète pas. Quel que soit le pedigree de ce lascar, je n'ai pas vendu la mèche. J'ai présenté Treloar comme un investisseur potentiel et je me suis simplement contentée de demander une étude de situation standard.

— Qu'as-tu découvert ?

— Sa mère était Russe, Jon. Elle est décédée depuis un certain temps déjà. Treloar vient ici fréquemment, pour se recueillir sur sa tombe, j'imagine. Ah, et il se trouvait à bord du même vol que toi… l'American Airlines 1710.

Smith resta abasourdi.

— Randi, je ne te remercierai jamais trop. Mais il faut que je file.

— Que veux-tu que je fasse du portable et du cellulaire que tu m'as apportés ?

— Est-ce que tu peux mettre ton petit génie au travail là-dessus aussi ?

— Je m'en doutais. Je te rappelle aussitôt que j'ai quelque chose.

Il sortit du bureau, retourna en vitesse au poste de douane et retrouva le fonctionnaire qui l'avait prévenu de cet appel téléphonique.

— J'ai besoin de votre aide, s'écria-t-il d'un ton pressant, en présentant sa carte d'identité militaire. Il y avait un passager à bord du vol 1710. Pouvez-vous savoir s'il a déjà franchi la douane ? Il s'appelle Adam Treloar.

Le fonctionnaire se tourna vers son terminal.

— Je l'ai, ici. Treloar. Passé voici deux minutes environ. Voulez-vous…

Smith avait déjà filé en direction de la zone d'accès réservé du hall, et tout en courant il composa le numéro de Klein.

— Ici Klein.

— Monsieur, c'est Smith. Le type avec Beria est un Américain. Docteur Adam Treloar. Un scientifique de la NASA. Il était à bord du vol Londres-Washington.

— Pouvez-vous mettre la main dessus ? le questionna Klein avec impatience.

— Il a deux minutes d'avance sur moi, monsieur. Je peux le rattraper avant qu'il ne quitte l'aérogare.

— Jon, je suis à Camp David, avec le Président. Ne quittez pas, je vous prie.

En attendant que Klein revienne au bout du fil, Smith continuait de se frayer un chemin dans la foule du hall.

— Jon, écoutez-moi. Nous avons déclenché une alerte Firewall pour Beria. Mais il a réussi à se faufiler entre les mailles du filet. Maintenant que nous savons qui était l'autre personnage sur l'image que nous avons vue, il est impératif de retrouver Treloar. Nous avons des agents du FBI dans le secteur…

— Inutile, monsieur. Les tenir au courant prendra trop de temps. Je pense être mieux placé.

— Alors prenez la main.

Smith se précipita dans le passage souterrain. Il connaissait la topographie de l'aéroport Dulles par cœur. Après le franchissement de la douane et de l'immigration, les passagers traversaient le hall des arrivées pour gagner les autres portes ou, si Washington était leur destination finale, ils pénétraient dans la zone où les bus de transit spécialement prévus à cet effet les attendaient. Ces bus étaient équipés de châssis élévateurs qui amenaient la cabine à hauteur de la salle d'embarquement. Une fois les passagers installés à bord, le châssis s'abaissait et le bus traversait l'aéroport en direction du terminal principal. Là, le processus se répétait, mais en sens inverse, les passagers débarquaient et prenaient la direction des portes de sortie.

Smith dépassa en courant les boutiques et les kiosques à journaux, en s'efforçant de repérer Treloar. Il atteignit l'extrémité du hall, et fit irruption dans une vaste aire d'attente. Le long d'un mur, des portes en verre, du type porte d'ascenseur, permettaient aux passagers d'accéder aux bus. Un seul de ces véhicules était stationné à quai. Il joua des épaules au milieu d'un groupe d'une vingtaine de voyageurs en train d'embarquer.

Ignorant les exclamations de protestation, il se fraya un passage à coups de coude jusqu'à l'intérieur du bus, scrutant visage après visage, les yeux dans les yeux. Il contrôla chaque passager. Treloar n'était pas là.

Il cogna plusieurs coups secs contre la cloison séparant la cabine de l'habitacle du chauffeur. Un visage noir et stupéfait se tourna vers lui, considérant la carte d'identité plaquée contre la vitre.

— Un autre bus vient-il de quitter ce quai ? hurla-t-il.

Le chauffeur eut un mouvement négatif de la tête et fit signe vers un véhicule identique, déjà parvenu à mi-chemin entre les portes d'arrivée et le terminal principal.

Smith fit demi-tour et coupa à travers la foule de plus en plus compacte du bus. Il remarqua une sortie de secours et se rua dans cette direction. Lorsqu'il poussa la porte marquée au pochoir d'un grand pictogramme rouge, des sonneries d'alarme retentirent.

Dévalant la rampe qui conduisait aux aires de stationnement des portes d'embarquement et de débarquement, il avisa la berline d'un superviseur de l'aéroport, stationnée à côté d'un chapelet de chariots à bagages, moteur au ralenti. Sans hésiter, il ouvrit la portière et sauta au volant. Il écrasa la pédale de l'accélérateur et la berline démarra en trombe vers les taxiways, frôlant de peu un camion-citerne arrivant en sens inverse.

La traversée des aires de stationnement lui prit moins de trente secondes. Abandonnant le véhicule, il se rua vers le bus. Comme le châssis se situait à deux mètres cinquante au-dessus du sol, il ne pouvait discerner que les têtes des passagers en train de débarquer.

Franchissant une autre issue de secours à la volée, il déboucha dans une aire d'attente identique, pleine de passagers sur le point d'embarquer. En se retournant, il vit, de dos, les gens qui venaient de descendre du bus. Il scruta cette mer de visages tout autour de lui. Treloar n'avait pas pu filer. Pas aussi vite.

Et c'est alors qu'il l'aperçut, tout d'abord fugitivement. Mais c'était lui, sans méprise possible, derrière les portes coulissantes qui donnaient sur le trottoir extérieur où attendaient des taxis, des limousines et des véhicules individuels.

Bousculant tout le monde, il se rua entre les portes, juste à temps pour apercevoir sa proie qui montait dans une Lincoln noire aux vitres teintées.

— Treloar !

Fonçant sur lui, Smith lut la terreur dans ces yeux bizarres, et remarqua le geste du scientifique, qui serra sa sacoche contre sa poitrine.

Treloar s'engouffra dans la voiture et claqua la portière. Smith atteignit le véhicule juste à temps pour refermer les doigts sur la poignée de portière. Aussitôt, sans avertissement, la limousine démarra dans un crissement de pneus, le projetant en arrière, et il se reçut lourdement sur le trottoir. Il arrondit l'épaule pour absorber le choc et, sur sa lancée, termina en roulade. Le temps qu'il se remette sur pieds, la Lincoln était déjà largement engagée dans la circulation.

Deux policiers de l'aéroport étaient accourus et l'avaient saisi par les bras. Il eut du mal à se faire identifier, gâchant ainsi trente précieuses secondes. Enfin, il put obtenir Klein en ligne.

— Avez-vous relevé le numéro minéralogique ? s'enquit ce dernier après que Smith lui eut décrit le véhicule.

— Non. Mais j'ai pu voir les trois derniers numéros. Et un badge orange collé dans le coin gauche, en bas de la plaque. Monsieur, cette Lincoln portait l'immatriculation d'une agence gouvernementale américaine.

CHAPITRE SEIZE

— Où allons-nous ?

La vitre teintée, quasi opaque, séparant l'avant de l'arrière de la voiture, empêchait Adam Treloar de voir le chauffeur. La voix de l'homme, amplifiée par d'invisibles haut-parleurs, avait un timbre rauque.

— Inutile de vous inquiéter, docteur Treloar. Toutes les dispositions ont été prises. Je vous en prie, installez-vous confortablement et profitez du trajet pour vous détendre. Nous ne communiquerons plus avant d'avoir atteint notre destination.

Le regard de Treloar fusa vers les loquets de condamnation des portières. Il s'escrima pour les relever, mais sans succès.

Qu'est-ce qui se passe, ici ?

Treloar avait beau essayer de se calmer, il ne parvenait pas à effacer l'image de Smith, à bord de l'avion, dans la zone des douanes, Smith qui l'avait repéré, et son expression quand il l'avait reconnu. Pour Treloar, que le bus de transfert ait démarré de son aire d'embarquement avant que l'autre ne parvienne à monter dedans, voilà qui tenait du miracle. Mais cela n'avait pas arrêté son poursuivant pour autant. L'agent était comme un chien enragé, refusant de lâcher prise.

Treloar l'avait entrevu dans le terminal principal, quelques secondes à peine avant qu'il n'en sorte au pas de course. Et puis Smith l'avait presque rattrapé. Treloar avait reculé avec horreur devant la brève apparition de la main se refermant sur la poignée de portière, tâchant de l'ouvrir de force.

Maintenant je suis en sécurité, se répétait-il, en tentant de se rassurer. *La voiture m'attendait, comme ils me l'avaient promis. Là où je vais, Smith ne pourra plus m'atteindre.*

Ce raisonnement logique lui procura un peu de réconfort, mais il ne parvenait tout de même pas à apaiser le feu roulant des questions : pourquoi Smith le pourchassait-il ? le soupçonnait-il de transporter les souches de variole ? Savait-il ?

Impossible !

Treloar était assez bien informé des procédures d'alerte à l'arme biochimique. Si l'autre avait eu le plus infime soupçon qu'il soit le courrier, il se serait fait appréhender avant d'avoir quitté le satellite.

Alors pourquoi ? Qu'est-ce qui avait soufflé à Smith l'idée de tout concentrer sur lui ?

Il se cala contre le cuir moelleux du dossier de la banquette, en regardant au-dehors le paysage qui paraissait plongé dans la nuit. La voiture avalait en vitesse et en douceur l'autoroute qui conduisait des zones industrielles entourant l'aéroport de Dulles vers la ville proprement dite. Le chauffeur ne semblait guère se soucier de se faire arrêter pour excès de vitesse.

En ce qui le concernait, ce n'était pas plus mal. Plus vite ils rejoindraient leur destination, plus vite il obtiendrait les réponses souhaitées.

*

Pour Nathaniel Klein, en revanche, la nouvelle de la fuite d'Adam Treloar tombait, elle, on ne peut plus mal.

— Je sais que vous avez fait de votre mieux, Jon, admit-il, en s'adressant à lui sur une ligne sécurisée. Mais maintenant nous avons un Beria et un Treloar sur les bras.

Smith s'était rencogné contre un pilier à l'extérieur du terminal principal.

— Je comprends, monsieur. Mais concernant Treloar, nous bénéficions d'un coup de chance. Les plaques de la voiture qui est venue le prendre appartenaient au gouvernement.

— Tout en vous écoutant, je les contrôle, lui répondit Klein. Ce que je ne comprends pas, c'est pourquoi il a décampé.

— Parce qu'il est coupable, monsieur, lui répliqua froidement Smith. Treloar n'avait aucune raison de m'éviter. Il est clair qu'il s'est souvenu de notre entrevue à Houston. Dès lors, pourquoi fuir ? De quoi avait-il si peur ? Il hésita un instant. Et où était-il si pressé de se rendre ? Il n'a même pas récupéré son bagage.

— Mais d'après vous, il avait une sacoche.

— Qu'il serrait contre lui comme si elle contenait les bijoux de la couronne.

— Attendez un instant, l'interrompit Klein. À propos de ces plaques, on me sort une information.

Smith entendit le grésillement d'une imprimante, puis Klein revint au bout du fil.

— La voiture qui attendait Treloar est immatriculée à la NASA.

Smith resta stupéfait.

— D'accord. Treloar a suffisamment d'ancienneté et un statut justifiant qu'on lui envoie un chauffeur. Mais cela laisse tout de même une question sans réponse : pourquoi prendre la fuite ?

— Jon, s'il était en fuite, se serait-il organisé pour utiliser un moyen de transport aussi voyant ?

— Naturellement... parce qu'il ne s'attendait absolument pas à me voir ou à être l'objet d'une quelconque attention. Il réfléchit un instant. Monsieur, retrouvons cette voiture et posons-lui la question.

— Nous allons faire mieux encore. Je vais diffuser un avis d'alerte fédérale BOLO sur la personne de Treloar.

Les implications de ce que Klein venait de suggérer étaient d'une portée considérable. Un avis d'alerte BOLO signifiait que toutes les forces de police dans un périmètre de cent cinquante kilomètres autour de la capitale allaient recevoir le signalement du médecin de la NASA, avec ordre de l'appréhender.

— Dans l'intervalle, acheva Klein, je veux que vous me rejoigniez ici à Camp David. Le Président attend une information complète sur Beria. Je veux qu'il entende votre rapport de vive voix.

*

La Lincoln remonta Wisconsin Avenue et s'engagea lentement dans une rue ombragée d'arbres. En qualité d'ancien étudiant diplômé de la faculté de médecine de l'Université de Georgetown, Treloar reconnut le quartier de Volta Place — au voisinage du campus, le coin s'embourgeoisait peu à peu.

Les loquets de condamnation des portes se relevèrent d'un seul coup et le chauffeur lui tint la portière ouverte. Treloar hésita, puis, attrapant sa sacoche, il descendit lentement de la limousine. Il eut alors un premier aperçu du chauffeur — bâti comme un arrière de football américain, le visage carré, impassible — et de sa destination, une agréable maison de ville, récemment rénovée, à la brique peinte en blanc, les volets et la porte rehaussés de boiseries noires.

Le chauffeur ouvrit le portail de la grille en fer forgé qui longeait le petit carré de pelouse.

— Vous êtes attendu, monsieur.

Treloar emprunta l'allée et tendait la main vers le heurtoir en tête de lion, quand la porte s'ouvrit d'un seul coup. Il pénétra dans un vestibule de la taille d'un timbre-poste lambrissé de bois verni et tendu d'un tapis oriental.

— Adam, quel plaisir de vous revoir.

Treloar défaillit presque en entendant la voix de Dylan Reed, à moitié masqué derrière la porte.

— Allons, remettez-vous, le rassura ce dernier, en refermant à clef. Ne vous avais-je pas dit que je serais là ? Tout va bien, à présent.

— Rien ne va bien ! explosa Treloar. Vous ne savez pas ce qui s'est passé à l'aéroport. Smith…

— Je sais très exactement ce qui s'est produit à Dulles, le coupa Reed. Et je suis au courant pour Smith. Il avisa la sacoche. C'est ça ?

— Oui.

Treloar la lui remit et suivit Reed dans une petite cuisine qui donnait sur un patio.

— Excellent travail, Adam, le félicita-t-il. Vraiment excellent.

Attrapant une serviette, il retira le conteneur cylindrique de la sacoche et le rangea au réfrigérateur.

— La charge de nitrogène…, commença Treloar.

Reed consulta sa montre.

— Je sais. Elle conserve encore deux bonnes heures d'efficacité. Ne vous inquiétez pas. D'ici là, nous aurons placé l'objet en lieu sûr. Il désigna une table ronde dans le coin-repas. Pourquoi ne pas vous asseoir. Je vous sers un verre et vous allez pouvoir tout me raconter.

Treloar entendit les cubes de glace s'entrechoquer et le tintement du verre. Lorsque Reed fut de retour, il tenait en main deux grands verres remplis de glaçons et une bouteille d'un whisky de marque.

Après en avoir versé une dose généreuse, il leva le sien :

— Bravo, Adam.

Avalant son whisky d'un trait, Treloar secoua violemment la tête. La sérénité de l'autre l'exaspérait.

— Je vous dis que tout ne va pas bien !

Sous l'effet de l'alcool, les mots se bousculaient dans sa bouche. Il ne garda rien pour lui, divulguant tout, même ses exploits au Krokodil, cela lui étant égal, car Reed lui avait clairement fait comprendre, et depuis longtemps, qu'il savait tout de ses tendances sexuelles. Il lui livra le compte rendu de chaque minute de son voyage, de sorte que Reed puisse bien suivre son raisonnement.

— Enfin, vous ne voyez pas ? le questionnait-il d'un ton plaintif. Smith était sur le même vol que moi, et ça ne pouvait pas être une coïncidence. Il a dû arriver quelque chose à Moscou. Je ne sais pas qui était votre contact, mais il a dû être suivi. Ils nous ont vus ensemble, Dylan. Ils peuvent le relier à moi ! Et après, cette histoire à l'aéroport Dulles… Smith qui essaie de me rattraper. Pourquoi ? À moins qu'il ne sache…

— Smith ne sait rien. Reed versa de nouveau du scotch dans le verre de Treloar. Si vous étiez suspect, ne croyez-vous pas que la moitié du FBI vous aurait attendu à l'arrivée ?

— Mais oui, bien sûr que j'ai réfléchi à ça ! Je ne suis pas idiot. Mais la coïncidence…

— Voilà… Vous venez de prononcer le mot vous-même : « coïncidence ». Reed se pencha en avant, avec une expression des plus sincères. J'estime que tout ça est largement ma faute. Quand vous avez appelé de l'avion, je vous ai fait donner certaines instructions, et je m'aperçois que vous les avez suivies à la lettre. Mais j'ai eu tort. On aurait dû vous dire, au cas où Smith vous aurait approché, de ne surtout pas vous enfuir. De sa part, c'était de la simple curiosité, il se serait souvenu de vous avoir rencontré à Houston. Rien de plus.

— Croyez-moi, il n'y avait pas que ça, lui répliqua Treloar d'un air renfrogné. Vous n'étiez pas présent.

Exact. Mais vous n'étiez jamais très absent de mes pensées…

— Adam, écoutez-moi, insista Reed. Vous êtes en sécurité. Vous avez fait le nécessaire et vous êtes parvenu à rentrer au bercail. Réfléchissez : que peuvent-ils vous reprocher ? Vous êtes allé vous recueillir sur la tombe de votre mère. Tout ça est clairement établi. Vous vous êtes offert un petit tour dans Moscou. Rien de répréhensible à cela. Ensuite vous êtes rentré. L'aéroport ? Vous étiez pressé. Vous n'aviez pas le temps d'aller récupérer votre bagage. Et Smith ? En réalité, vous n'avez même pas eu l'occasion de vraiment voir si c'était lui, vous me suivez ?

— Mais d'abord, pourquoi en avait-il après moi ? s'enquit Treloar.

Là, Reed dut l'admettre, pour parvenir à ses fins, il lui fallait lâcher une part de la vérité.

— Parce que votre contact à Cheremetevo s'est laissé prendre dans le champ d'une caméra... et vous avec. Treloar lâcha un geignement. Écoutez-moi, Adam ! Ils possèdent une cassette vidéo où deux hommes sont assis côte à côte dans un aéroport. C'est tout ce dont ils disposent. Aucun enregistrement sonore, rien qui vous relie l'un à l'autre. Mais comme ils savent ce que transportait le courrier, ils contrôlent un peu tout le monde.

— Ils savent pour la variole, lâcha Treloar d'une voix morne.

— Ils savent que des échantillons manquent. Et que le courrier les avait sur lui. Mais c'est après lui qu'ils en ont, pas après vous. Personne ne vous soupçonne de rien. Il se trouve simplement que vous étiez assis à côté de ce type.

Treloar se passa les deux mains sur la figure.

— Je ne sais pas si je vais tenir le coup, Dylan... S'ils m'interrogent.

— Vous allez très bien vous en sortir parce que vous n'avez rien à vous reprocher, lui répéta Reed. Même si l'on vous soumettait au détecteur de mensonges, que pourriez-vous leur révéler ? Connaissiez-vous l'identité de l'homme assis à vos côtés ? Non. Étiez-vous censé le rencontrer ? Non. Parce que le contact aurait tout aussi bien pu être une femme.

Adam Treloar avala encore un peu de scotch. À voir

la situation sous cet angle, il se sentit un peu mieux. Il y avait tant de questions auxquelles il pouvait répondre non.

— Je suis épuisé, avoua-t-il. J'ai besoin d'un peu de sommeil, de m'étendre un peu quelque part où personne ne viendra me déranger.

— C'est déjà prévu. Le chauffeur va vous emmener au Four Seasons. Il y a une suite là-bas qui vous attend. Prenez tout le temps qu'il vous faudra. Rappelez-moi plus tard.

En le prenant par l'épaule, Reed le raccompagna vers la porte.

— La voiture est dehors. Merci, Adam. Tous, nous vous remercions. Votre contribution nous aura été précieuse.

Treloar avait la main sur la poignée de porte.

— L'argent ? demanda-t-il dans un souffle.

— Une enveloppe vous attend à l'hôtel. À l'intérieur, vous trouverez deux chiffres. L'un correspond au compte, l'autre au numéro de ligne directe de la banque zurichoise.

Le médecin de la NASA sortit dans le crépuscule. Le vent s'était levé et il frissonna. Il se retourna une fois encore et ne vit plus que la porte noire et close.

La voiture n'attendait pas devant la maison. Treloar regarda des deux côtés de la rue, avant de la remarquer un peu plus loin le long du pâté de maisons. Il crut comprendre pourquoi : il n'y avait pas de place de stationnement.

Il prit le trottoir, le whisky lui réchauffait les entrailles, il se répéta les paroles rassurantes de Reed. Ce dernier avait raison : tous ces événements de Russie étaient derrière lui. Personne ne détenait la moindre preuve contre lui. En outre, il en savait tellement sur Reed, Bauer et les autres qu'ils allaient être obligés de le protéger, pour toujours.

L'idée de posséder un tel pouvoir l'apaisa. Levant les yeux, il s'attendait à découvrir la Lincoln sur sa gauche. En réalité, elle était plus loin, à un jet de pierre de Wisconsin Avenue. Il remua la tête. Il était plus fatigué qu'il n'avait cru, il avait du mal à évaluer la distance. Là-dessus, il entendit un léger claquement de semelles sur le béton, des pas qui se rapprochaient.

Treloar vit d'abord les mocassins, puis les jambes du pantalon, avec leur pli affûté comme une lame de rasoir. Quand il leva les yeux, la silhouette n'était qu'à une soixantaine de centimètres de lui.

— Vous !

Il écarquilla tout grand les yeux, dévisagea Ivan Beria.

Beria s'approcha vivement de lui. Treloar put renifler son haleine, il perçut le sifflement feutré qui s'échappait de ses narines.

— Tu m'as manqué, lui fit le tueur à mi-voix.

Treloar poussa un léger cri quand une douleur aiguë lui transperça la poitrine. L'espace d'un instant, il crut faire une crise cardiaque.

— Quand tu étais petit garçon, est-ce que tu perçais les ballons avec une aiguille ? En fait, c'est ça, c'est tout. Rien qu'un ballon.

De façon ridicule, Treloar se raccrocha à cette image tandis que le bout du stylet de Beria lui vrillait le cœur. Il lâcha un soupir, un seul, et sentit l'air s'échapper de ses poumons. Gisant là, sur le trottoir, il put discerner les gens qui marchaient dans Wisconsin Avenue, et Beria qui descendait du trottoir. Il dut essayer d'appeler à l'aide, car le tueur se retourna et le regarda. Ensuite, il ferma les yeux, et la portière de la Lincoln se referma elle aussi.

*

À la seconde où il avait refermé la porte sur lui, le docteur Dylan Reed avait éjecté Adam Treloar de son esprit. Ayant personnellement pris toutes les dispositions, il savait ce qui attendait l'infortuné scientifique. Le temps qu'il regagne la cuisine, le docteur Karl Bauer et le général Richardson — ce dernier vêtu en tenue civile — l'attendaient.

Richardson brandit un téléphone portable.

— Beria vient de m'appeler. C'est fait.

— Alors il faut y aller, lui rétorqua Reed.

Il jeta un coup d'œil à Bauer, qui avait déjà sorti le conteneur de la variole du compartiment à glace et l'ouvrait sur le comptoir de la cuisine. Il y avait à ses pieds un coffret ultraléger en titane, de la taille d'une glacière de pique-nique.

— Êtes-vous certain de vouloir vous occuper de ça ici, Karl ?

Avant de répondre, Bauer acheva d'ouvrir le conteneur.

— Ouvrez le coffret, je vous prie, Dylan.

Reed s'agenouilla et tira sur les poignées. Il y eut un sifflement étouffé lorsque les volets étanches s'écartèrent.

L'intérieur était d'une taille étonnamment réduite, mais Reed savait qu'en réalité ce coffret était une pure et simple réplique, en version plus grande, du conteneur rapporté de Russie. Ses parois épaisses étaient

281

garnies de cartouches de nitrogène liquide, qui, une fois complètement activées, maintiendraient l'intérieur à une température stable de – 200 °C. Conçu par Bauer-Zermatt A.G., ce coffret était l'outil standard pour le transport des cultures toxiques.

Protégé par de gros gants spécialement doublés, Bauer procéda à l'extraction du compartiment intérieur, dans lequel étaient logées les ampoules. Elles lui évoquaient des missiles miniatures, alignés pour le tir. À ceci près qu'une fois modifiées, elles seraient bien plus destructrices que tout l'arsenal nucléaire américain.

Bauer avait beau manipuler des virus depuis plus de quarante ans, il n'oubliait jamais à quoi il avait affaire. Il s'assura de sa prise et qu'il n'y avait aucune humidité sur le comptoir ou près de ses pieds, avant de lentement abaisser le compartiment dans un logement spécialement aménagé à l'intérieur du coffret. Refermant le couvercle, il composa une combinaison sur le pavé alphanumérique de sécurité et régla la température.

Il releva les yeux et fit :

— Messieurs, l'heure tourne.

Les maisons mitoyennes de Volta Place partageaient toutes une caractéristique : chacune d'entre elles possédait un petit garage vers l'arrière, qui ouvrait sur une allée. Reed et Richardson portèrent le coffret jusque dans le garage et le chargèrent dans le coffre d'un break Volvo. Bauer recula un instant afin de s'assurer que rien de ce qui pourrait relier les trois hommes à cet endroit ne demeurait derrière eux. Il ne se souciait guère des empreintes digitales, des fibres d'étoffe ou autres menus détails dont étaient friands les experts médico-légaux : d'ici quelques minutes, une équipe spéciale de nettoyage de la NSA allait arriver pour laver et aspirer tout à l'intérieur. La NSA entretenait ainsi plusieurs maisons sûres dans le périmètre de Washington. Pour les agents chargés du nettoyage, cette maison-ci ne représentait qu'une étape comme une autre dans un emploi du temps chargé.

Lorsque Bauer se rendit au garage, il entendit le ululement des sirènes qui s'approchaient en direction de Wisconsin Avenue.

— Il semblerait qu'Adam Treloar soit sur le point de tenir son rôle final, murmura-t-il tandis que les trois hommes montaient dans le break.

— Dommage qu'il ne soit pas là pour lire la presse, ironisa Reed, et il engagea la voiture dans l'allée.

CHAPITRE DIX-SEPT

Peter Howell se tenait à hauteur du tiers supérieur du large escalier qui menait à la Galleria Regionale, via Alloro. Le musée le plus prestigieux de Sicile s'enorgueillissait de toiles d'Antonello da Messina, ainsi que d'une fresque magnifique du XVe siècle, le *Triomphe de la Mort*, de Laurana, qui plaisait particulièrement à Howell.

Restant très à l'écart des touristes qui gravissaient et descendaient les marches, aux aguets de tout individu susceptible de lui porter un intérêt excessif, Howell sortit son téléphone sécurisé et composa le numéro que Jon Smith lui avait confié.

— Jon ? Ici Peter. Il faut qu'on se parle.

À plus de six mille kilomètres de là, Smith s'arrêta sur l'accotement meublé de la route nationale 77.

— Vas-y, Peter.

Sans cesser de surveiller les allées et venues des piétons dans le musée, Howell lui décrivit son rendez-vous avec le contrebandier, Franco Grimaldi, la tentative de meurtre qu'il avait déjouée, et sa rencontre avec le caporal-chef Travis Nichols et son acolyte, Patrick Drake.

— Tu es sûr qu'il s'agissait de militaires américains ? s'enquit Smith.

— Absolument, lui répliqua Howell. J'ai fait le guet au bureau de poste, Jon. Un officier s'est présenté à cette boîte, poste restante, tout cela confirmant les informations de Nichols. Mais je n'ai pas eu la possibilité de le prendre sur le fait... et je n'ai aucun moyen non plus de pénétrer sur votre base dans la périphérie de Palerme. Howell s'accorda un instant de réflexion. Qu'est-ce qu'ils fabriquent, tes petits soldats, Jon ?

— Crois-moi, j'aimerais beaucoup le savoir.

L'apparition soudaine de personnels militaires américains — des soldats œuvrant à titre d'assassins — ajoutait une dimension nouvelle à une équation déjà complexe, et qui exigeait un traitement immédiat.

— Si Nichols et son acolyte étaient des tueurs patentés, quelqu'un devait bien les payer, conclut Smith.

— Exactement ce que je pense, confirma Howell.

— Tu as la moindre idée d'un moyen de ferrer le bras financier de l'affaire ?

— Justement, oui, lui répliqua Howell, et il s'expliqua.

*

Dix minutes plus tard, Smith reprenait la route 77. À son arrivée à l'entrée de Camp David, une escorte militaire le prit en charge jusqu'à Rosebud, le bungalow des invités le plus voisin d'Aspen. Là, il retrouva Klein assis en face d'une cheminée en pierre, en plein entretien téléphonique.

Klein fit signe à Smith de s'asseoir, acheva sa conversation par monosyllabes, et se tourna vers lui.

— C'était Kirov. Ses gens sont en train d'interroger

tout le monde au sein du complexe de Biopreparat, pour tenter de remonter la piste des contacts de Yardeni. Jusqu'à présent, chou blanc. Cette espèce de canaille de Yardeni semble avoir été muet comme une tombe. Il ne s'est pas baladé à dépenser un argent qu'il n'était pas censé avoir, ou à se vanter de bientôt vivre la grande vie à l'Ouest. Personne ne se souvient de l'avoir vu avec des étrangers. Kirov est en train de contrôler ses appels téléphoniques et son courrier, mais je ne retiens pas particulièrement mon souffle.

— Donc ceux qui ont contacté Yardeni l'ont fait avec une extrême prudence, observa Smith. Ils se sont assurés qu'il était l'homme de la situation pour ce boulot... pas de famille, corrompu, bref, un individu qui la bouclerait.

— C'est aussi mon avis.

— De quoi d'autre Kirov dispose-t-il ?

— De rien. Et il le sait. Klein s'ébroua. Ce problème étant devenu largement le nôtre, il a fait en sorte de ne pas trop montrer son soulagement. Cela dit, je ne peux pas lui jeter la pierre.

— Monsieur, ce sont tout de même des souches de variole russes qui sont à l'origine de tout ça. Si la nouvelle filtre...

— La nouvelle ne filtrera pas. Klein consulta sa montre. Le Président attend mon appel d'ici un quart d'heure. Qu'avez-vous à lui transmettre ?

Smith s'exprima de manière brève et succincte, rapportant tout ce qui s'était passé en Russie ainsi que sa confrontation avec Treloar à l'aéroport de Dulles. Klein haussa les sourcils, très surpris d'apprendre que des soldats américains étaient désormais impliqués dans l'affaire. Ensuite il développa ses suggestions quant au cours ultérieur des événements.

Klein prit le temps de peser tous ces éléments.

— Pour l'essentiel, je vous suis, approuva-t-il enfin. À deux ou trois éléments près, qui me paraissent difficiles à vendre.

— Je ne vois pas d'alternative, monsieur.

La réponse de Klein fut interrompue par un appel que lui transmit sa secrétaire. Smith vit son chef qui écoutait, et remarqua une lueur dans ses yeux.

Masquant le combiné de la main, il chuchota :

— Le BOLO a épinglé Treloar !

Smith se pencha en avant sur son siège, mais déjà le visage de Klein s'affaissait.

— Vous êtes sûr ? insista-t-il. Puis, après un temps de silence : Pas de témoins ? Personne n'a rien vu ?

Klein écouta encore, puis il ordonna :

— Je veux les rapports des inspecteurs et les photos de la scène du crime en télécopie à mon bureau, tout de suite. Et oui, annulez le BOLO.

Le combiné claqua sur son support.

— Treloar, fit Klein, en serrant les mâchoires. Les flics de Washington l'ont retrouvé à Volta Place, près de Wisconsin Avenue, poignardé, mort.

Smith ferma les yeux, se remémorant ce personnage chauve, apeuré, avec ses drôles d'yeux.

— Ils sont formels ?

— Un passeport et d'autres pièces d'identité ont été retrouvés sur le cadavre. C'est lui. Quelqu'un s'est approché de lui, de très près, et, d'après les flics, lui a planté un stylet dans le cœur. Selon eux, il doit s'agir d'une agression.

— Une agression… Ont-ils trouvé quoi que ce soit sur le corps, un sac ?

— Rien.

— A-t-il été dévalisé ?

— Son argent et ses cartes de crédit avaient disparu.

— Mais ni son portefeuille ni son passeport. Il fallait qu'il nous laisse ces pièces pour faciliter l'identification. Smith secoua la tête. Beria. Celui qui employait Treloar savait que c'était le maillon faible. Ils se sont servis de Beria pour se débarrasser de lui.

— Eux, c'est-à-dire… ?

— Je n'en sais, rien monsieur. Mais la livraison a été faite. «Ils» ont la variole. Treloar était sacrifié.

— Beria…

— C'est pour ça que Beria est allé à Saint-Pétersbourg, c'est pour ça qu'il était à bord de ce vol Finnair. Il n'était pas en fuite. Il est venu éliminer le maillon faible.

— N'importe qui aurait pu se charger de ça.

— De l'exécution ? Oui. Mais ne valait-il pas mieux se servir de l'homme qui nous est… ou qui nous était… inconnu ? Nous possédons un signalement, mais pas d'empreintes digitales, aucune réelle connaissance de ses mouvements ou de sa méthodologie. Beria est parfait car il est aussi anonyme qu'un assassin peut l'être.

— Donc il y a bel et bien eu échange à Cheremetevo.

Smith approuva d'un hochement de tête.

— Treloar avait la variole tout ce temps sur lui. Il réfléchit. Et moi, pendant tout ce temps, j'étais assis à dix mètres de lui.

Sans quitter Smith des yeux, Klein décrocha le téléphone.

— Ne faisons pas attendre le Président.

*

Smith fut surpris de voir le chef de l'exécutif en tenue décontractée et dans ce décor informel. Après que Klein eut fait les présentations, Samuel Adams Castilla prit la parole :

— Votre réputation vous précède, colonel Smith.

— Merci, monsieur le Président.

— Donc, quels sont les derniers développements ?

Klein attaqua sur le meurtre d'Adam Treloar et sur sa prise en compte dans la situation d'ensemble.

— Treloar, s'enquit le Président. Avez-vous un moyen quelconque de vous en servir pour remonter la piste jusqu'aux autres conspirateurs ?

— Croyez-moi, monsieur, nous allons examiner sa vie entière au microscope, lui affirma Klein. Mais je ne nourris guère d'espoir. Les gens auxquels nous avons affaire se sont montrés extrêmement méticuleux dans le choix de leurs alliés. Cet individu, en Russie… Yardeni… n'a fourni aucun indice sur l'identité de ses commanditaires. Il en sera probablement de même concernant Treloar.

— Revenons à ces « gens » dont vous parlez. Croyez-vous qu'il puisse s'agir de ressortissants étrangers ? D'un individu comme Oussama Ben Laden ?

— Je ne vois pas la main de Ben Laden dans tout ceci, monsieur le Président. Klein consulta Smith du regard. Le fait que les conspirateurs aient le bras aussi long… depuis la Russie jusqu'à la NASA, à Houston…

indique un certain degré de sophistication. Des personnages suffisamment au fait de notre modus operandi et de celui des Russes, de l'endroit où nous conservons nos pièces maîtresses les plus précieuses, et comment nous les protégeons.

— Laisseriez-vous entendre que quelqu'un dans ce pays aurait orchestré ce vol en Russie ?

— La variole est présente chez nous, monsieur le Président. L'homme qui l'a volée, l'homme qui l'a transportée, tous deux sont morts des mains d'un assassin qui, jusqu'à une date récente, était à peu près inconnu à l'Ouest. Il n'y a aucune filière arabe dans cette affaire. Ajoutez à cela que le matériau auquel nous sommes confrontés n'est pas seulement mortel, mais qu'il requiert des équipements de pointe pour être transformé en arme biochimique. Et enfin, il y a cette implication de personnels militaires américains, tout au moins en périphérie de l'affaire.

— De personnels militaires américains ? s'écria le Président.

Klein se tourna vers Smith, qui livra au chef de l'exécutif un résumé des épisodes survenus à Palerme.

— Je vais creuser dans l'entourage de ces deux soldats, monsieur le Président, affirma Klein, puis il observa un temps de silence. Donc, la réponse à votre question est oui... il est très vraisemblable que quelqu'un, ici, mène la danse.

Il fallut un moment au Président pour encaisser le coup.

— Monstrueux, chuchota-t-il. Incroyable, monstrueux. Monsieur Klein, si nous savions pourquoi ces gens veulent cette variole, cela ne nous éclairerait-il cain, était assis derrière un bureau en lamellé de pin, occupé à étudier des documents. Vêtu d'un cardigan enfilé sur une chemise en jean, l'ancien gouverneur du Nouveau-Mexique se leva et tendit à Klein sa main enveloppante et hâlée. Derrière les lunettes à monture en titane, les yeux froids et gris ardoise jaugeaient le visiteur.

— D'ordinaire, je dis toujours que je suis ravi de vous voir, Nate, fit le Président. Mais comme vous avez évoqué l'urgence…

— Je suis désolé d'empiéter sur vos moments de détente, monsieur le Président, mais cela ne peut pas attendre.

Castilla se passa la paume de la main sur sa barbe du jour.

— Cela a-t-il un rapport avec ce que nous avons évoqué à Houston?

— Malheureusement oui.

Le Président désigna l'un des canapés.

— Éclairez ma lanterne, fit-il brusquement.

Cinq minutes plus tard, Castilla en savait davantage qu'il n'aurait souhaité.

— Que préconisez-vous, Nate? demanda-t-il calmement.

— Déclencher Firewall, répondit Klein avec fermeté. Nous ne voulons voir aucun de ces passagers sortir du terminal.

Développé en collaboration avec la FAA[1], le FBI et le Pentagone, Firewall était la réponse réservée à toute incursion terroriste sur le territoire des États-Unis. Si

----

1. Federal Aviation Association, la Direction générale de l'aviation civile américaine.

l'alarme était lancée suffisamment tôt, la totalité des points d'entrée sur le territoire seraient investis par des fonctionnaires des services de sécurité attendant une cible dont la description et le signalement étaient déjà connus. Klein savait qu'il était trop tard pour mettre ce dispositif en œuvre à l'aéroport de Dulles. Le maximum qu'il pouvait faire, c'était d'alerter tous les fonctionnaires en uniforme ou en civil à l'intérieur de l'infrastructure aéroportuaire et de lancer la chasse. Ces agents seraient en plein déploiement d'urgence que déjà la FAA télécopierait la liste des passagers au poste central de commandement.

Le Président le dévisagea, approuva de la tête et décrocha le téléphone. En quelques secondes, il avait en ligne Jerry Matthews, le directeur du FBI, et il lui expliquait ce qu'il convenait de faire.

— Je n'ai guère le temps d'entrer tout de suite dans les détails, Jerry. Lancez Firewall. Pendant que nous nous parlons, je vous télécopie le signalement du suspect.

Le Président prit le portrait-robot que Klein lui tendait et le glissait dans l'appareil.

— De son vrai nom, Ivan Beria, Jerry. De nationalité serbe. Mais il se fait appeler John Strelnikov et voyage sous un faux passeport américain. Il n'est pas, je répète, il n'est pas citoyen américain. Et… Jerry ? C'est une situation de niveau cinq.

Ce niveau de classement était le plus élevé possible, indiquant que l'individu en question était non seulement armé et dangereux, mais aussi considéré comme un danger patent et immédiat pour la sécurité nationale.

Le Président raccrocha et se tourna vers Klein.

— Il me contacte à nouveau dès que l'opération

Klein regarda fixement à travers le pare-brise les bungalows qui étaient maintenant en vue.

— Général, il faut que je vous rappelle.

— Je comprends. Dieu vous garde, monsieur.

Klein passa devant les habitations rustiques jusqu'à ce qu'il aperçoive la plus grande, en face d'un petit étang. Il s'arrêta, sortit et gagna en vitesse la porte d'entrée. Nathaniel Klein venait d'arriver à Aspen, la résidence présidentielle à Camp David.

Aménagé en 1938 comme lieu de retraite pour Franklin Delano Roosevelt, le domaine connu sous le nom de Camp David avait d'abord reçu la dénomination de Parc de Manifestations et de Loisirs de Catocin, réservé à certains fonctionnaires fédéraux et à leurs familles. Sa clôture de sécurité entourait soixante-deux hectares de terrain abrités par d'épais bois de chênes, de noyers blancs d'Amérique, de trembles, de peupliers et de frênes. Les pavillons des invités — utilisés par les dignitaires étrangers, les amis et la famille du Président et d'autres visiteurs — étaient situés dans un parc privé et reliés à la résidence présidentielle d'Aspen par un réseau de sentiers.

À travers les arbres, Klein aperçut Marine One, l'hélicoptère présidentiel. Étant donné les circonstances, il n'était pas mécontent de savoir que le temps de vol jusqu'à Washington n'excédait pas une trentaine de minutes.

L'agent des services secrets lui ouvrit la porte et Klein entra dans un petit vestibule lambrissé de pin. Un deuxième agent le précéda dans la traversée d'un salon accueillant, avant de l'introduire dans la vaste pièce confortable qui tenait lieu de bureau présidentiel.

Samuel Adams Castilla, le chef de l'exécutif améri-

— Bien, général.

— J'ai une information. Il y eut une légère hésitation, comme si le Russe tâchait de trouver les mots justes. Enfin, ces mots sortirent d'un seul coup. Beria a bien rallié Saint-Pétersbourg, exactement comme vous le soupçonniez. Franchement, je suis dans l'incapacité de comprendre comment c'est possible.

— Êtes-vous sûr de cette information ? lui demanda Klein.

— Affirmatif. Un chauffeur de bus a été arrêté à un barrage sur l'autoroute Moscou — Saint-Pétersbourg. On lui a montré une photographie et il a identifié Beria.

— À quelle distance ce barrage se trouvait-il de Saint-Pétersbourg ?

— Là, nous avons un peu de chance : à une heure seulement. J'ai immédiatement concentré mes forces dans la ville, en particulier à l'aéroport. À cette heure-là, aucun appareil d'aucune compagnie américaine n'avait encore quitté l'aéroport.

Klein respira un peu plus facilement. Quelle que soit la destination de Beria, ce n'était pas les États-Unis.

— Mais un vol Finnair a décollé voici presque dix heures, ajouta Kirov. Qui transporte un groupe de touristes américains.

Klein ferma les yeux.

— Et ?

— Le fonctionnaire de l'immigration se souvient que le responsable du groupe lui a remis une pile de passeports. Il a pris le temps de les passer en revue. L'un des noms a retenu son attention, un nom russe sur un passeport américain. Ivan Beria se nomme désormais John Strelnikov. Si le vol Finnair est à l'heure, il atterrira à l'aéroport Dulles dans une quinzaine de minutes.

Dionetti ramassa le courrier qui l'attendait dans le vestibule. Passant au salon, il s'installa dans un fauteuil club et, avec son coupe-papier, ouvrit la lettre de la banque Offenbach, à Zurich. Il but quelques gorgées de son apéritif en croquant quelques olives noires de Kalamata, tout en examinant son relevé de compte. On pouvait penser ce qu'on voulait des Américains (il n'y avait rien de bon à en penser), mais ils ne manquaient jamais d'honorer un paiement.

Marco Dionetti ne se préoccupait guère du contexte. Cela lui était égal de savoir pourquoi les frères Rocca avaient dû tuer, ou pourquoi ils avaient dû mourir. À la vérité, le seul acte qui lui pesait sur la conscience, c'était d'avoir vendu Peter Howell. Mais Howell s'était rendu en Sicile et on n'entendrait plus jamais parler de lui. Entre-temps, l'héritage des Dionetti, grâce aux dollars américains, continuerait de prospérer.

Après une douche rafraîchissante, Dionetti se fit servir son repas solitaire à la grande table où trente personnes pouvaient aisément prendre place. Quand le café et le dessert furent servis, il congédia ses domestiques, qui se retirèrent dans leurs appartements du quatrième étage. Perdu dans ses pensées, Dionetti grignota des fraises arrosées de Cointreau et rêva au lieu de ses prochaines vacances, grâce aux largesses de ces Américains.

— Bonsoir, Marco.

Dionetti manqua s'étouffer avec les fruits qu'il avait en bouche. Interdit, il dévisagea Peter Howell qui entrait dans la salle aussi calmement que s'il y avait été invité, et qui prit un siège à l'autre bout de la table.

Dionetti sortit promptement un Beretta de sa poche

de smoking, en le braquant vers l'autre extrémité de ces six mètres de bois de cerisier.

— Que fais-tu ici ? questionna-t-il d'une voix âpre.

— Pourquoi, Marco ? Serais-je censé être mort ? C'est ce qu'ils t'ont raconté ?

La bouche de Dionetti se tordit comme celle d'un poisson échoué.

— Je ne vois pas de quoi tu veux parler !

— Alors pourquoi pointer un pistolet sur moi ?

Très prudemment, Howell ouvrit la paume de la main et posa un petit flacon sur la table.

— Ton dîner t'a plu, Marco ? Le *risotto di mare* sentait fort bon. Et les fraises… elles t'ont plu ?

Dionetti fixa le flacon du regard, puis les quelques fraises dans le fond de son bol. Il tâcha d'écarter les sombres déductions qui lui assaillaient l'esprit.

— As-tu deviné que je m'étais arrangé pour empoisonner ces fruits, Marco ? Après tout, j'ai réussi à franchir ton système de sécurité. Tes domestiques n'ont jamais soupçonné la moindre présence dans la maison. Aurait-il été si compliqué de verser un peu d'atropine dans ton dessert ?

Le canon du pistolet se mit à vaciller, car les propos de Howell commençaient à porter. L'atropine était un poison naturel, que l'on extrayait de la famille des belladones. Inodore, incolore, il tuait en s'attaquant au système nerveux central. Pris à la gorge, Dionetti tâcha de se rappeler à quelle vitesse le poison agissait.

— Sur un individu de ta taille et de ta corpulence, je dirais environ quatre, cinq minutes… vu la quantité que j'ai employée, l'informa Howell. Il tapota le flacon sur la table. Mais voici l'antidote.

— Pietro, il faut que tu comprennes…

— Je comprends surtout que tu m'as trahi, Marco, lui rétorqua sèchement Howell. C'est tout ce que j'ai besoin de comprendre. Et si tu ne possédais pas une information dont j'ai besoin, à l'heure qu'il est tu serais mort.

— Mais je peux te tuer, là, tout de suite ! siffla Dionetti.

Howell secoua la tête avec un air de reproche.

— Tu as pris une douche, tu t'en souviens ? Tu as laissé ton pistolet dans son étui, sur le rebord de la douche. J'ai retiré les balles, Marco. Tire, si tu ne me crois pas.

Dionetti pressa la détente. Tout ce qu'il entendit, ce fut une série de cliquettements, comme ceux des clous que l'on enfoncerait dans le bois de son cercueil.

— Pietro, je te jure…

Howell leva la main.

— Pour toi, le temps est crucial, Marco. Je sais que des soldats américains ont liquidé les Rocca. Tu les as aidés ?

Dionetti se passa la langue sur les lèvres.

— Je leur ai dit comment les Rocca avaient prévu de s'enfuir.

— Et comment savais-tu cela ?

— J'ai reçu mes instructions par téléphone. La voix était modifiée électroniquement. On m'a dit d'abord d'aider les Rocca, ensuite les soldats suivraient.

— Et moi.

Dionetti agita la tête en tous sens, avant de reconnaître.

— Et toi, chuchota-t-il.

Il avait la bouche sèche. Sa voix semblait venir de

très, très loin. Il sentit son cœur cogner contre sa cage thoracique.

— Pietro, je t'en prie ! L'antidote…

— Qui te paie, Marco ? lui demanda Howell d'une voix feutrée.

Ce serait une perte de temps de questionner Dionetti au sujet des Américains. Jamais ils ne se seraient dévoilés à lui. Suivre la piste de l'argent versé pour ces meurtres, c'était là son meilleur atout.

Howell frappa contre le bois de la table quelques coups secs avec le flacon.

— Marco…

— Herr Weizsel… la banque Offenbach, à Zurich. Pour l'amour du ciel, Pietro, donne-moi l'antidote !

Howell fit glisser son téléphone cellulaire le long de la table.

— Appelle-le. Je suis convaincu qu'un client de ta stature possède son numéro de domicile. Fais en sorte que je puisse entendre les codes d'accès.

Dionetti récupéra maladroitement le téléphone et frappa sur les touches. Il attendit la connexion, sans pouvoir quitter le flacon des yeux.

— Pietro, je t'en prie !

— Chaque chose en son temps, Marco. Chaque chose en son temps.

CHAPITRE DIX-HUIT

Le LearJet se posa sur la piste de l'aéroport de Kona, sur Big Island, peu avant le crépuscule, heure de Hawaï. Sous la supervision de Bauer, trois techniciens débarquèrent le conteneur du virus et le placèrent à bord d'un véhicule blindé qui attendait là. Le trajet jusqu'aux locaux de Bauer-Zermatt dura quarante-cinq minutes.

Le complexe ayant été jadis une infrastructure de recherche médicale de l'armée, il satisfaisait à certaines exigences en matière de construction. Pour empêcher toute intrusion éventuelle et éviter que des microbes extrêmement meurtriers n'essaiment dans la population de l'île, la zone entre la falaise et les champs de lave avait été excavée. Cette fosse géante avait été tapissée de milliers de mètres cubes de béton, de manière à former une énorme coque multicouches. Ensuite, cette coque avait été subdivisée en trois niveaux, ou secteurs, la plus enfouie étant réservée aux laboratoires qui abriteraient les virus les plus dangereux. Lorsque Bauer avait repris ces installations, tout ce dont il avait besoin était déjà pratiquement en place. Au bout d'un an et d'une centaine de millions de dollars d'investissements, les modernisations nécessaires étaient terminées et l'opération était entrée dans sa phase active.

Une fois le véhicule blindé en sûreté à l'intérieur d'un immense garage, le conteneur fut déchargé sur un chariot mécanisé, qui l'emporta vers un ascenseur tout prêt. Trois étages plus bas, Bauer fut accueilli par Klaus Jaunich, chef du personnel de recherche trié sur le volet. Jaunich et son équipe de six scientifiques avaient été transférés ici depuis le siège du groupe à Zurich dans le but précis de travailler sur la variole. Tous, ils secondaient Bauer depuis des années. Tous, ils avaient profité de son association avec lui, au-delà de leurs rêves les plus fous.

Et tous comprennent que je détiens des secrets susceptibles de les anéantir en l'espace d'un instant, songea Bauer, en souriant à Jaunich.

— Je suis bien content de vous voir, Klaus.

— Tout le plaisir est pour moi, *herr direktor*.

Jaunich était un modèle de contrastes. Cet homme grand, la carrure d'un ours, la fin de la cinquantaine, était pourvu d'une voix d'une douceur inusitée. Son visage rondouillard et barbu évoquait un bûcheron, et pourtant cette apparence était aussitôt dissipée dès qu'il souriait, révélant de menues quenottes de bambin.

Jaunich fit un geste à ses deux assistants qui attendaient, en combinaison de confinement orange, l'air de deux astronautes. Ils soulevèrent le conteneur du chariot et, en le portant à deux, se dirigèrent vers la première des quatre chambres de décontamination, qui formaient autant d'étapes vers le laboratoire lui-même.

— Le *direktor* souhaite-t-il suivre la procédure? s'enquit Jaunich.

— Naturellement.

298

Jaunich ouvrit la marche en direction d'une mezzanine enceinte de verre, qui surplombait les chambres de décontamination et le laboratoire. De là-haut, Bauer regarda l'équipe de deux hommes qui avait pris livraison du colis passer d'une chambre à une autre. La procédure de décontamination n'étant nécessaire que pour quitter le laboratoire, y entrer ne prenait que quelques minutes.

À l'intérieur du laboratoire, l'équipe ouvrit le coffret. Bauer se pencha en avant et parla dans le micro.

— Soyez très prudents lors du transfert, conseilla-t-il aux deux hommes.

— *Ja, herr direktor*, fit une voix grêle dans les haut-parleurs.

Bauer se raidit lorsque le duo de techniciens plongea les mains dans le nuage de nitrogène pour en retirer lentement l'espèce de barillet de revolver qui abritait les ampoules. Dans le fond, la porte du réfrigérateur de la taille d'une chambre forte, guère différent du « distributeur de Coca » de Biopreparat, s'ouvrit.

— Nous n'avons pas beaucoup de temps, murmura Bauer. Le reste de l'équipe est-il prêt ?

— Plus que prêt, lui assura Jaunich. L'ensemble du processus sera terminé d'ici moins de huit heures.

— Vous entamerez la procédure sans moi, annonça Bauer. Je vais me retirer, et puis je vous rejoindrai pour les dernières étapes du processus de recombinaison.

Jaunich hocha la tête. À l'évidence, Bauer voudrait être présent pour le début de ce qui serait considéré ultérieurement comme une étape marquante de l'ingénierie biochimique. Mais quelles qu'elles soient, les conditions dans lesquelles le virus de la variole avait été acheminé jusqu'ici avaient manifestement prélevé leur dîme sur le vieux savant. Avant de se risquer dans l'ambiance sous haute tension du laboratoire, il avait besoin de repos.

— Soyez certain que chaque étape de la procédure sera enregistrée sur vidéocassette, *herr direktor*.

— Comme il se doit, insista Bauer. Ce que nous allons accomplir ici aujourd'hui n'a jamais été tenté auparavant. À Biopreparat, les Russes en étaient incapables. Les Américains avaient trop peur, ne serait-ce que pour essayer. Pensez, Klaus : les premières étapes de l'altération génétique d'un des plus grands fléaux de l'humanité, le début d'une transformation qui rendra tout vaccin, passé ou présent, impuissant ! Le résultat ? L'arme imparable sur le champ de bataille.

— Pour laquelle il n'existe qu'un seul remède, acheva Jaunich. La quarantaine la plus stricte.

Les yeux de Bauer miroitaient à cette idée.

— Exactement ! Et comme il n'existe pas d'antidote connu, tout pays infecté devra immédiatement fermer ses frontières. Prenez par exemple l'Irak. Bagdad ne prête aucune attention à nos ultimatums. La décision est prise de lancer une attaque préventive. On introduit notre petite princesse dans les réserves d'eau ou de nourriture. Les gens contractent la maladie. La mort fait des ravages qui croissent à une vitesse exponentielle. La population tente désespérément d'y échapper, mais les frontières sont bouclées. La nouvelle se répand : tous les Irakiens doivent être considérés comme infectés. Même ceux qui tenteraient de s'évader par les montagnes se feraient traquer et massacrer. Bauer ouvrit les mains comme un magicien libérant une colombe. Pfuit ! D'un seul coup d'un seul, l'ennemi n'existe plus. Il ne peut plus combattre parce qu'il ne possède plus d'armée. Il ne peut plus résister car toutes ses infrastructures se sont effondrées. Il ne peut plus rester au pouvoir car ce qui reste de son peuple se soulève contre lui. Le seul choix, c'est la capitulation sans conditions.

— Ou des appels à la livraison de vaccins, fit observer Jaunich.

— Appels qui resteront lettre morte, car il n'existe pas de vaccin. Il sourit. Mais chaque chose en son temps. Il faut préparer les souches pour leur recombinaison. Si tout se déroule correctement, nous verrons alors pour l'antidote.

Il agrippa fermement Jaunich par l'épaule.

— Je laisse cette entreprise entre des mains ô combien compétentes, les vôtres, et je vous retrouve dans quelques heures.

*

À plusieurs fuseaux horaires de là, à Houston, Megan Olson garait sa Mustang rouge cerise sur l'aire de stationnement de la NASA réservée aux membres des équipages de la navette spatiale. Elle ferma la voiture à clef et marcha d'un pas rapide jusqu'au bâtiment de l'administration. Le message de Dylan Reed avait interrompu son dîner avec un ingénieur aéronautique agréable, mais ennuyeux. URGENT : tel était le dernier mot qui avait défilé sur son alphapage.

Megan franchit les postes de contrôle et s'engouffra dans l'ascenseur qui l'achemina très vite au sixième étage. Tout était brillamment éclairé, mais il régnait dans les couloirs un silence étrange. La porte du bureau de Reed était entrouverte, un rai de lumière oblique pointant dans l'entrée. Megan frappa et entra.

Le bureau était subdivisé en un espace de travail et une salle de conférences, bien plus vaste, avec une longue table ovale imposante. Megan cligna les yeux. Il y avait là, assis autour de cette table, le pilote de la mission, Frank Stone, et le commandant de bord, Bill Karol. À côté d'eux avaient pris place le directeur du vol, Harry Landon, et le directeur adjoint de la NASA, Lorne Allenby. Ces deux derniers paraissaient fatigués, leurs vêtements étaient fripés, comme s'ils venaient à peine de débarquer d'un long vol. Megan songea que c'était peut-être bien le cas. Avec ce lancement dans moins de quarante-huit heures, Landon et Allenby auraient dû se trouver à Cap Canaveral.

— Megan, la salua Reed. Merci d'être arrivée comme ça au pied levé. Je pense que vous connaissez tout le monde ici.

Megan échangea quelques saluts à mi-voix tout en se glissant sur une chaise à côté du pilote de la mission, Frank Stone.

Reed se massa la nuque, puis il s'appuya des deux bras sur la table, concentrant son attention sur elle.

— Êtes-vous au courant ?

Megan secoua la tête.

— Au courant de quoi ?

— Adam Treloar a été tué cet après-midi à Washington. Il marqua un temps de silence. Une agression qui a viré au tragique.

— Oh mon Dieu ! Comment ça ? Qu'est-ce qui s'est passé ?

— La police du District de Columbia n'a pas beaucoup d'informations à nous communiquer… et guère plus de pistes, d'ailleurs, lui répondit Reed. Adam rentrait à peine de Russie… sa mère est enterrée là-bas. Il avait une réservation dans un hôtel, je suppose donc qu'il allait rester une nuit à Washington avant de rentrer à Cap Canaveral. Il marchait dans le quartier de Wisconsin Avenue… pas un mauvais quartier, à ce qu'on m'a dit… quand un salopard l'a accosté. Reed se passa la main dans les cheveux. Ensuite, Dieu seul sait ce qui s'est produit. Personne n'a rien vu, rien entendu. Le temps qu'un passant finisse par tomber sur lui et appelle la police, Adam était mort. Il secoua la tête. Quel gâchis, invraisemblable !

— Dylan, nous sommes tous assez secoués par ce qui vient de se produire, intervint Lorne Allenby, le directeur adjoint de la NASA. Mais il faut avancer.

D'un geste de la main, Reed acquiesça. Quand il se tourna vers elle, Megan sentit son cœur battre à tout rompre.

— Vous êtes la remplaçante de Treloar. En raison de la situation, vous êtes promue au service actif, avec les autres spécialistes de la mission. Êtes-vous prête, Megan ?

Elle se sentit la bouche toute sèche, mais les mots qu'elle prononça lui parurent assez fermes et suffisamment assurés.

— Absolument. J'aurais préféré décrocher le poste dans d'autres circonstances, mais oui, je suis prête.

— Vous ne savez pas à quel point nous sommes tous heureux d'entendre cela, lui affirma Reed. Il adressa un regard circulaire autour de la table. Des questions ?

Frank Stone, le pilote de la mission, prit la parole.

— Pas de question, simplement un vote de

confiance. Je me suis entraîné avec Megan. Je sais qu'elle est prête.

— J'abonde en ce sens, ajouta Bill Karol, le commandant de bord.

— Landon ? s'enquit Reed.

Le directeur du vol changea de position sur son siège.

— J'ai lu les rapports d'entraînement. Je suis convaincu que Megan est capable de mener les expériences qu'Adam et vous avez mises au point. Il approuva, pouce levé.

— Content d'entendre ça, fit Allenby. Les gratte-papier du Congrès surveillent cette mission comme des vautours. Comme j'ai pas mal monté en épingle ce que nous espérons glaner grâce à ces expériences, il va falloir que je me montre à la hauteur côté résultats. Il se tourna vers Megan. Rapportez-nous quelque chose, qu'on fasse tous bonne figure.

Megan parvint à afficher un pâle sourire.

— Je vais faire de mon mieux. Elle regarda autour de la table. Et merci à tous de votre vote de confiance.

— Eh bien, c'est parfait, conclut Reed. Dès demain matin, je préviens le reste de l'équipe. Je sais que certains d'entre vous souffrent du décalage horaire, alors pourquoi ne pas lever la séance et nous retrouver demain avant la procédure de lancement ?

Tout le monde approuva de la tête avec gratitude et la pièce se vida rapidement, laissant Reed et Megan seul à seule.

— Vous êtes le chef du programme de recherches biomédicales, Dylan, fit-elle calmement. Treloar et vous, vous étiez très proches. Et vous, cela vous fait quel effet de m'avoir à bord ?

— En fin de compte, je ne peux pas soutenir que je connaissais Adam si bien que ça. Vous savez comment il était… taciturne, et puis surtout pas très sociable. Pas le genre de type avec qui on sortait boire quelques bières après le boulot ou avec qui on jouait au soft-ball le dimanche après-midi. Il réfléchit un instant. Pour ma part, je n'aurais pas pu souhaiter meilleure remplaçante, là-haut.

Megan s'efforça de maîtriser ses émotions contradictoires. D'un côté, elle se jetait déjà sur les mille et un détails dont il allait falloir s'occuper : la préparation à Cap Canaveral, l'intégration au sein de l'équipe et la procédure de lancement. Elle savait qu'en temps normal l'équipage était placé en quarantaine pendant les sept jours précédant le lancement, même si ce délai avait été récemment raccourci. Pourtant, elle allait devoir subir un examen médical poussé afin d'être certaine de ne pas receler le moindre microbe.

Et de l'autre côté, elle ne parvenait pas à extraire de son esprit l'image de ce Treloar d'allure si bizarre. Reed avait raison : Treloar était une espèce de solitaire. Le fait de ne pas l'avoir beaucoup connu personnellement permettait d'accepter plus facilement l'idée de sa disparition. Et pourtant, la façon dont il était mort la faisait frémir.

— Est-ce que ça va ? lui demanda Reed.

— Bien. Je m'efforce juste de prendre la mesure de tout ceci.

— Allons-y. Je vous raccompagne à votre voiture. Tâchez de vous offrir une bonne nuit de sommeil. Demain, vous n'allez pas toucher terre.

*

Megan habitait un petit logement dans un ensemble d'appartements adaptés aux besoins des personnels temporaires de la NASA. Après une nuit de sommeil agité, où elle n'avait pas cessé de se tourner et se retourner, elle se réveilla et se rendit à la piscine avant tout le monde. De retour à son appartement, elle découvrit un mot scotché à sa porte.

Surmontant sa stupeur initiale, Megan s'habilla en vitesse et descendit au rez-de-chaussée. Marchant vite, elle rejoignit le café du bloc d'immeubles voisin, à quelques minutes de là. Étant donné l'heure, l'endroit était presque vide. Elle n'eut aucune difficulté à le repérer.

— Jon !

Il se leva d'un box situé en angle.

— Salut, Megan.

— Mon Dieu, qu'est-ce que tu fabriques ici ? s'étonna-t-elle, en se glissant sur la banquette à côté de lui.

— Je vais te dire ça dans une minute. Il hésita. J'ai entendu dire que tu étais affectée à cette mission. Quelles que soient les circonstances, tu mérites cette promotion.

— Merci. Évidemment, j'aurais préféré que ça m'arrive pour d'autres raisons, mais...

La serveuse s'approcha et prit les commandes pour le petit déjeuner.

— J'aurais préféré que tu me préviennes, avoua-t-elle. Je pars pour Cap Canaveral dans quelques heures.

— Je sais.

Elle le scruta attentivement.

— Tu n'as pas fait tout ce chemin juste pour me féliciter… même si ça me fait plaisir de le croire.

— Je suis ici à cause de ce qui est arrivé à Treloar, lui annonça Smith.

— Pourquoi ? Selon les médias, la police criminelle du District de Columbia traite l'affaire.

— En effet. Mais Treloar était le directeur médical de la mission, un membre important de l'équipe de la NASA. On m'a envoyé ici pour vérifier si rien, dans son passé, dans ses activités, ne pourrait nous fournir une piste sur les motifs de ce meurtre.

Megan plissa les paupières.

— Je ne saisis pas.

— Megan, écoute-moi. Tu le remplaces à bord de ce vol. Tu as dû travailler avec lui. Tout ce que tu pourras me dire à son sujet pourrait m'aider.

Ils se turent car la serveuse revenait avec la commande. Subitement, à l'idée d'avaler quoi que ce soit, Megan se sentit nauséeuse. Elle se ressaisit et mit de l'ordre dans ses pensées.

— Premièrement, la quasi-totalité de mon entraînement a été supervisée par Dylan Reed. En un certain sens, le titre de directeur médical de la mission prête à confusion. Il ne s'agit pas d'aller là-haut pour délivrer des ordonnances d'aspirine ou de sparadrap. Cela recouvre des fonctions de recherche pure. En tant que chef du programme biomédical, Dylan travaillait en étroite relation avec son directeur médical, Treloar. Et il reproduisait ces expériences avec moi, à l'identique, dans le cas où j'aurais eu à prendre sa place. Donc je n'ai jamais vraiment travaillé en étroite relation avec Treloar.

— Et sur le plan personnel ? Était-il proche de

quelqu'un ? Est-ce que des potins circulaient sur son compte ?

— Jon, c'était un solitaire. Je n'ai jamais entendu dire qu'il sortait avec qui que ce soit, encore moins qu'il ait eu quelqu'un de régulier. Je peux te certifier que travailler avec lui n'était pas très drôle. Un esprit brillant, mais aucune personnalité, aucun humour, rien. C'était comme si une partie de lui... le génie médical... s'était épanouie, pendant que le reste de sa personne ne grandissait absolument pas. Elle s'interrompit. Ton enquête n'aura pas d'incidence sur le lancement, n'est-ce pas ?

Smith secoua la tête négativement.

— Il n'y a pas de raison.

— Écoute, le mieux que j'aie à faire, c'est de te fournir les noms des gens qui travaillaient directement avec Treloar. Peut-être qu'ils auront de la matière à te transmettre.

Smith était persuadé d'avoir déjà les noms — et plus encore — des gens qui avaient opéré en contact direct avec Treloar. Il avait passé la moitié de la nuit à passer au peigne fin le dossier d'Adam Treloar, communiqué par le FBI, la NSA, la NASA. Néanmoins, il écouta attentivement la liste que lui livrait Megan.

— Réellement, je ne sais rien de plus, conclut-elle.

— J'ai déjà largement de quoi opérer avec ça. Merci.

Megan eut du mal à lui sourire.

— Étant donné tes responsabilités, j'imagine qu'il n'y a aucune chance pour que tu assistes au lancement ? J'aurais pu t'avoir des places formidables.

— Cela m'aurait plu, lui répondit-il, et il le pensait.

Mais je te reverrai peut-être à Edwards pour l'atterrissage.

La base de l'Air Force, à Edwards, en Californie, était la principale piste d'atterrissage de la navette.

Ils gardèrent le silence un petit moment, puis Megan dit enfin :

— Il faut que j'y aille.

Toujours assis en face d'elle, sa main vint recouvrir la sienne, la serra fermement.

— Reviens-nous saine et sauve.

*

Perdue dans ses pensées, Megan regagna son appartement. Adam Treloar était mort — assassiné — et Jon Smith avait soudain fait son apparition à Houston. Il avait soigneusement éludé la question de l'identité de celui qui l'avait envoyé là. Il l'avait habilement interrogée sans rien lui livrer en retour. En réalité, qu'est-ce que Smith faisait là ? Après qui en avait-il, et pourquoi ? Il n'y avait qu'un seul moyen de le savoir.

De retour dans son appartement, Megan sortit son téléphone à cryptage digital et composa un numéro qu'elle avait mémorisé depuis longtemps.

— Ici Klein.

— C'est Megan Olson.

— Megan... je vous croyais en chemin pour le pas de tir, à l'heure qu'il est.

— Je pars dans un petit moment, monsieur. Il est survenu certains événements nouveaux et j'estimais devoir vous mettre au courant.

Elle résuma brièvement sa conversation avec Jon Smith.

— Qu'il se soit montré évasif, c'est pour le moins un euphémisme, souligna-t-elle. Voulez-vous que l'on intervienne à son sujet ?

— Négatif, lui répliqua Klein non sans vivacité. Smith est impliqué en raison de sa compétence d'expert de l'USAMRIID.

— Je ne comprends pas, monsieur. En quoi cela entre-t-il en ligne de compte ?

Klein hésita.

— Écoutez-moi attentivement, Megan. Il y a eu une fuite en Russie, à Biopreparat. Il observa un silence, le temps que Megan reprenne son souffle. On a dérobé une souche de virus. Adam Treloar était à Moscou au même moment. Les Russes l'ont capté en vidéo avec le courrier qui transportait le matériel. Il y a eu transfert. Nous avons l'assurance que Treloar a introduit l'objet sur le territoire américain. Ensuite, une fois devenu inutile, il a été assassiné.

— Qu'est-il advenu du colis qu'il transportait ?

— Envolé.

Megan ferma les yeux.

— Qu'a-t-il rapporté avec lui, au juste ?

— La variole.

— Dieu tout-puissant !

— Megan, écoutez-moi ! Vous êtes au cœur de la cible. Nous pensions que Treloar était déloyal. Maintenant nous en sommes certains. Toute la question est de savoir s'il avait des complices au sein du programme navette ?

— Je l'ignore, reconnut Megan. Cela me semble impossible. Ce sont tous des individualités enthousiastes, des gens convaincus. Pour autant que je sache, il ne s'est rien produit de suspect. Elle remua la tête.

310

Mais il est vrai que je suis complètement passée à côté du cas Treloar, n'est-ce pas ?

— Tout le monde est passé à côté, rectifia Klein. Évitez l'auto-flagellation à ce propos. L'essentiel, c'est de retrouver ces souches de variole. Le Réseau travaille à partir de l'hypothèse qu'elles se trouvent quelque part dans le District de Columbia, autour de Washington. Ceux qui les détiennent n'auront aucune envie de transbahuter ce colis plus qu'il n'est nécessaire. Et, depuis Londres, Treloar aurait pu prendre un vol sans escale pour n'importe où... Chicago, Miami, Los Angeles. Il a choisi Washington DC pour une bonne raison. Nous estimons que c'est là que se situent les installations de stockage du virus.

— Voulez-vous toujours que j'aille de l'avant et que je m'embarque pour ce vol de la navette ?

— Absolument. Mais d'ici à ce que l'oiseau soit sur le pas de tir, n'attirez pas l'attention sur vous. Si vous remarquez quoi que ce soit de suspect, appelez-moi immédiatement. Il s'interrompit une seconde. Et, Megan, si nous n'avons pas l'occasion de nous reparler, bonne chance, et revenez-nous saine et sauve.

Klein coupa la communication et Megan se retrouva à fixer du regard un téléphone inerte. Elle avait été très tentée de demander à Klein si Jon Smith travaillait lui aussi pour le Réseau, si c'était le motif de ses faux-fuyants. Comme elle, Jon était un être sans obligations, avec peu d'attaches, et un spécialiste éprouvé des situations de crise. Megan se remémora le jour où, durant l'une de ses brèves visites aux États-Unis, elle avait vu Klein faire irruption dans son existence, pour tranquillement lui proposer de l'intégrer dans une entreprise très particulière, unique, lui offrant ainsi un très fort sentiment d'avoir un but, de suivre un cap. Elle se souvenait également de ses précisions : elle ne rencontrerait probablement jamais aucun autre membre du Réseau, son utilité à elle reposait en partie sur le réseau personnel de dimension mondiale qu'elle s'était constitué, des hommes et des femmes auxquels elle pouvait s'adresser pour recueillir des informations, des services, un refuge.

Klein ne me le dirait jamais… Et Jon non plus, s'il était partie prenante.

Tout en vérifiant une nouvelle fois son paquetage, Megan songea à la formule de Klein et de Jon : « Revenez-nous saine et sauve. » Mais si Klein ne retrouvait pas ces souches de variole, y aurait-il seulement une terre où rentrer saine et sauve ?

*

Le bureau de la sécurité de la NASA occupait l'angle nord-est du bâtiment de l'administration, au deuxième étage. Smith brandit sa carte d'identité du Pentagone et attendit que l'officier de service la passe en lecture dans l'ordinateur.

— Où se trouve votre commandant ? lui demanda-t-il.

— Monsieur, je suis désolé. Nous sommes en plein changement d'équipe. Le colonel Brewster a quitté le bâtiment. Le colonel Reeves est en retard, pour motifs… euh… motifs personnels.

— Je ne peux pas attendre le colonel. Laissez-moi entrer.

— Mais, monsieur…

— Lieutenant, quel est mon niveau d'autorisation ?

— COSMIC, monsieur.

— En d'autres termes, à l'intérieur de ces infra-structures, j'ai le droit de tout examiner, y compris votre dernier test d'aptitude physique. Exact ?

— Oui, monsieur !

— Bien, maintenant que nous avons clarifié ce point, voici ce que nous allons faire : vous allez respecter les procédures normales pour m'enregistrer. Vous ne ferez mention de mon arrivée à personne, sauf au colonel Reeves, avec qui vous aurez un entretien de vive voix. Si le colonel souhaite me parler, informez-le que je serai dans la Salle des Fichiers.

— Oui, monsieur. Le personnel de la Salle des Fichiers peut-il vous être utile en quoi que ce soit, monsieur ?

— Indiquez simplement à l'équipe de m'ignorer. Maintenant, allons-y, lieutenant.

Une sonnerie assourdie, et les portes à l'épreuve des balles livrèrent passage à Smith. Il se dit que son numéro de méchant garçon avait atteint l'effet désiré : le subordonné était intimidé. Son collègue, le colonel Reeves, serait contrarié, sa curiosité serait piquée, mais il n'en serait pas moins circonspect. Il y avait de bonnes raisons de croire que Reeves y regarderait à deux fois avant d'aller s'enquérir au sujet de Smith.

Techniquement, la NASA est un programme civil. Mais au début des années 70, quand l'agence s'était finalement décidée sur le type de navette répondant à ses besoins et sur son mode de lancement, elle avait compris qu'elle n'avait aucune autre alternative que de se tourner vers l'armée de l'air. On scella un marché léonin : le Pentagone qualifiait la navette d'« équipement militaire essentiel », et, en échange, la NASA obtenait non seulement de pouvoir recourir, pour ses lancements, aux fusées d'appoint de l'armée de l'air, Titan et Atlas, mais elle bénéficierait aussi d'une source constante de revenus. Le revers de la médaille, c'était que l'agence spatiale était à la merci des caprices et des immixtions du Pentagone. Le colonel Reeves détenait un rang supérieur au sein de la hiérarchie de la NASA, mais ceux qui étaient porteurs du très convoité laissez-passer COSMIC étaient les véritables maîtres du jeu.

Smith suivit le lieutenant dans un dédale de couloirs qui s'achevait en impasse sur une porte à l'épreuve du feu. Après avoir tapé les codes, l'officier amena la porte à lui et s'écarta pour laisser Smith entrer. La salle était au moins dix degrés plus fraîche que le reste de l'étage. On n'entendait aucun bruit, en dehors du ronronnement des appareils, dix ordinateurs, parmi les plus rapides jamais construits, reliés aux tours de stockage des données et à des stations d'ordinateurs personnels installées dans des postes de travail.

Smith sentit les yeux de l'équipe de la Salle des Fichiers osciller dans sa direction, mais leur curiosité fut très passagère. Il suivit l'officier à une station de travail très à l'écart des autres.

— C'est l'unité informatique du colonel Reeves, lui expliqua l'officier de service. Je suis certain qu'il ne verra aucun inconvénient à ce que vous l'utilisiez.

— Merci, lieutenant. Je ne devrais pas être trop long… à supposer que personne ne vienne m'interrompre.

— Compris, monsieur. Il tendit à Smith un téléphone portable. Quand vous aurez terminé, composez simplement le trois-zéro-neuf, monsieur. Je viendrai vous chercher.

Smith s'installa devant l'écran, activa l'ordinateur et introduisit la disquette qu'il avait apportée avec lui. En quelques secondes, il effaça tous les barrages de sécurité et eut la totalité du réseau informatique de la NASA sur le site de Houston au bout des doigts.

Les informations qu'il avait reçues des autres agences fédérales au sujet d'Adam Treloar n'étaient qu'un simple point de départ. Il était justement venu à Houston pour suivre Treloar à la trace, partout, là où il avait vécu, là où il avait travaillé. Il lui fallait l'intégralité de ses listes d'appels téléphoniques, internes et externes, ses courriers électroniques avec les autres bureaux du centre, tout ce qui ressemblait à une piste — électronique ou autre. Ainsi, il saurait comment Treloar avait vécu, avec qui il avait parlé, qui il avait rencontré, à quelle fréquence, où, sur quelle durée. Il allait éplucher la vie de ce traître comme une branche de céleri, à la recherche de l'unique anomalie, de la seule coïncidence, du schéma particulier qui constituerait le premier maillon de la chaîne menant aux conspirateurs associés à Treloar.

Smith tapa sur quelques touches et commença par ce qui lui semblait le point de départ logique : qui savait que Treloar s'était rendu en Russie ? Logées quelque part dans ces puces micro-informatiques épaisses comme une feuille de papier à cigarette et dans ces fibres optiques, il y aurait peut-être des instructions — et les noms allant de pair.

*

À son arrivée dans son bureau, Dylan Reed n'avait aucun moyen de savoir que Smith avait déjà entamé sa recherche. Il était tellement absorbé par son agenda surchargé de la matinée qu'il ignora presque le bip sonore de son ordinateur, lui signalant une alerte. Distraitement, il tapa une série de chiffres, l'esprit toujours occupé par sa première réunion de la journée. Le nom qui surgit à l'écran attira immédiatement son attention : Adam Treloar.

Quelqu'un est en train de fouiner !

La main de Reed vola vers son téléphone. Quelques secondes plus tard, il écoutait les explications de l'officier de sécurité sur la présence de Smith dans la Salle des Fichiers.

Reed déploya un effort intense pour conserver son calme.

— Non, c'est parfait, signifia-t-il à l'officier. Dites, je vous prie, au colonel Reeves que notre visiteur ne doit pas être dérangé.

« Notre visiteur ! » Un intrus, oui !

Reed s'accorda un instant pour se reprendre. Bon sang, qu'est-ce que Smith fabriquait ici ? L'information reçue en provenance de Washington, c'était que la police traitait la mort de Treloar comme une agression de plus, en dépit de ses conséquences tout à fait indésirables. Même aux informations, on avait jugé l'affaire quelconque, et ces développements avaient enchanté Reed, Bauer et Richardson.

Reed frappa de la paume contre son sous-main en cuir. Ce foutu Smith ! Il se rappela la frayeur, presque la terreur de Treloar face à Smith. À présent, la main de la peur, avec ces mêmes doigts pareils à des stalac-

tites qui avaient parcouru l'échine de Treloar, s'était
retournée contre Reed.

Il respira un bon coup, à fond. Bauer avait eu raison
de suggérer à Reed d'installer un mouchard sur tous
les fichiers concernant Treloar, au cas où quelqu'un
viendrait jeter un œil.

Et c'était bien le cas...

Plus Reed y réfléchissait, moins il était surpris par
l'intrusion de Smith. Le personnage avait une réputation de ténacité qui rendait cet homme déjà dangereux
potentiellement redoutable. Reed s'assura d'avoir
retrouvé son sang-froid, avant d'appeler le général
Richardson au Pentagone.

— C'est Reed. Le problème potentiel que vous
évoquiez? Il est réel. Il marqua un temps de silence.
Écoutez-moi jusqu'au bout, mais d'ores et déjà je
pense que vous serez d'accord : il faut activer la solution.

CHAPITRE DIX-NEUF

Une berline des services secrets attendait Jon Smith à sa sortie de l'aéroport national Ronald Reagan. À mi-chemin, sur la route de Camp David, l'appel qu'il avait attendu lui parvint.

— Peter, comment vas-tu ?

— Toujours à Venise. J'ai d'intéressantes nouvelles pour toi.

Sans entrer dans les détails de son interrogatoire sur la personne de Dionetti, Peter Howell fit part à Smith de la filière helvétique — Herr Weizsel, à la banque Offenbach de Zurich. Souhaites-tu que j'aille faire un brin de causette à ce gnome suisse, Jon ?

— Il vaut mieux tenir ça en réserve, le temps que je revienne vers toi. Et Dionetti ? Je n'ai pas envie qu'il aille tirer la sonnette d'alarme.

— Il n'en fera rien, le rassura Howell. Il souffre d'une grave intoxication alimentaire, et je m'attends à une semaine d'hospitalisation au bas mot. En plus, il sait que je conserve sous le coude tous ses dossiers bancaires et, moyennant un simple coup de téléphone, je peux le ruiner.

Howell ne jugea pas utile de plonger plus avant dans une description par le menu.

— Je vais rester ici jusqu'à ce que je reçoive de tes nouvelles, acheva-t-il. Si nécessaire, je peux être à Zurich en deux jours.

— Je te tiens au courant.

Le chauffeur déposa Smith au Rosebud, où Klein l'attendait.

— Ravi de vous revoir, Jon.

— Oui, monsieur. Merci. Des nouvelles des souches de variole ?

Klein secoua la tête négativement.

— Mais regardez un peu ceci.

Il tendit à Smith une feuille de papier enroulée.

Le portrait à l'encre restituait certains des traits de Beria, sans être assez précis pour clairement refléter le faciès de l'assassin. Tout d'abord, Beria était d'allure quelconque — un atout majeur chez un tueur à gages. Le portrait-robot renvoyait à un individu qui aurait pu être à peu près n'importe qui. Ce serait franchement un pur hasard que les forces de police tombent sur lui — et c'était précisément ce que Klein voulait faire croire aux employeurs de Beria. Grâce à ces quelques retouches superficielles apportées à son apparence, le personnage était parfaitement en sécurité : ceux qui avaient la mainmise sur lui continueraient de croire que son utilité l'emportait sur ses handicaps potentiels.

Smith enroula la feuille de papier et s'en frappa le creux de la paume. Il estimait que Klein prenait un risque énorme : en refusant aux forces de police l'accès à un portrait véritablement ressemblant du tueur, il limitait efficacement la portée de leur traque. Mais ce subterfuge lui permettait de déposer sur l'autre plateau de la balance un avantage secondaire non négligeable : quand ce portrait-robot circulerait dans les rues, quand les maîtres de Beria le verraient, cela ne leur flanquerait pas la frousse. On s'attendait à une enquête sur la mort de Treloar. Qu'un témoin oculaire ait fourni à la police une description sommaire du tueur ne serait nullement perçu comme suspect. Smith se refusait à croire que ses maîtres allaient se montrer imprudents pour autant, mais, ne percevant aucune menace immédiate sur leurs plans à long terme, ils conserveraient leur sérénité.

— Comment ça s'est passé, à Houston ? s'enquit Klein.

— Treloar a été sacrément précautionneux, admit Smith. Quels que soient les contacts qu'il a pris, il a méticuleusement brouillé les pistes.

— Néanmoins, vous avez accompli votre mission première.

— J'ai agité le bocal, monsieur. Celui qui pilotait Treloar sait à présent que je suis allé fouiner. Il s'interrompit. Le Président suit-il votre recommandation concernant le vaccin ?

— Il s'est entretenu avec les grands laboratoires pharmaceutiques, lui confirma Klein. Ils marchent avec nous.

Étant donné les circonstances, il était vital que les principales firmes pharmaceutiques réorientent leurs unités de production de façon à produire autant de vaccins antivarioliques que possible, et ce dans un délai aussi bref que possible. Même si les souches dérobées subissaient une altération génétique, le vaccin existant pourrait s'avérer au moins partiellement efficace. Mais fabriquer les quantités nécessaires allait entraîner l'arrêt des chaînes d'autres produits. Les pertes occasionnées seraient colossales, de même que les sur-coûts engendrés par la production du vaccin. Que le Président ait accepté de garantir les pertes financières de ces groupes, ce n'était que la moitié de la bataille. Ces entreprises allaient vouloir connaître la raison de ces besoins si urgents en vaccins, et où se situait ce foyer infectieux d'une taille aussi considérable. Comme il était impossible d'empêcher la divulgation d'une information pareille — qui finirait inévitable-ment par atteindre les médias —, la localisation de cette prétendue épidémie se devait d'être lointaine, mais dans une région assez peuplée.

— Nous nous sommes arrêtés sur l'archipel indo-nésien, lui annonça Klein. Le chaos intérieur de la région a quasiment suspendu tout mouvement de population, tant à l'entrée qu'à la sortie du territoire. Il ne reste plus de touristes, et Djakarta a interdit le pays aux médias étrangers. Notre tactique consiste à rappor-ter l'existence de quelques foyers sporadiques, condui-sant à une possible multiplication et à une éventuelle propagation du virus, dans l'hypothèse où on n'y met-trait pas de bornes. D'où le besoin d'une telle quantité de vaccins à si bref délai.

Smith étudia la question.

— Je signe, lâcha-t-il finalement. Le régime indo-nésien actuel fait figure de paria aux yeux de la plu-part des gouvernements. Mais quand la nouvelle va transpirer, cela va déclencher un vent de panique.

— On n'y peut rien, admit Klein. Ceux qui détien-nent ces souches de variole vont en faire usage très prochainement... c'est une question de semaines, si ce n'est de jours. Dès que nous aurons identifié et abattu ces conspirateurs... et récupéré le virus... nous pourrons toujours tourner casaque et indiquer que les diagnostics et les rapports initiaux étaient erronés. Que tout bien considéré, il ne s'agissait pas de la variole.

— Dieu veuille que ce soit le cas.

Smith se retourna en entendant le major-général Kirov entrer dans la pièce en tenue civile. Il fut sidéré par l'allure du Russe.

Le Kirov d'âge mûr au physique affûté s'était métamorphosé en un individu d'aspect un peu miteux dans un costume élimé, tout droit issu d'un quelconque décrochez-moi-ça. Sa cravate et sa chemise étaient maculées de taches de nourriture et de café. Ses souliers aux semelles râpées étaient aussi éraflés que sa valise à trois sous. Il avait les cheveux longs et en bataille — une perruque ; une touche de maquillage — appliquée d'une main experte et judicieuse — ajoutait dans ses yeux une rougeur d'alcoolique et creusait ses cernes. Kirov s'était créé l'image d'un homme sur lequel le regard ne s'attardait pas sans un certain malaise. Cette image renvoyait à l'échec, à la dissolution de soi et au désespoir — tous les attributs d'un représentant de commerce miteux, dont le beau monde qui vivait et travaillait dans le quartier chic de Dupont Circle ne se donnerait certainement pas la peine de remarquer l'existence.

— Mes compliments pour votre transformation, général, lui lança Smith. Même moi, j'ai dû y regarder à deux fois.

— Espérons qu'il en sera de même pour Beria, lui répondit Kirov, l'air sombre.

Smith était content d'avoir ce Russe robuste et bourru à ses côtés. Après la débâcle de Biopreparat et de la gare de Moscou, Kirov avait convaincu le Premier ministre russe de l'envoyer aux États-Unis pour participer à la traque d'Ivan Beria. Klein s'était dit que Kirov, qui avait passé une année à Washington et connaissait bien les quartiers d'immigration de la capitale, leur serait d'une aide précieuse. Il avait argumenté en ce sens auprès du président Adams Castilla, qui s'était accordé avec le président Potrenko et avait autorisé Kirov à faire le déplacement.

Mais Smith voyait bien, dans les yeux durs et brillants du général, la vraie raison de sa présence ici. Kirov avait été trahi par une femme qu'il avait aimée, à laquelle il s'était fié, et qui s'était laissé corrompre par des forces inconnues liées à un tueur qu'il avait laissé échapper. Il avait profondément besoin de se racheter, de reconquérir son honneur de soldat.

— Comment souhaitez-vous procéder, Jon ? lui demanda le Russe.

— J'ai besoin de passer chez moi, lui répondit Smith. Dès que vous vous serez installé, nous pourrons aller à Dupont Circle.

Personne, à l'ambassade de Russie, n'étant au fait de la présence de Kirov dans la capitale, Smith avait suggéré que le général réside chez lui et se serve de sa maison de Bethesda comme base pour leur chasse au tueur Beria.

— Êtes-vous certain de ne vouloir aucune couverture en retrait ? insista Klein.

Autant il se fiait à l'instinct et aux capacités de Kirov, autant il répugnait à l'idée d'envoyer les deux hommes sur le terrain sans aucune couverture. Smith s'était effectivement rendu à Houston pour remonter une piste que Treloar aurait éventuellement pu laisser derrière lui. Mais sa véritable intention avait été de solliciter les fils de la trame qui reliait encore Treloar aux conspirateurs, ses maîtres. En leur faisant savoir qu'il était sur le point de porter l'enquête au cœur même de l'endroit où Treloar avait vécu et travaillé, il espérait provoquer une réaction, forcer ceux qui avaient eu la mainmise sur le scientifique à s'en prendre à lui… Autrement dit, attirer Beria hors de sa tanière.

— Nous ne pouvons pas courir le risque que Beria repère cette couverture, monsieur, lui répondit-il.

— Monsieur Klein, intervint Kirov. Je comprends votre inquiétude… et je la partage. Mais je ne permettrai pas qu'il arrive quoi que ce soit à Jon, je vous le promets. Je possède un net avantage sur toutes les couvertures que vous seriez à même de nous procurer. Je connais Beria. S'il porte un déguisement, je saurai voir à travers. Il y a certaines caractéristiques et certains comportements qu'il ne pourra pas me cacher. Il se tourna vers Smith. Vous avez ma parole. Si Beria est quelque part dans la nature, s'il s'approche de vous, il est à nous.

*

Quatre-vingt-dix minutes plus tard, Smith et Kirov arrivaient dans la maison de Bethesda, une sorte de ranch. Smith lui fit visiter les lieux, et Kirov remarqua les tableaux, les tentures murales, et les objets issus de cultures du monde entier. L'Américain avait effectivement beaucoup voyagé.

Pendant que Smith se douchait et se changeait, le Russe s'installa dans la chambre d'amis. Ils se retrouvèrent dans la cuisine où, autour d'un café, ils étudièrent soigneusement un plan à grande échelle de Washington, en se concentrant sur le quartier multiethnique de Dupont Circle. Kirov étant déjà familier des lieux, leur plan fut rapidement élaboré.

— Je sais que nous n'en avons pas parlé avec Klein, ajouta Smith alors qu'ils étaient sur le point de se mettre en route, mais… Il lui tendit un pistolet Sig Sauer.

Kirov l'examina, puis il secoua la tête. Il se rendit dans sa chambre et en revint avec ce qui ressemblait à un banal parapluie noir. Il le tint braqué à quarante-cinq degrés, déplaça le pouce sur le manche, et subitement une lame de trois centimètres jaillit de l'embout.

— Un ustensile que j'ai rapporté de Moscou, expliqua le Russe sur le ton de la conversation. Cette lame est enduite d'un tranquillisant animal à action rapide… de l'acépromazine. De quoi abattre un sanglier de cent kilos en quelques secondes. En outre, si pour une raison ou une autre votre police devait m'arrêter, je pourrais expliquer la présence de ce parapluie. Un pistolet, ce serait beaucoup plus compliqué.

Smith approuva de la tête. Il serait peut-être l'appât, mais Kirov, lui, serait chargé du travail d'approche. Il préférait savoir que le Russe n'affronterait pas Beria sans arme.

Smith glissa le Sig Sauer dans son baudrier.

— Très bien, donc. Je vous laisse quarante minutes d'avance, et puis je vous suis.

*

Sillonnant les rues comme une apparition, Kirov étudiait le tourbillon humain autour de lui. Comme d'autres quartiers proches du centre de Washington, Dupont Circle connaissait une renaissance. Mais, coincés entre les cafés et les boutiques de créateurs branchés, il y avait aussi les boulangeries macédoniennes, les magasins de tapis de Turquie, les grandes quincailleries serbes remplies de cuivres étamés et autres jardinières du même métal, les restaurants grecs et les cafés yougoslaves. Kirov n'ignorait pas la force d'attraction de cet univers familier pour un homme opérant dans un environnement inconnu, même si cet homme était un tueur de la dernière cruauté. Ce brassage ethnique pouvait être tout à fait le genre d'environnement dans lequel Ivan Beria allait graviter. Là, il trouverait sa nourriture habituelle, il écouterait la musique avec laquelle il avait grandi, il capterait des accents qu'il reconnaîtrait. Kirov, qui savait tendre une oreille indiscrète pour identifier plus d'une langue slave, se sentait également ici chez lui.

Évoluant dans un quadrilatère à ciel ouvert bordé de boutiques et d'étalages, le Russe prit un siège à une table ombragée, surmontée d'un parasol. Une femme croate s'exprimant dans un anglais hésitant prit sa commande : un café. Le Russe réprima un sourire en entendant le flot d'invectives qu'elle adressait au patron de l'établissement.

Tout en sirotant son café, un breuvage épais et sucré, Kirov surveillait le flux des passants, notant les chemisiers et les jupes colorés des femmes, les pantalons trop amples et les blousons de cuir des hommes. Si Beria venait par ici, il porterait la tenue grossière mais pratique d'un ouvrier yougoslave — pourquoi pas une casquette, aussi, pour jeter un peu d'ombre sur ses traits. Mais Kirov ne doutait pas qu'il le reconnaîtrait. À sa connaissance, l'unique aspect de sa personne qu'un assassin ne pouvait jamais grimer, c'était son regard.

Le major-général n'ignorait pas qu'il y avait également de bonnes chances, si on lui en fournissait l'occasion, pour que le tueur le reconnaisse lui aussi. Mais Beria n'avait aucune raison de croire Kirov présent sur le territoire américain. Sa préoccupation première serait d'éviter la police, même si les patrouilles étaient déjà rares dans ce quartier. Il ne s'attendrait pas à tomber sur un visage du passé, si loin de ses bases. Mais symétriquement Kirov ne s'attendait pas à voir Beria se rendre en flânant à la plus proche pâtisserie pour s'acheter un petit casse-croûte. S'il savait où l'assassin allait vraisemblablement s'aventurer, il n'avait aucune idée du lieu où il se trouvait à l'instant même.

La paupière lourde, le regard à la dérobée, le major-général surveillait le tableau sans cesse mouvant autour de lui. Il passait au crible les entrées et les sorties du quadrilatère, les endroits où les gens apparaissaient et disparaissaient. Il relevait les écriteaux affichés sur les vitrines des boutiques indiquant les horaires d'ouverture, et il se dit qu'il ferait bien de contrôler les ruelles et les aires de livraison.

Si Beria devait sortir du bois pour accomplir sa sale besogne, c'était le quartier où il se sentirait en sûreté. Il s'imaginerait peut-être avoir le dessus, et un homme en confiance était parfois susceptible d'aveuglement.

*

À un peu plus d'un kilomètre de l'endroit où Kirov se tenait aux aguets sur le site possible de sa neutralisation, Ivan Beria ouvrit la porte de son appartement de deux chambres, au dernier étage d'un bâtiment spécialisé dans les locations de court terme aux cadres de passage dans la capitale.

Il découvrit face à lui le chauffeur de la Lincoln, un grand et fort gaillard silencieux, le nez déjà fracturé à plusieurs reprises et une oreille gauche déformée qui ressemblait à un petit chou-fleur. Beria avait déjà rencontré des hommes de cet acabit. À leur aise dans les situations violentes, d'une discrétion sans faille, ils étaient les parfaits messagers des commanditaires qui se payaient les services du tueur macédonien.

Invitant le chauffeur à entrer, Beria ferma la porte à clef et accepta l'enveloppe que l'autre lui tendait. Il la décacheta et lut rapidement son contenu, rédigé en serbe. Il s'éloigna de quelques pas, en souriant pour lui-même. Les commanditaires sous-estimaient toujours le nombre d'individus qu'il convenait d'éliminer. Dans le cas présent, Beria avait déjà été payé pour le garde russe et le scientifique américain. Maintenant, on lui demandait d'en supprimer un autre.

En se tournant vers le chauffeur, il réclama :

— Photo.

En silence, le chauffeur reprit la lettre et lui remit une photo de Jon, prise par une caméra de surveillance. Le sujet se trouvait face à l'objectif, sans aucune ombre sur le visage. La résolution était excellente.

Beria sourit pensivement.

— Quand ?

Le chauffeur tendit la main pour récupérer la photo.

— Dès que possible. Il faut vous tenir prêt à la minute où on vous appellera.

Le chauffeur haussa les sourcils, façon silencieuse de savoir si ce serait tout. Beria secoua la tête.

Après le départ du messager, Beria se rendit dans la salle de bains et sortit un téléphone à cryptage digital de son sac à dos. Un instant plus tard, il s'entretenait avec Herr Weizsel, à la banque Offenbach de Zurich. Le compte en question venait à peine de grossir de deux cent mille dollars.

Beria remercia le banquier et raccrocha. *Les Américains sont pressés.*

*

Nu, le docteur Karl Bauer sortit de la dernière chambre de décontamination. Sur le banc du vestiaire étaient posés des sous-vêtements, des chaussettes et une chemise. Un costume repassé de frais était suspendu à la patère de la porte.

Quelques minutes plus tard, Bauer était habillé et rejoignait la mezzanine enceinte de verre où l'attendait le chef de son équipe de scientifiques, Klaus Jaunich.

Jaunich s'inclina légèrement et lui tendit la main.

— Un travail magnifique, *herr doktor*. Je n'ai jamais rien vu de tel.

Bauer accepta sa poignée de main et le remercia de son compliment.

— Et il est probable que nous n'assisterons jamais plus à rien de semblable.

Après avoir pris un peu de repos, Bauer était retourné au laboratoire. Il avait eu beau travailler presque toute la nuit, il se sentait transporté, rempli d'énergie. Il savait d'expérience qu'il ne s'agissait là que du flot d'adréna-line irriguant son organisme et qu'inévitablement il serait rattrapé par la fatigue. Néanmoins, Jaunich avait raison : ç'avait été un travail magnifique. Usant de toute sa concentration, aussi dense qu'un faisceau de rayon laser, il avait appliqué le savoir et l'expérience de toute une vie aux premières étapes de transformation d'un virus déjà mortel en un raz de marée microscopique et irrésistible. À présent, il se sentait presque floué, car il ne pourrait mener à bien les dernières étapes, l'achèvement de ce travail.

— Nous le savions dès le début, n'est-ce pas, Klaus, s'écria-t-il, exprimant ses pensées à voix haute. Que nous ne serions pas en mesure de suivre cette création jusqu'à son terme. La physique terrestre me prive de mon triomphe ultime. Pour parachever cette œuvre, je dois en quelque sorte y renoncer. Il s'interrompit. À présent, c'est à Reed d'aller où nous ne pouvons pas aller.

— Tant de confiance placée sur un seul homme, murmura Jaunich.

— Il fera ce qu'on lui a dit de faire, rétorqua Bauer sèchement. Et à son retour, nous aurons obtenu ce dont, jusqu'ici, nous n'avions pu que rêver.

Il tapa sur l'épaule de son grand second.

— Tout ira bien, Klaus. Vous verrez. Au fait, et le transport ?

— Les souches sont prêtes à l'expédition, *herr direktor*. L'avion est en attente.

Bauer frappa dans ses mains.

— Bien ! Alors avant mon départ, vous et moi, nous allons fêter cela autour d'un verre.

CHAPITRE VINGT

Sous cette lumière aveuglante, elle avait l'air d'une sculpture emblématique du nouveau millénaire. À cinq kilomètres de là, à partir d'un point de vue imprenable, Megan Olson contemplait, quelque peu interdite, la navette spatiale accouplée à son réservoir extérieur gigantesque et à deux fusées d'appoint à combustible solide, légèrement plus petites.

À Cap Canaveral, il était 2 heures du matin, une nuit sans vent, éclairée par la lune. Le nez de Megan la démangeait, à cause de la salinité de l'air et de ses nerfs à vif. D'habitude, l'équipage était déjà debout et affairé dès 3 heures du matin, mais Megan avait été incapable de dormir passé minuit. L'idée de se retrouver dans un peu moins de huit heures à bord de la navette, crevant le ciel pour pénétrer dans l'espace, la laissait le souffle coupé.

Megan tourna et emprunta sur toute sa longueur le chemin qui longeait le rez-de-chaussée du bâtiment, où l'équipage avait ses quartiers. À une centaine de mètres de là, du fer feuillard scintillait au sommet de la clôture Cyclone qui entourait les installations. Elle entendit au loin le toussotement d'une Jeep de la sécurité qui bouclait à une allure poussive sa tournée du périmètre.

À Cap Canaveral, la sécurité était à la fois impressionnante et discrète. La police de l'air en uniforme était la plus repérable, car elle aimantait toujours les caméras de télévision. Mais en dehors de cette brigade, il y avait les détachements en civil qui sillonnaient la totalité du complexe vingt-quatre heures sur vingt-quatre, afin de s'assurer que rien ni personne ne vienne interférer avec le lancement.

Megan était sur le point de regagner sa chambre quand elle entendit des pas à proximité. Elle se retourna, et aperçut une silhouette qui sortait de la pénombre du bâtiment pour venir en pleine lumière.

Dylan Reed ?

C'était un sujet constant de plaisanterie : non seulement Dylan Reed n'entendait jamais son réveil sonner, mais si on le laissait faire, il aurait pu dormir pendant tout le décollage. Alors que faisait-il debout en vadrouille avant l'heure de l'appel ?

Levant le bras, Megan fut sur le point de l'appeler quand des phares puissants surgirent de l'angle du bâtiment. D'instinct, elle recula, et une berline portant le logo de la NASA sur sa portière vint à la hauteur de Reed. Restant dans l'ombre, Megan regarda un homme âgé descendre de la voiture et s'approcher du chef du programme médical.

Il attendait quelqu'un. Qui ? Et pourquoi rompre la quarantaine ?

La quarantaine était un élément essentiel du processus de lancement, même si cette fois, sous le coup de la nécessité, sa durée avait été réduite par rapport à la norme habituelle de sept jours. Permettre à une personne de l'extérieur d'entrer en contact direct avec un membre de l'équipage à ce stade, voilà qui était inédit.

Alors que le visiteur et Reed s'éloignaient d'elle pour entrer dans une nappe de lumière, Megan vit quelque chose autour du cou de l'homme : une carte de situation sanitaire indiquant que le visiteur, quelle que soit son identité, avait été déclaré en parfait état de santé par les médecins de l'agence spatiale.

Satisfaite de voir que le visiteur de Reed avait reçu un laissez-passer d'accès à une zone réservée, Megan allait s'éloigner. Mais tout au fond d'elle-même, quelque chose l'en empêcha. Elle s'était toujours fiée à son intuition et à son instinct : écouter l'un et l'autre lui avait sauvé la vie plus d'une fois. À cet instant, l'un et l'autre lui chuchotaient de ne pas s'en tenir à une discrétion de bon aloi et de ne pas s'éloigner, sous prétexte de respecter la vie privée de Reed.

Megan resta en place. Comme les deux hommes se tenaient face à face, elle ne pouvait entendre ce qu'ils se disaient. Mais sans confusion possible, elle vit un objet passer des mains du visiteur dans celles de Reed : un cylindre de métal brillant, d'environ dix centimètres de long. Megan ne l'entrevit qu'une fraction de seconde, avant qu'il ne disparaisse dans la poche de la combinaison de Reed.

Megan regarda le visiteur saisir l'épaule de Reed, puis remonter dans sa voiture, qui redémarra. Elle eut l'impression que Reed suivait du regard les feux arrière de la voiture jusqu'à ce qu'ils se réduisent à deux têtes d'épingle, puis il se retourna et regagna ses quartiers.

Il a le trac d'avant le vol, comme nous tous. Un de ses proches est venu lui dire au revoir.

Mais cette explication sonnait creux. Avec six missions à bord de la navette, Reed était un vétéran, qui prenait désormais tout le processus avec une quasinonchalance. Il ne pouvait pas non plus s'agir d'un parent. Une fois la quarantaine effective, les membres de la famille ne conservaient aucun contact avec l'équipage. Ils étaient relégués dans une zone spéciale, d'où ils assisteraient au décollage.

Un responsable du programme. Quelqu'un que je n'ai jamais rencontré.

Avant de se diriger vers le mess, où l'équipage prendrait son dernier vrai repas avant son retour sur Terre, Megan fit un crochet par sa chambre. Elle pesa toutes les hypothèses, notamment celle d'aborder le sujet avec Reed, l'air de rien. Après tout, il l'avait ardemment soutenue dès son arrivée à la NASA. Avec le temps, elle avait fini par le considérer comme un ami. Puis elle se souvint d'Adam Treloar, des souches manquantes de variole, et de la recherche acharnée qui était en cours. Les directives de Klein avaient été sans ambiguïté : elle devait lui signaler le moindre élément suspect. Megan avait beau être certaine qu'il y avait une explication parfaitement anodine au comportement de Reed, elle attrapa tout de même son téléphone.

*

À 6 heures 30 du matin, l'équipage pénétra dans la salle stérile pour se mettre en tenue. Megan étant la seule femme de la mission, elle disposait d'un box pour elle toute seule. Fermant la porte, elle posa un œil critique sur sa combinaison de lancement et de rentrée dans l'atmosphère, le LES. Confectionnée sur mesure et pesant bien ses quarante-cinq kilos, elle était composée de plus quinze parties distinctes, dont un parachute, un dispositif de lancement, un pantalon gravitationnel et un système de couches. Megan s'était interrogée sur la nécessité de ce dernier jusqu'à ce que Reed lui explique exactement le niveau de pression atmosphérique qui s'exerçait sur l'organisme lors de la mise sur orbite. Il était quasiment impossible que la vessie ne se vide pas.

— Très chic, Megan, commenta Frank Stone, le pilote de la mission, lorsqu'elle entra dans le vestiaire des hommes.

— Ce que je préfère, c'est surtout les insignes, lui répondit Megan.

— Il faudra le dire à ma femme, s'exclama Bill Karol, le commandant de bord. C'est elle qui les a dessinés.

Chaque mission arborait un insigne unique, dessiné soit par les membres de l'équipage, soit par leur famille. Celui-ci représentait la navette filant dans l'espace. À l'intérieur du pourtour, les noms de l'équipage étaient cousus.

Tous, ils s'apparièrent deux à deux pour vérifier la combinaison du vis-à-vis, afin de s'assurer que chaque élément était bien calé, bien fixé. Ensuite, l'un des membres spécialisés de la mission, David Carter, invita tout le monde à une brève prière. Ces quelques minutes contribuèrent à dissiper le sombre nuage créé par la mort inopinée d'Adam Treloar.

À un peu plus de trois heures du décollage, ils quittèrent leurs quartiers pour pénétrer dans un bain de projecteurs de caméras. Pour les observateurs extérieurs, tous soigneusement contrôlés et porteurs de laissez-passer spéciaux, le départ était la dernière occasion de voir les astronautes. Megan se jeta dans la fosse aux lions en adressant un bref signe de la main aux représentants des médias. Quand elle sourit, un journaliste lui lança :

— Encore un sourire ! Le même, voilà, c'est ça.

Le trajet jusqu'au portique de lancement, dans une camionnette semblable à celles d'UPS, ne prit que quelques minutes. Une fois sur le site, l'équipage embarqua dans un ascenseur qui l'emmena à soixante mètres de hauteur, dans la salle blanche, la dernière zone de transit où ils enfilèrent tous leur parachute, leur harnais, leur coiffe de transmissions, leur casque et leurs gants.

— Tu es d'attaque ?

Megan se retourna et entrevit Reed à côté d'elle, habillé, fin prêt.

— Ça va, je pense.

— Le trac avant le décollage ?

— Alors c'est ça que je sens, dans le ventre ?

Il se pencha plus près.

— Ne va pas le répéter, mais moi aussi, je l'ai.

— Pas toi !

— Surtout moi.

Peut-être était-ce la façon qu'avait Megan de le regarder qui lui fit prononcer les mots suivants :

— Quelque chose ne va pas ? On dirait que tu veux me poser une question.

Megan balaya l'air de la main.

— C'est le moment, j'imagine. On en rêve, on s'entraîne et on travaille pour ça, et puis un beau jour, c'est là.

Reed lui administra une petite tape sur l'épaule.

— Tu vas très bien t'en tirer. Souviens-toi de ce qu'a dit Allenby : nous comptons tous sur les expériences que tu as programmées.

336

— Mesdames et messieurs, il est l'heure, lança l'un des membres de l'équipe de préparation.

Lorsque Reed se détourna, Megan poussa un soupir de soulagement. Durant sa conversation au téléphone avec Klein, le chef du Commando lui avait indiqué qu'il allait immédiatement vérifier qui était le mystérieux visiteur de Reed, tenter de clairement établir son identité, avant de lui en référer. N'ayant pas entendu de nouvelles de lui, Megan supposait que Klein était toujours en train de procéder à ses vérifications, ou qu'il avait obtenu une réponse tout à fait satisfaisante sans avoir été en mesure de la lui transmettre.

— C'est l'heure du spectacle, annonça Reed. Il eut un geste vers Megan. Après vous, madame.

Megan respira un bon coup, s'accroupit, et plongea la tête la première par l'écoutille du poste de pilotage. Se frayant un passage jusqu'à l'échelle, elle descendit dans l'entrepont où, en plus des postes de couchage, des compartiments de nourriture et de rangement, et de la salle de bains, étaient disposés trois sièges spécialement prévus pour le décollage, le sien, celui de Randall Wallace, l'autre spécialiste de la mission, et de David Carter, le technicien spécialiste de la soute.

En s'installant dans ce siège démontable, qui serait replié et rangé après le décollage, Megan se retrouva sur le dos, les genoux pointés vers le plafond.

— Troisième mission et je n'arrive toujours pas à m'habituer à ces sièges, grommela Carter en se glissant dans celui qui était situé à côté du sien.

— C'est parce que tu n'arrêtes pas de prendre des kilos, mon gars, l'asticota Wallace. Tous ces bons petits plats de cuisine familiale.

— Au moins, j'ai une famille que je retrouve à mon retour, moi, lui rétorqua Carter.

Tirant sur un cigare imaginaire, Wallace lui fit son imitation de Groucho Marx.

— Ça doit être l'amour.

Lorsque l'équipe de préparation fit son entrée pour sangler les astronautes sur leurs sièges, les plaisanteries cessèrent.

— Les micros ?

Megan testa le sien et hocha la tête du mieux qu'elle put, vu sa liberté de manœuvre plutôt restreinte. Pendant qu'on sanglait ses camarades, elle écouta l'équipage de l'orbiteur qui passait en revue la check-list du décollage avec le contrôle de la mission.

Une fois sa tâche achevée, l'équipe de préparation se retira. Si Megan ne pouvait les voir, elle n'avait aucun mal à imaginer leurs mines solennelles.

— Mesdames et messieurs, Dieu vous garde. Revenez-nous sains et saufs.

— Mais certainement, marmonna Carter.

— J'aurais dû apporter un bon bouquin, fit Wallace, songeur. Megan, comment ça va de ton côté ?

— La pêche, merci. Maintenant, les garçons, si ça ne vous ennuie pas, j'ai ma propre liste à vérifier.

*

À plusieurs centaines de kilomètres plus au nord-est, Jon Smith terminait sa deuxième tasse de café et consulta sa montre. À l'heure qu'il était, Kirov aurait eu largement le temps de prendre position dans Dupont Circle. En sortant de chez lui, il jeta un dernier coup d'œil aux écrans de télévision reliés aux caméras extérieures de surveillance. Située sur un terrain en angle, sa maison était bordée de grands arbres qui la dissimulaient efficacement à ses voisins. Le jardin n'était qu'une pelouse, sans arbustes, sans taillis où un intrus aurait pu se cacher. Les détecteurs de mouvement logés dans les murs de pierre de la maison balayaient la zone en permanence.

Si quelqu'un réussissait à franchir ces capteurs, il découvrirait un système d'alarme sophistiqué intégré dans les fenêtres à double vitrage et les serrures des portes. Si jamais ces dernières étaient fracturées, des blocs capteurs de variations de la pression atmosphérique disséminés un peu partout dans la maison s'activeraient, déclenchant à la fois une alarme et des jets de gaz incapacitant à travers le système d'arrosage de la pelouse. Testé dans les prisons fédérales, ce gaz abattait sa cible en moins de dix secondes, et c'était la raison pour laquelle Smith gardait toujours un masque à gaz dans sa table de nuit.

Il avait beau estimer que Beria ne tenterait pas de le tuer en lui tirant dessus à distance, il jugeait prudent de vérifier le périmètre à deux fois. Assuré d'être en sûreté, il retourna dans la cuisine qui communiquait directement avec le garage. Il tendait la main pour éteindre le petit poste de télévision perché sur le comptoir quand il vit une image qui le fit sourire. Il hésita brièvement, puis il sourit encore et attrapa le téléphone.

*

À vingt et une minutes du décollage, la voix du directeur du vol, Harry Landon, retentit dans les écouteurs de l'équipage.

339

— «Bonnes gens, lança-t-il avec son ton nasillard de l'Oklahoma, il semblerait que nous ayons un événement inattendu.»

L'équipage n'ignorait pas que trois cents personnes dans la salle de contrôle de la mission étaient à l'écoute du moindre son émanant d'eux, et il ne put réprimer un gémissement collectif.

— Ne me dites pas qu'on va devoir tout recommencer, râla Carter.

— Quel est le problème, contrôle de mission? demanda le pilote non sans brusquerie.

— «Ai-je évoqué un problème? Non, j'ai parlé d'un événement.» Il y eut un bref silence. «Docteur Olson, avez-vous complètement terminé votre check-list?»

— Oui, monsieur, lui répondit Megan, le cœur battant.

Ne me dites pas que j'ai foiré. Tout sauf ça.

— «En ce cas, voulez-vous prendre cet appel?»

Involontairement, Megan tenta de se redresser, mais n'alla nulle part. Qui pouvait bien l'appeler? *Oh! Seigneur!*

— Harry, fit-elle d'une voix paniquée. Je ne sais pas si c'est une si bonne idée que ça.

— «Allons, ne vous mettez pas dans tous vos états. Je vais vous connecter, rien que vous.»

La dernière chose qu'elle entendit avant le chuintement de l'électricité statique, ce fut l'interjection de Carter :

— Ah mince alors!

— Megan?

Son pouls s'accéléra.

— Jon? C'est toi?

— Je ne pouvais pas te laisser partir sans te souhaiter bonne chance.

— Jon, comment as-tu…? Je veux dire, comment es-tu arrivé à…

— Pas le temps de t'expliquer. Ça va? Tu es prête?

— Prête, oui. Si ça va? Enfin, j'ai encore besoin de me faire à l'idée d'être assise sur une citerne de carburant liquide.

— Je voulais te souhaiter que tout aille bien… Fais en sorte de nous revenir saine et sauve.

Megan sourit.

— Accordé.

— «Désolé, bonnes gens», les interrompit Landon. «C'est l'heure.»

— Merci, Harry, fit Megan.

— «Je vous remets dans le circuit général. Prête?»

— Allez-y.

Megan s'arma de courage pour essuyer quelques gentilles taquineries, mais le reste de l'équipage était occupé à échanger des instructions et des renseignements de dernière minute. Fermant les yeux, elle chuchota quelques versets du Psaume 24. Elle avait à peine terminé quand la navette frémit légèrement. Un instant plus tard, ce fut le coup d'envoi de la procédure d'allumage des fusées à poudre, et un grondement sourd et puissant enveloppa le vaisseau.

Dans les conversations du contrôle au sol qui vérifiait à nouveau la procédure de décollage, Megan entendit :

— «Houston, ici *Discovery*, lancement!»

Le réservoir extérieur alimenta les moteurs principaux de la navette, et Megan se sentit comme sanglée à un wagon de montagnes russes qui lui secouait les os en tous sens — à ceci près qu'il n'y avait pas moyen d'arrêter le tour. Deux minutes et six secondes après avoir quitté le sol, les fusées à poudre se séparèrent de l'orbiteur, retombant dans l'océan, où elles seraient récupérées. Propulsée par le carburant de son réservoir extérieur qui alimentait ses moteurs principaux, *Discovery* s'arrachait péniblement à la gravité. Plus elle montait vite et haut, plus l'équipage se rapprochait de la pression maximale de 3 G. On avait prévenu Megan, ce serait comme d'avoir un gorille sanglé sur le torse.

Faux. Un éléphant, oui, plutôt.

Six minutes plus tard, à une altitude de 294 kilomètres, les moteurs principaux se coupèrent. Ayant accompli leur tâche, les réservoirs extérieurs se séparèrent et s'éloignèrent de la navette. Megan fut stupéfaite du silence soudain et de cette phase de vol qui se déroulait subitement en douceur. Tournant la tête, elle comprit pourquoi : dans son champ de vision, par l'étroit hublot, elle aperçut les étoiles. *Discovery* et Megan étaient en orbite.

CHAPITRE VINGT ET UN

La veille au soir, Ivan Beria avait eu rendez-vous avec le chauffeur de la Lincoln devant la station de métro à l'angle de Q Street et de Connecticut Avenue. Le chauffeur avait de plus amples informations et des instructions supplémentaires à lui délivrer, et il les avait étudiées tandis que la voiture s'acheminait en direction de Bethesda.

Le chauffeur était indispensable car le tueur ne pouvait se permettre de se faire voir dans les rues — et puis ses talents en matière de maniement du volant étaient plus que rudimentaires. Cet assassin qui était capable de découper un homme en morceaux en quelques secondes était vite perdu et perturbé par ces flux de circulation qui entraient et sortaient de la ville. En cas d'urgence, il n'était pas certain de réussir à fuir. Outre le transport, le véhicule présentait un autre avantage : côté surveillance, c'était l'outil parfait. Washington était pleine de berlines de l'administration. Celle-ci ne semblerait nullement déplacée dans un quartier comme Bethesda.

À l'approche du domicile de Smith, le chauffeur avait ralenti comme s'il cherchait un numéro en particulier. Beria s'était imprégné de la topographie de

343

cette maison de style ranch, pleine de coins et de recoins, très en retrait de la rue. Il avait remarqué les arbres qui longeaient la propriété et qui, supposait-il, continuaient sur l'arrière. Il y avait de la lumière aux fenêtres mais pas d'ombres indiquant du mouvement.

— Refaites un tour, demanda Beria au chauffeur.

Cette fois-ci, Beria avait observé de près les autres maisons du lotissement. Elles avaient presque toutes une pelouse encombrée de vélos et de jouets, un filet de basket-ball au-dessus de la porte du garage, un petit bateau à moteur perché sur une remorque bloquée par une cale dans l'allée. Par contraste, la maison de Smith avait l'air inoccupée, menaçante. C'était, se dit Beria, la maison d'un homme qui vit seul et préfère qu'il en soit ainsi, un homme dont le métier requiert la solitude et le secret. Une telle demeure devait posséder un système d'alarme bien plus sophistiqué — plus redoutable — que tous ceux affichés par les autocollants des sociétés de télésurveillance sur les portes des habitations voisines.

— J'en ai assez vu, dit-il au chauffeur. Nous reviendrons demain. Tôt.

À présent, il était 9 heures du matin passé de quelques minutes, le lendemain. Beria était installé sur la banquette arrière de la Lincoln garée, moteur au ralenti, à l'angle de la rue de Smith. Le chauffeur fumait une cigarette, dehors. Pour les joggers et les gens qui promenaient leur chien, il paraissait attendre un client.

À l'intérieur, au frais et au calme, Beria repassait en revue toutes les informations concernant le médecin américain. Son commanditaire souhaitait sa suppression rapide. Mais il existait certains obstacles. Smith n'allait pas dans un bureau. Apparemment, sa maison était bien protégée. Par conséquent, l'exécution devrait s'effectuer à l'extérieur, dès qu'une occasion se présenterait. L'autre problème, c'était le caractère imprévisible de ses déplacements. Il n'avait aucun emploi du temps arrêté, et donc le commanditaire était incapable de lui indiquer où se trouverait la cible à un instant donné. Cela signifiait que Beria allait devoir suivre Smith d'aussi près que possible, en quête d'une ouverture. Ce qui travaillait en sa faveur, c'était que l'Américain se déplaçait sans escorte, et — à la connaissance du commanditaire — qu'il ne portait pas d'arme. Le plus important, c'était qu'il n'avait aucune idée du danger qu'il encourait.

Lorsque le chauffeur s'installa au volant, la Lincoln donna de la bande.

— Smith sort de chez lui.

Beria regarda par le pare-brise : au bout de la rue, une berline bleu marine sortait à reculons d'un garage. Selon le commanditaire, c'était le véhicule de la cible.

— Et c'est parti, lâcha Beria à mi-voix.

*

Smith entrait en ville, sans cesse de vérifier dans ses rétroviseurs. Au bout de quelques kilomètres, il avait repéré la Lincoln noire qui changeait de voie chaque fois qu'il en changeait. Il appela Kirov sur son cellulaire.

— C'est la Lincoln de l'aéroport. Qui me suit à la trace. À mon avis, Beria mord à l'hameçon.

— Je suis prêt, lui assura Kirov.

Prenant de l'avance au passage d'un feu, Smith

contrôla de nouveau son rétroviseur. La Lincoln était encore là, trois voitures derrière.

Une fois en ville, il roula aussi vite que la circulation le permettait, en changeant de voie et en jouant du klaxon. Il espérait que Beria allait avaler cette apparence qu'il voulait se donner d'un homme en retard à un rendez-vous important, un homme préoccupé, qui baisse la garde, une proie facile. Il voulait que l'assassin se concentre sur lui, à l'exclusion de quoi que ce soit, ou de qui que ce soit d'autre. Ainsi, il ne verrait jamais Kirov arriver.

Il est pressé, songea Beria. *Pourquoi ?*

— Il se dirige vers Dupont Circle, lui indiqua le chauffeur, sans quitter la circulation des yeux.

Beria se renfrogna. Son appartement était localisé dans ce quartier-là. Smith aurait-il déjà pu le découvrir ? Quelle était sa destination ?

Sur Connecticut Avenue, la berline accéléra, tourna sur la gauche dans R Street, puis à droite dans la 21e Rue.

Où va-t-il ?

La berline ralentit lorsque Smith approcha du carrefour en triangle en haut de S Street. Beria le regarda se garer sur un parking, puis traverser la 21e Rue. Ce quartier, avec ses restaurants et ses boutiques d'Europe orientale, lui était familier. Depuis son arrivée à Washington, c'était le seul endroit où il se soit aventuré en s'y sentant à l'aise.

Il est ici pour essayer de flairer le vent. Ou peut-être quelqu'un a-t-il vu ma photo.

Beria avait vu le portrait-robot de la police aux informations. Il l'avait jugé d'un rendu médiocre, pas du tout fidèle. Mais peut-être quelqu'un l'avait-il aperçu dans le coin, même s'il ne quittait son appartement qu'à la nuit tombée.

Non. S'il soupçonnait ma présence ici, il ne serait jamais venu seul. Il n'est pas sûr. Il suppose.

— Attendez-moi à un endroit où je puisse vous retrouver, demanda-t-il au chauffeur.

Le chauffeur lui montra un restaurant qui s'appelait Dunn's River Falls.

— Je serai sur le parking.

Descendant de voiture, Beria traversa la rue au petit trot, juste à temps pour voir Smith plonger sous une arcade bordée par un bar et une boutique de posters. Maintenant, il savait exactement où son gibier se dirigeait : le petit quadrilatère entre la 21e Rue et Florida Avenue. Il trouva très futé que Smith aille le chasser dans un endroit où en effet il aurait naturellement pu graviter. Mais c'était également un lieu qu'il savait pouvoir maîtriser.

Il disparut sous l'arcade, avant de ressortir par l'auvent d'un café macédonien. À l'une des tables, un groupe de vieux messieurs jouait aux dominos. La douce mélodie d'une chanson populaire du pays crachotait dans les haut-parleurs intérieurs et extérieurs. Il y avait là Smith, qui marchait en direction de la fontaine au centre du quadrilatère. Il ne se pressait plus autant, maintenant, il regardait autour de lui comme s'il attendait quelqu'un. Beria croyait pouvoir sentir d'ici le malaise de l'Américain, la gêne de quelqu'un qui comprend qu'il n'est pas à sa place. Sa main plongea tout au fond de la poche de sa veste, ses doigts se refermèrent sur la poignée en liège de son stylet muni d'un ressort.

Dix mètres devant lui, l'Américain sentit son alphapage vibrer contre ses reins. Kirov lui signalait que Beria était dans la zone, à moins de vingt pas de lui. Ralentissant encore, Smith flâna le long d'un stand où des tapis étaient accrochés à des cordes à linge. Il s'arrêta, consulta sa montre, puis il regarda autour de lui comme s'il cherchait quelqu'un en particulier. Vu l'heure, il y avait des clients dans les parages — surtout des gens en route pour aller travailler ou bien ouvrir leur boutique, qui s'arrêtaient là pour boire un café ou manger une pâtisserie. Smith estimait que Beria devait admettre que c'était une heure logique pour rencontrer un informateur.

Son alphapage vibra de nouveau — deux fois. Beria était à moins de dix mètres et il se rapprochait. En dépassant l'étalage de tapis, Smith sentit un picotement froid lui parcourir l'échine. Il ne cessait pas de regarder autour de lui, mais il ne voyait ni Beria ni Kirov. C'est alors qu'il perçut le bruit feutré des pas derrière lui.

De son poste d'observation sur le pas de porte d'une mercerie fermée, le major-général avait repéré Beria à l'instant où il était sorti de l'arcade. Maintenant il s'approchait de lui en diagonale, ses baskets spécialement conçues rendant ses pas silencieux.

Ne te retourne pas, Jon. Ne détale pas. Fie-toi à moi.

Beria était désormais à moins de cinq mètres derrière Smith, et s'en rapprochait très vite. Lorsque la main du tueur sortit de la poche, Kirov entrevit le manche en liège et un éclair d'acier quand Beria appuya sur le mécanisme qui faisait jaillir la lame.

Kirov tenait en main son parapluie d'aspect ordinaire. L'instrument se balançait légèrement dans sa main, et il effaça la distance qui le séparait du tueur.

À l'instant précis où ce dernier allait encore avancer d'un pas, sa jambe d'appui se leva à peine, cheville en l'air, et Kirov abaissa le parapluie. Le bout coupant comme une lame de rasoir fendit le tissu de la jambe de pantalon de Beria, et entailla la chair sur un centimètre à peine. Beria pivota sur place, son stylet étincelant dans la pâle lumière du soleil. Mais Kirov s'était déjà écarté de deux pas. Beria l'entr'aperçut, les yeux écarquillés, sous le choc. Le visage de Moscou ! Le général russe de la gare !

Beria fit un pas vers Kirov, mais ne l'atteignit jamais. Sa jambe droite fléchit et se déroba sous lui. Le stylet lui échappa quand il culbuta en avant. La drogue qui nappait l'extrémité du parapluie lui courait dans les veines, lui brouillait la vue, transformant ses muscles en mastic.

L'œil vitreux, le tueur eut vaguement conscience d'être soulevé par une paire de bras puissants. C'était Kirov qui le soutenait, lui souriait, lui parlait en serbe, lui racontait qu'il avait été un mauvais garçon et qu'il l'avait cherché partout. Beria ouvrit la bouche mais il ne s'en échappa qu'un gargouillement. Maintenant Kirov l'attirait tout contre lui, lui chuchotait quelque chose. Il sentit les lèvres du Russe lui effleurer la joue, et puis le cri, en serbe, de quelqu'un qui insultait sa virilité.

— Allons, mon amour, lui glissa Kirov d'une voix feutrée. On t'emmène avant que ça ne tourne au vinaigre.

Beria se retourna et vit les vieux messieurs qui lui adressaient des gestes grossiers. Maintenant il y avait Smith à ses côtés, qui le soulevait par l'autre épaule. Beria tâcha de bouger les pieds mais il s'aperçut qu'il arrivait tout juste à les traîner au sol. Sa tête se renversa en arrière et il vit la voûte de l'arcade. Dehors, dans le quadrilatère de la place, le vacarme de la circulation retentissait comme une cataracte géante. Kirov faisait coulisser la porte à glissière d'un van bleu, d'où il sortit un fauteuil roulant pliant. Des mains sur ses épaules l'assirent de force. Des sangles de cuir serpentèrent autour de ses poignets et de ses chevilles. Il entendit le gémissement d'un moteur électrique et comprit que l'on faisait rouler la chaise sur une rampe élévatrice. Ensuite, le major-général poussa la chaise à l'intérieur du van, bloqua les roues. Soudain, tout s'effaça, sauf les yeux bleus et froids du Russe.

— Tu ne sais pas quelle chance tu as, espèce de salopard, assassin !

Après quoi, il n'entendit plus rien.

*

Le perron situé sur l'arrière de la retraite de Peter Howell dans la baie de Chesapeake donnait sur un étang tranquille alimenté par un ruisseau au cours sinueux. C'était la fin de l'après-midi, et Beria était prisonnier depuis presque huit heures. Le soleil lui réchauffant le visage, Smith se cala contre le dossier de son fauteuil et regarda un couple de faucons tournoyer dans le ciel en quête d'une proie. Derrière lui, il entendit les talons de Kirov résonner sur les lames du plancher.

Smith n'avait pas la moindre idée de qui était véritablement le propriétaire de cette retraite campagnarde, mais ainsi que Peter Howell le lui avait expliqué à Venise, l'endroit était à la fois très retiré et très bien équipé. Propre et confortable, le bungalow possédait un garde-manger plein de conserves. Sous le plancher de la pièce principale, une sorte d'oubliette était aménagée en cache d'armes, de médicaments et autres produits de première nécessité, indiquant à n'en pas douter que le propriétaire des lieux exerçait le même style de métier que Howell lui-même. Sur l'arrière de la maison, dans ce qui ressemblait à une vaste cabane à outils, il y avait encore autre chose.

— Il est temps, général.

— Il faut le laisser mijoter encore un petit peu, Jon. Nous n'avons aucune envie de tout recommencer.

— J'ai lu la même littérature médicale que vous. À peu près tous les sujets craquent au bout de six heures.

— Beria n'est pas un sujet comme un autre.

Smith traversa la véranda et s'accouda à la rambarde. Depuis le moment où Kirov et lui avaient conçu cette opération, ils savaient qu'une fois capturé, Beria ne parlerait pas. Pas sans certaines incitations. Il n'était pas question de recourir à des expédients aussi primitifs que l'électrochoc ou la matraque en caoutchouc. Il existait des produits chimiques sophistiqués qui, moyennant certaines associations médicamenteuses, se révélaient fort efficaces et très fiables. Mais ils présentaient certains inconvénients. On ne pouvait jamais avoir l'assurance que le sujet ne déclencherait pas de réaction inattendue, n'entrerait en état de choc, ou pire. S'agissant de Beria, on ne pouvait se permettre de prendre un risque pareil. Il fallait le briser proprement, complètement, et surtout, sans dommages.

Smith ne se faisait guère d'illusion. Que l'on recoure à l'électricité, aux substances chimiques ou à n'importe quoi d'autre, tout cela équivalait à de la torture. L'idée d'avoir à autoriser son emploi l'écœurait, à la fois en tant qu'être humain et en sa qualité de médecin. Il s'était répété inlassablement que, dans le cas présent, de pareilles méthodes se justifiaient. Que Beria était un individu susceptible d'exposer des millions de personnes à une mort horrible. Il était vital d'accéder aux informations que recelait son cerveau.

— Allons-y, fit Smith.

*

Ivan Beria était entouré de blanc. Il avait beau garder les yeux fermés, comme il le faisait en quasi-permanence, il ne voyait autour de lui que du blanc.

En reprenant conscience, il avait découvert qu'il se tenait debout dans un profond tube cylindrique, une sorte de silo. Haut de quatre mètres cinquante environ, des parois parfaitement lisses, revêtues d'un plâtre peint et verni d'une substance qui les rendait brillantes. Très haut, hors d'atteinte, il y avait deux gros projecteurs allumés en permanence. L'endroit était totalement dénué d'obscurité, pas le moindre soupçon d'ombre.

Au début, Beria avait cru à une cellule de confinement improvisée. Cette pensée l'avait rassuré. Il avait connu de brèves expériences de cellules de prison. Mais ensuite il avait découvert que le diamètre du silo était à peine suffisant pour accueillir la largeur de ses épaules. Il pouvait se pencher de quelques centimètres dans toutes les directions, mais il ne pouvait pas s'asseoir.

Au bout d'un certain temps, il crut percevoir un léger bourdonnement, comme un vague signal radio. À mesure que les heures passaient, le signal lui paraissait de plus en plus prononcé et les murs de plus en plus blancs. Et puis ils se mirent à se resserrer sur lui. C'était la première fois que Beria fermait les yeux, un court instant. Quand il les avait rouverts, la blancheur était encore plus crue, si une telle chose était possible. À présent il osait à peine les ouvrir. Le bourdonnement était allé crescendo, jusqu'au grondement, et derrière Beria entendait autre chose, un son qui aurait pu s'apparenter à une voix humaine. Il ignorait complètement qu'il s'agissait de ses propres cris.

Sans avertissement, il tituba en arrière, s'affalant par une porte dissimulée que Kirov venait d'ouvrir. Agrippant Beria par le bras, il tira brutalement l'assassin hors du silo et, immédiatement, lui enfila une capuche noire sur la tête.

— Tout va bien se passer, chuchota le Russe en serbe. Je vais effacer la douleur, toute la douleur. Tu vas avoir un peu d'eau, et ensuite tu vas me parler.

Subitement, violemment, Beria jeta les bras autour de Kirov, en s'accrochant à lui comme un homme qui se noie s'accrocherait à un morceau de bois. Durant tout ce temps, Kirov continua de lui parler et de le tranquilliser, jusqu'à ce que le Macédonien effectue ses premiers pas heurtés, hésitants.

*

Smith fut choqué par l'allure de Beria — non qu'il soit terrorisé ou blessé, tout au contraire : il avait exactement l'air qui était le sien la dernière fois qu'il l'avait vu. Mais il relevait quelques différences. Les yeux de Beria étaient vitreux, vidés, comme ceux d'un poisson de la veille sur un lit de glace. Sa voix était monocorde, sans timbre ni tessiture. Quand il parlait, on eût dit qu'il était sous hypnose.

Tous trois s'étaient assis sur la véranda autour d'une petite table, avec un petit magnétophone qui tournait. Beria but quelques gorgées d'eau dans une tasse en plastique. À côté de lui, Kirov surveillait ses moindres mouvements. Sur ses genoux, recouvert par un chiffon, était posé un pistolet, le canon pointé sur l'épaule de Beria.

— Qui vous a engagé pour tuer le garde russe ? lui demanda Smith à voix basse.

— Un homme de Zurich.

— Vous êtes allé à Zurich ?

— Non. Nous nous sommes parlé au téléphone. Uniquement au téléphone.

— Vous a-t-il dit son nom ?

— Il s'est présenté sous le nom de Gerd.

— Comment Gerd vous payait-il ?

— L'argent était mis en dépôt sur un compte à la banque Offenbach. Ce compte était géré par Herr Weizsel.

Weizsel ! Le nom que Peter Howell avait soutiré au policier italien corrompu, Dionetti...

— Herr Weizsel... L'avez-vous rencontré ? lui demanda Smith, toujours d'une voix égale.

— Oui. Plusieurs fois.

— Et Gerd.

— Jamais.

Smith lança un coup d'œil à Kirov, qui hocha la tête, signifiant par là que, selon lui, Beria disait la vérité. Smith acquiesça. Il s'était attendu à ce que Beria ait travaillé par l'intermédiaire de filtres. Les banquiers suisses comptaient parmi les meilleurs hommes de paille du métier.

— Savez-vous ce que vous avez soustrait au garde russe ? poursuivit Smith.

— Des germes.

Smith ferma les yeux. *Des germes...*

— Connaissez-vous le nom de l'homme à qui vous avez remis ces germes à l'aéroport de Moscou ?

— Je crois qu'il s'appelait Robert. Ce n'était pas son vrai nom.

— Saviez-vous que vous auriez à le tuer ?

— Oui.

— Est-ce Gerd qui vous a dit de vous en charger ?

— Oui.

— Gerd a-t-il jamais mentionné l'existence d'Américains ? Avez-vous été contacté par des Américains ?

— Non, à part le chauffeur. Mais je ne connais pas son nom.

— Vous a-t-il parlé de Gerd ou de qui que ce soit d'autre ?

— Non.

Smith s'interrompit, tâchant de surmonter sa contrariété. Ceux qui dirigeaient cette opération avaient érigé des cloisons étanches apparemment impénétrables entre eux-mêmes et cet assassin.

— Ivan, je souhaite que vous n'écoutiez pas ce qui va suivre.

— Très bien. Beria détourna le regard, avec un air absent.

— Jon, il n'a rien de plus à révéler, lui affirma Kirov. Nous pourrions obtenir quelques détails supplémentaires, pour le peu qu'ils valent. Le Russe ouvrit grand les mains. Qu'en est-il de la Lincoln ?

— C'est un véhicule qui appartient à la flotte de la NASA. Des dizaines de chauffeurs les utilisent. Klein est toujours en train d'en vérifier le signalement. Il resta songeur. Nous aurions dû enlever le chauffeur. À l'heure qu'il est, il les aura informés de la disparition de Beria. Ses commanditaires iront droit à l'évidence. À partir de maintenant, ils vont se montrer beaucoup plus prudents.

— Nous avons abordé le sujet, lui rappela le major-général. Rien qu'à nous deux, nous ne serions pas arrivés à nous emparer de Beria et du chauffeur. Nous aurions eu besoin de renforts.

— Beria nous a livré deux noms : la banque Offenbach et ce Herr Weizsel, récapitula Smith, et il parla à Kirov de la filière vénitienne.

Le Russe leva les yeux au ciel.

— Weizsel a forcément dû traiter avec Gerd. Il lui aura certainement parlé, peut-être même l'aura-t-il rencontré…

Smith compléta la pensée de son interlocuteur.

— Et donc, autrement dit, il connaîtrait le vrai nom de Gerd, c'est cela ?

CHAPITRE VINGT-DEUX

Quand Ivan Beria ne reparut pas dans le délai assigné, le chauffeur de la Lincoln abandonna la voiture. Dans ce quartier, il y avait de bonnes chances pour qu'elle soit volée dès les prochaines heures. Après quoi, elle serait soit démontée par des professionnels dans un atelier de spécialistes, soit démantibulée par de petits voleurs. Dans tous les cas, elle était promise à la disparition.

Même si les autorités parvenaient à mettre la main dessus les premières, la voiture ne leur fournirait que peu d'indices. Le chauffeur avait toujours porté des gants : les experts des laboratoires d'analyse recueilleraient peu d'éléments susceptibles de le relier au véhicule. Et son nom n'apparaissait dans aucun des fichiers de la NASA. La sortie de la voiture avait été enregistrée sous le nom d'un chauffeur qui travaillait actuellement à Pasadena, en Californie.

À la station de métro située à l'angle de Connecticut Avenue et de Q Street, le chauffeur appela son mandant. Tranquillement, il expliqua ce qui s'était passé et laissa entendre que l'assassin s'était fait prendre. Le personnage à l'autre bout du fil ordonna au chauffeur de se rendre immédiatement à l'aéroport Dulles. Dans un casier destiné à cet effet, il trouverait deux petits sacs de voyage, l'un avec de l'argent et des papiers d'identité, l'autre avec des vêtements de rechange. Le premier sac contiendrait également un billet d'avion pour Cancún, au Mexique, où il était convenu qu'il séjournerait jusqu'à plus ample information.

Dès qu'il en eut terminé avec le chauffeur, Anthony Price téléphona au docteur Karl Bauer, rentré à Hawaï après avoir livré les souches de variole à Dylan Reed, à Cap Canaveral.

— Le problème pour lequel vous avez envoyé votre gars ? répliqua-t-il avec brusquerie. Maintenant c'est pire qu'avant. Après avoir livré à Bauer les maigres détails qu'il possédait, il ajouta : Si Beria s'est fait prendre, alors il y a gros à parier que c'est Smith qui le tient prisonnier. Au bout du compte, Beria parlera… s'il n'a pas déjà parlé.

— Et après ? le questionna Bauer. Il n'a jamais vu aucun de nous. Il ne connaît pas nos noms. Treloar est mort. La piste s'arrête avec lui.

— La piste ne s'arrête pas à Beria ! s'écria Price d'un ton cassant. Il faut s'en occuper.

— Pendant qu'il est sous la garde de Smith ? lui répliqua Bauer d'un ton sarcastique. Dites-moi, je vous prie, comment vous proposez de l'atteindre.

Price hésita. Smith n'allait pas faire enfermer Beria dans une prison fédérale ou dans une cellule de confinement. Il allait l'escamoter quelque part où personne ne le retrouverait.

— Alors il nous faut accélérer notre programme, déclara-t-il. Créer une diversion.

— Agir de la sorte risquerait de mettre en danger Reed, et le projet tout entier.

— Ne pas agir risquerait de nous mettre en danger, nous ! Écoutez-moi, Karl. Reed devait mener l'expérience après-demain. Il n'y a aucune raison de ne pas la conduire tout de suite.

— Toutes les expériences sont échelonnées suivant un programme bien établi, lui répliqua Bauer. Si Reed modifie leur ordre, cela pourrait paraître suspect.

— Étant donné le peu d'importance de la chose, une modification dans l'ordre des expériences sera bien le cadet des soucis de tout le monde. L'essentiel, c'est d'opérer la mutation aussi rapidement que possible… et de garer nos fesses.

À l'autre bout du fil, ce fut le silence. Price retint son souffle, se demandant si le vieux scientifique allait entrer dans son jeu.

— Très bien, lâcha enfin Bauer. Je vais contacter Reed et lui dire de modifier le programme.

— Dites-lui de travailler aussi vite que possible.

— Aussi vite que possible… mais en restant prudent.

Price était à bout.

— Ne coupez pas les cheveux en quatre avec moi, Karl. Dites-lui d'avancer, un point c'est tout.

Karl Bauer resta le regard figé sur le téléphone désormais silencieux. Il songea qu'Anthony Price faisait partie de ces bureaucrates qui se laissaient gagner par le complexe de Napoléon, grisés qu'ils sont par leur pouvoir apparemment sans limites.

Quittant son bureau, Bauer prit l'ascenseur jusqu'au deuxième sous-sol. C'était l'épicentre de son système de communications, une pièce de la taille d'une salle de contrôle aérien, où des techniciens, utilisant trois satellites privés, gardaient le bout des doigts sur le pouls électronique de l'empire Bauer-Zermatt. Il y en avait aussi un quatrième qui, jusqu'à présent, était demeuré inactif. Traversant la salle, Bauer pénétra dans son cabinet personnel et s'y enferma. Il s'assit à la console, alluma l'écran haute définition et commença de taper sur le clavier. Le satellite, fabriqué par les Chinois à Xianpao, lancé par les Français depuis la Guyane, se mit en fonction. En tant qu'équipement, il s'agissait d'un matériel plutôt rudimentaire, mais là encore, il ne répondait qu'à un seul et unique objectif, avec une durée de vie très courte. Quand sa mission serait accomplie, une charge explosive détruirait toute preuve de son existence.

Bauer se superposa à la fréquence de la NASA, prépara son message, une transmission par interférence de micropaquets de signaux, et ouvrit les circuits. En quelques nanosecondes, le message fut transmis au satellite, qui à son tour le relaya vers la navette. Une fois sa mission accomplie, le satellite se remit aussitôt en sommeil. Même si, par mégarde, son intrusion attirait l'attention, il serait quasiment impossible non seulement de déterminer son origine, mais aussi de localiser le relais. Avec ce satellite redevenu silencieux, cette interférence semblerait émaner d'un trou noir quelque part dans l'espace.

Bauer se redressa contre le dossier de son fauteuil, et joignit le bout des doigts. Naturellement, il ne recevrait aucune réponse directe en provenance de la navette. Le seul moyen pour lui de s'assurer que sa transmission avait été bien reçue serait de se brancher sur les échanges radio entre la NASA et la navette. Quand il entendrait la voix de Reed, il saurait.

Volant à 28 000 kilomètres à l'heure à une altitude de 324 kilomètres, *Discovery* bouclait sa quatrième orbite terrestre. Rangeant son siège pliable, Megan Olson s'extirpa de sa tenue de lancement et de rentrée dans l'atmosphère pour enfiler sa confortable combinaison garnie de poches doublées de velcro. Elle remarqua qu'elle avait la partie supérieure du corps et le visage bouffis. Ses ridules avaient pratiquement toutes disparu et elle avait perdu cinq bons centimètres de tour de taille. La cause en était la faible gravité, qui ne retenait plus vers le bas du corps le sang et les fluides organiques. Au bout de quatre à six heures, cet excès de liquides serait résorbé par les reins.

Avec l'aide de ses camarades d'équipe, Carter et Wallace, Megan activa la centrale électrique de la navette, l'air conditionné, les lumières et les systèmes de communication. Les portes de la soute furent ouvertes pour libérer la chaleur emmagasinée par la combustion des fusées à poudre et des moteurs principaux lors du décollage. Elles resteraient ouvertes pour toute la durée de la mission, ce qui contribuerait à réguler la température à l'intérieur de l'orbiteur.

Tout en travaillant, Megan écoutait les conversations entre le commandant de bord, Bill Karol, le pilote, Frank Stone, et le contrôle au sol. Il ne s'agissait que d'échanges d'informations de routine sur l'assiette, la vitesse et la position de la navette — jusqu'à ce qu'elle capte la voix perplexe de Karol.

— Dylan, tu confirmes ceci ?

— Bien reçu. Que se passe-t-il ?

— Quelque chose vient d'arriver dans le circuit pour toi. Mais ça n'a pas été saisi par le contrôle au sol.

Megan entendit le petit rire de Reed.

— Probablement un de mes gars au labo qui a dû enfiler un micro-casque. Quel est le message ?

— Apparemment il y a eu un changement dans l'ordre de vos expériences. Megan est recalée en numéro quatre. C'est toi qui prends le créneau pour l'ouverture.

— Hé, ce n'est pas juste, protesta Megan.

— On écoute aux portes, hein ? fit Reed. Ne t'inquiète pas, Megan. Tu ne seras pas lésée.

— Je sais. Mais pourquoi ce changement ?

— Je vérifie tout de suite le programme.

— Je monte.

Se laissant dériver en microgravité, Megan manœuvra pour monter l'échelle menant au poste de pilotage. Reed était suspendu en l'air comme un plongeur en flottaison neutre derrière le pilote et le commandant, occupé à vérifier son livret de bord.

Levant les yeux, il remarqua :

— Tu as l'air dix ans plus jeune.

— Je t'en prie, cinq, pas plus. Et je me sens ballonnée. Qu'est-ce qui se passe ?

Reed lui passa le livret de bord.

— C'est un changement de programme de dernière minute que j'ai omis de mentionner. Je vais effectuer les tests sur les animaux en premier, histoire de m'en débarrasser. Ensuite tu auras la place pour toi toute seule et tes microbes de la légionellose.

— Franchement, j'espérais m'y mettre la première, insista Megan.

— Ouais, je sais. Toute l'excitation du premier

voyage. Mais si j'étais toi, j'en profiterais pour dormir un petit coup pendant que je m'escrime sur un de ces plats pétrifiés hyperdélicats.

— Tu veux un coup de main pour ces tests ?

— C'est gentil de me le proposer, mais non, merci. Reed reprit le livret. Bon, je ferais mieux d'aller ouvrir l'Usine.

L'Usine, c'était le surnom de l'équipage pour le Spacelab.

Sur le moniteur de contrôle, Megan regarda Reed s'orienter vers l'entrepont, puis flotter dans le tunnel qui conduisait au Spacelab. Megan ne manquait jamais d'être stupéfaite par l'idée que seules les parois incurvées et l'enveloppe extérieure du module séparaient Reed du désert glacial de l'espace.

Megan se tourna vers Bill Karol.

— Qui a envoyé cette transmission ?

Karol consulta son écran.

— Aucun nom attaché, juste un numéro.

Une fois stabilisée, Megan lut par-dessus son épaule. Ce numéro à six chiffres lui était familier, mais elle ne parvenait pas à saisir pourquoi.

— Quelqu'un était pressé, lâcha laconiquement Stone, le pilote. Probablement une pagaille de dernière minute dans le labo au sol.

— Mais tu m'as dit que ça n'était pas passé par le contrôle au sol, souligna Megan.

— Ce que je voulais dire, c'est que ça n'était pas accompagné des bavardages habituels. Mais enfin, Megan, qui d'autre aurait pu envoyer ça ?

Tandis que les deux hommes retournaient à leurs tâches, Megan s'éloigna à reculons. Quelque chose ne collait pas. Elle venait de se rappeler où elle avait vu ce numéro auparavant. C'était le matricule de Reed au sein de la NASA. Comment aurait-il pu s'expédier un message à lui-même ?

Dès qu'il fut entré dans le Spacelab, Reed bascula en mode manuel les circuits de contrôle des caméras enregistrant l'activité sur le Biorack. Rabattant le velcro de l'une de ses poches de pantalon, il en sortit le court cylindre de titane que Bauer lui avait confié moins de vingt-quatre heures plus tôt. Le tube avait beau être soigneusement scellé, Reed comprenait qu'il maniait un produit « chaud », qui n'était plus réfrigéré depuis trop longtemps. Il ouvrit le réfrigérateur et glissa le tube à côté des cellules de maïs et des spécimens de vers nématodes, puis il réinitialisa les caméras.

Soulagé d'avoir placé la variole en lieu sûr, il commença de préparer le Biorack aux procédures qu'il allait engager. En même temps, il tâchait de saisir ce qui s'était passé sur Terre, et qui avait poussé Bauer à accélérer le programme de façon aussi radicale. Aux dernières nouvelles, Beria avait été mis en action pour supprimer Smith. Bauer ayant été en mesure de transmettre son message, et en l'absence de toute réception en provenance du contrôle au sol indiquant des développements inhabituels, la conclusion logique était que Beria avait rencontré un problème — suffisamment grave pour que Bauer soit contraint d'agir.

Reed savait que Bauer ne l'aurait jamais contacté, sauf en cas de nécessité absolue. Le pilote et le commandant de bord ne nourriraient aucun soupçon quant au fait que le message ne comportait pas de doublon, selon la procédure courante de la NASA : un deuxième message aurait été soumis à contestation et examiné.

Reed ne possédant pour l'instant aucun moyen de contacter Bauer, il n'avait plus qu'à lui faire aveuglément confiance et achever le travail que le Suisse avait entamé.

Pour cette tâche, Reed aurait préféré être reposé. En l'état actuel des choses, il allait devoir ignorer la fatigue du décollage et doser son effort pour mener à bien la séance de travail exténuante qui l'attendait. Tout en calant ses pieds dans les étriers ancrés dans le plancher en face du Biorack, il estima la quantité de temps que la besogne allait lui demander. Si ses calculs étaient exacts, le reste de l'équipage prendrait son dîner pile quand il serait en train de terminer. Ils se trouveraient donc tous réunis au même endroit, et c'était ce qu'il voulait.

*

Les yeux de Nathaniel Klein étaient aussi durs et immuables que des galets de rivière. Assis dans le salon du bungalow Rosebud, il écouta sans commenter le compte rendu que lui présentait Smith de l'enlèvement de Beria et des détails de son interrogatoire.

— Un tueur avéré est lié à une banque suisse et à l'un de ses principaux directeurs, murmura-t-il.

Smith désigna la cassette posée sur la table.

— Beria nous a livré bien davantage que cela. Il émargeait auprès de certains protagonistes majeurs, en Russie et en Europe de l'Est. Des événements qui nous semblaient ne revêtir aucun sens peuvent être tous reliés à des assassinats et des chantages dont Beria était partie prenante.

Klein lâcha un grognement.

— Parfait. Nous avons là un tas de boue, et un beau jour cela pourrait nous être utile. Mais si nous ne retrouvons pas ces souches de variole, il n'y aura plus de « beau jour » qui tienne ! Où sont Beria et Kirov, à la minute présente ?

— En lieu sûr. Beria est complètement sous calmants. Kirov le surveille. Le général m'a adressé une requête : il aimerait ramener Beria à Moscou… en toute discrétion… aussi vite que possible.

— Nous pouvons certainement lui arranger cela… pourvu que vous ayez la certitude qu'il n'ait plus rien à nous révéler.

— J'en suis convaincu, monsieur.

— En ce cas, je vais organiser un transport par la base d'Andrews.

Klein se leva et alla faire les cent pas devant la fenêtre panoramique.

— Malheureusement, enlever Beria n'a pas résolu notre problème. Vous connaissez la réputation des Suisses en matière de secret sur les transactions financières. Le Président serait éventuellement en mesure d'obtenir qu'ils nous ouvrent la banque Offenbach sans avoir à leur révéler pourquoi nous avons besoin qu'ils se montrent coopératifs, mais c'est risqué.

— Monsieur, l'opération ne peut pas s'effectuer à l'échelon intergouvernemental, suggéra calmement Smith. Nous n'avons pas le temps et, tout comme vous, je crains que les Suisses ne jouent l'obstruction. Il réfléchit. Mais Herr Weizsel pourrait faire preuve de meilleures dispositions. J'ai Peter Howell en attente à Venise, prêt à intervenir.

Klein lança un regard à Smith et comprit, en réalité,

à quoi il faisait allusion. Il prit le temps de mesurer les risques.

— Fort bien, fit-il enfin. Mais il ne doit y avoir ni révélation publique ni répercussions : veillez à ce qu'il le comprenne.

Smith s'éclipsa dans la petite pièce qui était devenue le centre névralgique de Klein à Camp David et passa son coup de fil.

— Peter, feu vert pour Zurich.

— J'y comptais bien, lui répondit l'Anglais. J'ai réservé un vol tôt dans la soirée.

— Peter, je suis remonté jusqu'à Beria. Il a livré Weizsel mais c'est tout. J'ai besoin de connaître le nom du commanditaire.

— Si Weizsel le sait, tu le sauras. Je te reparle depuis Zurich, Jon.

— Bien. Au fait, as-tu un magnétophone à cassettes à portée de la main ? J'ai là quelque chose qui pourrait t'être utile…

Smith retourna dans le salon et confirma à Klein que Peter Howell était en route pour la Suisse.

— A-t-on des nouvelles de cette Lincoln, monsieur ?

Klein eut un signe de tête négatif.

— Dès que vous m'avez appelé pour m'annoncer que vous aviez accroché Beria, j'ai touché un contact au sein de la police du District de Columbia. Il a confronté la voiture à ses casiers judiciaires les plus sensibles, en présentant ça comme un délit de fuite en bonne et due forme. Jusqu'à présent, chou blanc. Et rien non plus sur le chauffeur. Il hésita. Au début, je croyais qu'il y avait une explication logique à cet autocollant de la NASA sur ce véhicule. Maintenant…

— Treloar était de la NASA, reprit Smith. Pourquoi n'aurait-il pas été attendu par une limousine à son arrivée à l'aéroport de Dulles ? Il ne s'attendait pas à être suivi ou pris en chasse.

— Mais ensuite ce même véhicule vous a pris en chasse, vous, n'est-ce pas ? Il observa Smith attentivement. Et il y a autre chose qui nous ramène à la NASA. Tard la nuit dernière, le docteur Dylan Reed a reçu la visite d'un personnage que nous n'avons pas été en mesure d'identifier.

Brusquement, Smith adressa un coup d'œil à Klein. Il savait que ce dernier vivait dans un monde où l'on ne partageait les secrets qu'en cas d'absolue nécessité. Et voilà que le chef de Réseau Bouclier admettait qu'il disposait d'une source en plein cœur de la NASA.

— Megan Olson, en conclut-il aussitôt. À ce stade, si proche du lancement, ce ne peut être personne d'autre qu'elle. Monsieur, vous auriez dû m'en avertir.

— Vous n'aviez aucun besoin de savoir en ce qui concerne Megan, lui répliqua Klein. De la même façon, elle ne sait rien à votre sujet.

— Pourquoi me le révéler maintenant ?

— Parce que nous ne disposons toujours d'aucune piste sur ces souches de variole. Vous vous rappelez que je les croyais dans la région de Washington, car c'est là que Treloar a débarqué de son avion.

— Exact. Depuis Londres, il aurait pu choisir n'importe quel point d'arrivée.

— À présent je me dis qu'il existe peut-être un lien entre Treloar et Reed.

— Est-ce pour cela que Megan est là-bas, pour surveiller Reed ? s'enquit Smith.

— Pourquoi ne me dites-vous pas plutôt si vous

savez sur Reed quoi que ce soit susceptible d'indiquer qu'il serait impliqué dans une entreprise de cet ordre ?

Smith secoua la tête.

— Je ne connais pas Reed si bien que cela. Mais à l'USAMRIID, il avait une remarquable réputation. Voulez-vous que je retourne là-bas et que je voie ce que je peux dénicher ?

— Pas le temps, lâcha Klein. J'ai besoin de vous pour autre chose. Si nous ne résolvons pas ce mystère, nous aurons largement le temps d'enquêter sur Reed au retour de la navette.

Klein prit deux chemises.

— Voici les fiches des deux soldats que Howell a rencontrés à Palerme.

— Ils m'ont l'air plutôt minces, observa Smith.

— N'est-ce pas ? Ces dossiers ont été expurgés. Les dates, les lieux, les affectations, la chaîne de commandement... beaucoup d'éléments qui demeurent inexpliqués. Et le numéro de téléphone que Nichols a livré à Howell n'existe pas.

— Pardon, monsieur ?

— Pas officiellement. Jon, je ne suis pas allé plus loin car je ne sais pas à qui nous avons affaire. Mais nous devons découvrir où conduit ce fil militaire de la pelote. Je veux que vous fassiez très exactement ce que vous avez tenté à Houston : sollicitez la toile d'araignée afin de voir quel genre de bestiole va en sortir en rampant.

*

Trois heures après avoir quitté Venise, Peter Howell descendait au Grand Hotel Dolder de Zurich.

— Avez-vous des messages pour moi ? demanda-t-il à l'employé de la réception.

On tendit à Howell une épaisse enveloppe kraft. Il l'ouvrit et trouva une seule et unique feuille de papier à lettres parfumé, avec une adresse inscrite dessus. Même si le message n'était pas signé, Howell en connaissait l'auteur — une grande figure, une dame octogénaire qui avait participé à des missions d'espionnage depuis la Seconde Guerre mondiale.

Comment diable Weizsel peut-il se permettre de dîner à l'Allée des Cygnes avec son salaire de banquier ? s'étonna Howell, et il jugea que ce serait peut-être une bonne idée de s'en enquérir.

Après s'être changé et avoir passé un costume de ville, Howell prit un taxi pour se rendre en plein cœur du quartier de la finance. Il était à présent 8 heures du soir, et les lieux étaient déserts, en dehors de quelques devantures de boutiques brillamment éclairées. L'une d'elles arborait un cygne doré perché au-dessus de la porte d'entrée.

L'intérieur ressemblait assez aux attentes de Howell : une brasserie chic avec des plafonds à poutres apparentes, des murs en stuc et un mobilier massif. Les serveurs étaient en cravate noire, l'argenterie était lourde et rutilante, et le maître d'hôtel paraissait déconcerté par ce touriste qui s'imaginait pouvoir dîner dans son établissement sans avoir réservé.

— Je suis l'invité de Herr Weizsel, lui répondit Howell.

— Ah, Herr Weizsel... vous êtes en avance, monsieur. La table de Herr Weizsel sera prête pour 21 heures. Je vous en prie, prenez place au salon, ou au bar, si vous préférez. Je le conduirai jusqu'à vous.

D'un pas lent, Howell se dirigea vers le salon où, quelques minutes plus tard, il était en grande conversation avec une jeune femme dont les seins menaçaient de déborder de sa robe du soir. Néanmoins, il parvint à repérer le maître d'hôtel qui s'entretenait avec un jeune homme, tout en le désignant.

— Suis-je censé vous connaître ?

Howell jeta un coup d'œil par-dessus son épaule, sur un homme grand et mince, les cheveux plaqués en arrière et des yeux si sombres qu'ils semblaient noirs. Il situait Herr Weizsel vers la fin de la trentaine, le soupçonnait de dépenser une fortune en vêtements et en coiffeur, et de considérer le reste du monde avec un mépris non dissimulé.

— Peter Howell, fit-il.

— Un Anglais… Êtes-vous en affaires avec la banque Offenbach ?

— Je suis en affaires avec vous.

Weizsel cligna rapidement les yeux.

— Il doit y avoir erreur. Je n'ai jamais entendu parler de vous.

— Mais vous avez entendu parler d'Ivan Beria, n'est-ce pas, vieille branche ?

Howell s'était glissé à côté de Weizsel, et il lui avait posé la main sur le bras, juste au-dessus du coude. Il lui enfonça un doigt dans un nerf, et Weizsel tordit la bouche de douleur.

— Il y a une table tranquille et sympathique là-bas dans le coin. Pourquoi ne pas prendre un verre ?

Howell pilota le banquier vers une banquette d'angle et se glissa à côté de lui, le prenant ainsi au piège.

— Vous n'avez pas le droit de faire ça ! glapit Weizsel, en se massant le coude. Nous avons des lois…

— Je ne suis pas ici pour m'occuper de vos lois, le coupa Howell. Nous nous intéressons à l'un de vos clients.

— Je ne suis pas habilité à discuter d'affaires confidentielles !

— Mais le nom de Beria vous dit bien quelque chose, n'est-ce pas ? C'est vous qui gérez son compte. Je ne veux pas de son argent. Tout ce que nous avons besoin de savoir, c'est qui effectue le virement.

Weizsel lança un regard autour de lui, en observant le bar de plus en plus encombré de monde. Il s'efforçait d'attirer l'attention du maître d'hôtel.

— Ne vous donnez pas cette peine, lui conseilla Howell. Je lui ai versé une petite somme pour qu'il ne nous dérange pas.

— Vous êtes un criminel ! lui lança Weizsel. Vous me retenez contre ma volonté. Même si je vous donne ce que vous voulez, vous ne me laisserez jamais…

Howell posa sur la table un petit magnétophone à cassettes. Il brancha un écouteur et tendit l'oreillette à Weizsel.

— Écoutez.

Le banquier s'exécuta. Au bout d'un petit moment, il ouvrit grand les yeux, sous le coup de l'incrédulité. Tirant d'un coup sec sur l'écouteur, il le jeta à l'autre bout de la table. Peter Howell trouva que Jon Smith avait été fort avisé de lui expédier cette partie précise de l'interrogatoire où Beria mentionnait le nom de Weizsel.

— Ainsi mon nom a été prononcé. Et alors ? Qui est cet homme ?

— Vous avez reconnu la voix, non ? lui souffla doucement Howell.

Weizsel s'impatientait.

— Peut-être.

— Et peut-être vous souviendrez-vous qu'elle appartient à un dénommé Ivan Beria ?

— Et après, et si je m'en souviens ?

Howell se pencha tout près de lui.

— Beria est un assassin. Il travaille pour les Russes. Quelle quantité d'argent russe manipulez-vous, Herr Weizsel ?

Le silence du banquier était assez éloquent.

— C'est bien ce que je pensais, poursuivit Howell. Donc laissez-moi vous expliquer ce qui va se produire si vous ne vous montrez pas coopératif. Je veillerai à ce que les Russes sachent que vous étiez fort accommodant pour tout ce qui touchait à leur argent... sa provenance, le quand et le comment de ces transferts, tous ces petits détails qu'ils croyaient protégés car, après tout, ils vous ont versé de jolies sommes pour acheter votre discrétion.

Howell observa une pause, le temps de laisser la signification de ses propos faire son chemin.

— Bien, reprit-il, une fois que les Russes sauront tout ceci, ils seront contrariés... chose bien compréhensible. On vous demandera des explications. On ne tolérera pas de simplement recevoir des excuses. Et une fois que la confiance aura été rompue, mon cher Weizsel, vous serez fichu. Vous avez suffisamment traité avec les Russes pour savoir qu'ils n'oublient jamais, ne pardonnent jamais. Ils voudront leur revanche, et ce ne sont pas vos précieuses lois suisses, votre précieuse police suisse, qui s'interposeront. Me suis-je fait clairement comprendre ?

Weizsel se sentit pris d'aigreurs d'estomac. L'Anglais avait raison : les Russes étaient des barbares, qui venaient se promener en Suisse avec des airs pleins d'arrogance, pour faire étalage de leur richesse toute récente. Et tous les banquiers voulaient une part de ce butin. On ne posait pas de questions. Toute demande formulée était aussitôt satisfaite. Les Russes râlaient sur les commissions, mais au bout du compte ils payaient. Ils avaient également clairement signifié à des courtiers comme Weizsel que si leur confiance était entamée, ces derniers ne pourraient plus jamais leur échapper, plus jamais se cacher. L'Anglais était le genre d'homme susceptible de laisser supposer que Weizsel avait trahi ses clients. Et une fois que les Russes seraient convaincus de cette trahison, rien de ce que le banquier pourrait dire ou faire ne les amènerait à changer d'avis.

— Quel nom disiez-vous, à l'instant ? demanda Weizsel d'une voix presque inaudible.

— Ivan Beria, lui répéta Howell. Qui lui verse son argent ?

CHAPITRE VINGT-TROIS

Cinq heures s'étaient écoulées depuis que Dylan Reed s'était enfermé dans le Spacelab. Durant ce laps de temps, il avait surveillé les mouvements et les conversations de l'équipage via son micro-casque. À deux reprises, Megan Olson lui avait demandé s'il avait besoin d'aide. Une autre fois elle avait voulu savoir s'il serait encore long. Elle était impatiente de démarrer ses propres expériences.

Elle en aurait moins envie si elle savait ce qui se passe ici, songea sombrement Reed.

Poliment, mais fermement, il avait répondu à Megan qu'elle et les autres auraient à attendre qu'il ait terminé.

Comme Reed était contraint de surveiller l'équipage, la besogne fut bien plus longue qu'il ne l'avait escompté. L'autre facteur de distraction, c'était la conversation presque incessante entre l'équipage et le contrôle au sol. Néanmoins, Reed travailla aussi vite qu'il put, en ne s'accordant de répit que pour reposer ses mains qui, enserrées dans les longs gants de caoutchouc fixés à la boîte, avaient tendance à souffrir de crampes.

L'énormité de ce qu'il était en train de faire le subjuguait presque. L'œil rivé au microscope, il posait le regard sur un monde de la variole que personne n'avait vu auparavant — sauf son créateur, Karl Bauer. Dans son laboratoire hawaïen, le scientifique suisse était parvenu à isoler le virus variolique, cause de la maladie, et à le reconfigurer pour en tripler la taille. Ensuite il avait réussi à le développer de manière à ce qu'il se montre réceptif à des possibilités supplémentaires de croissance. Mais Bauer, lui, avait été limité par la gravité terrestre. Pas Reed.

La genèse du travail de Bauer remontait à l'une des premières missions de la navette. Les astronautes avaient découvert un sachet de sandwiches vieux de deux jours qu'ils avaient oublié de manger. La nourriture était rangée dans ce sac en plastique scellé qui flottait comme un ballon de plage. En ouvrant le sac, l'équipage avait cru que les sandwiches étaient restés comestibles — jusqu'à ce qu'un membre de l'équipe relève que la seule raison pour laquelle le sac pouvait flotter ainsi dans l'air, c'était que les bactéries contenues dans les aliments avaient dû produire suffisamment de gaz pour gonfler ce sac.

Cette observation impromptue avait fourni aux scientifiques la preuve irréfutable que les bactéries croissaient plus vite et plus vigoureusement dans un environnement soumis à la microgravité.

Quand Karl Bauer avait lu le rapport de la NASA sur le phénomène, il en avait immédiatement conclu que cette vérité concernant les bactéries pourrait bien s'appliquer aussi aux virus. Les recherches initiales s'avérèrent grisantes, mais handicapé par la gravité, Bauer avait été incapable d'en tirer une conclusion définitive. Des années allaient passer avant qu'il ne trouve Reed, et, avec lui, un moyen de conduire ces expériences définitives dans l'espace.

À présent, ce que Reed observait, c'était des virus de la variole dix fois plus grands et plus puissants que leurs homologues terrestres. Leurs bulles de protéines, qui sur Terre éclataient en atteignant une certaine taille, conservaient ici leur intégrité et leur capacité mortelle. En tant qu'arme sur le champ de bataille, cette souche n'aurait pas d'équivalent. Reed frémit en imaginant la vitesse à laquelle des populations entières allaient être décimées si cette variante était diffusée en aérosol par l'explosion d'une bombe en altitude. La variole allait s'introduire dans les ganglions lymphatiques par l'appareil respiratoire, puis se propager, gagner la rate, la moelle des os et d'autres organes lymphatiques. Par la suite, elle poursuivrait sa route jusque dans les vaisseaux capillaires sous-cutanés. Avec une souche normale de variole, un tel processus aurait pris cinq à dix jours. Reed estimait que la période d'incubation et d'infection se mesurerait cette fois-ci en minutes. Le corps n'aurait tout simplement aucune chance de déployer la moindre défense.

Reed retira les mains de la Boîte à gants, les essuya, et s'accorda un peu de temps, histoire de reprendre une contenance. Puis il activa son micro de gorge.

— Hé, les amis. Ici, j'ai presque fini. C'est l'heure du dîner ?

— Nous étions sur le point de t'appeler, lui répondit Stone. Tout le monde a commandé un steak et des œufs.

Reed réussit à rire.

— Attendez de voir de quoi ils ont l'air. Il s'interrompit. J'aimerais bien que tout le monde soit présent au mess pour qu'on puisse revoir le programme.

— Bien compris. On te garde un peu de ce steak. À tout de suite.

Reed ferma les yeux et parvint, au prix d'un effort surhumain, à garder son calme. Il coupa son micro mais pas son écouteur. Il n'avait aucune envie d'entendre les sons qu'allait proférer l'équipage. Ces sons-là n'auraient rien d'humain. Mais pour évaluer la vitesse d'action de la variole, il n'avait pas d'autre choix que d'écouter.

Regagnant le Biorack, il enfila une fois encore les gants de caoutchouc et remplit soigneusement le petit tube de souches mutantes de variole. Refermant le tube, il le sortit de la Boîte à gants par un petit sas et le rangea dans le congélateur.

En s'aidant des étriers au sol, il se rendit vers l'arrière du labo et ouvrit un placard. À l'intérieur, il y avait un scaphandre complet de mobilité extra-véhiculaire, ou EMU, la tenue qui servait aux sorties dans l'espace. Après s'être glissé à l'intérieur, Reed allait attraper son casque quand il aperçut son reflet dans la visière. Il hésita, il vit les visages de ses camarades d'équipage flotter dans le revêtement réfléchissant du plexiglas, des gens avec lesquels il avait travaillé, avec lesquels il s'était entraîné, pendant des mois, voire des années, des gens qu'il appréciait sincèrement. Mais pas au point de leur témoigner de la compassion ou de la miséricorde.

Dans ce reflet, Reed revit aussi les visages de ses deux frères, tués lors d'un attentat terroriste contre l'ambassade des États-Unis, à Nairobi, et celui de sa sœur, volontaire du Peace Corps au Soudan, torturée, et finalement assassinée. Ce qu'accomplissait Reed en cet instant, il ne le faisait pas pour la plus grande gloire de la science, et certainement pas pour obtenir une reconnaissance ou des louanges publiques. Cette nouvelle souche ne verrait jamais la lumière du jour — à moins que sa libération dans l'atmosphère ne soit dictée par les circonstances. Le général Richardson et Anthony Price étaient le type d'hommes qui ne toléraient pas le genre de pertes qu'avait endurées Reed. Pour eux, le dédommagement ne devait pas se limiter à quelques missiles de croisière lancés sur des tentes ou des casemates, mais devait revêtir la forme d'une dévastation totale et rapide, exécutée par une armée invisible, irrésistible. En contribuant à la création de cette armée, Reed croyait marquer les tombes des siens d'une pierre blanche, et tenir ainsi la promesse qu'il leur avait faite de longue date que leur sacrifice ne serait jamais oublié.

Ajustant et verrouillant son casque, Reed retourna vers le Biorack. Il brancha son tuyau d'arrivée d'air sur un système d'alimentation en oxygène indépendant, que l'équipage utilisait lors de ses sorties dans l'espace. Calmement, délibérément, il cassa le joint hermétique de la Boîte à gants. En quelques secondes, les particules de variole déshydratées sur leur plat commencèrent de former des spores aussi infimes que des particules de poussière. Inexorablement, elles trouvèrent le chemin de la déchirure dans le joint de la Boîte à gants, avant de gagner l'extérieur. Fasciné, Reed contempla les spores qui donnèrent l'impression de s'attarder là. Pendant un instant, il fut saisi par la pensée irrationnelle qu'elles auraient pu s'attaquer à lui. Au lieu de quoi, les flux de recyclage d'air s'emparèrent d'elles et elles tournoyèrent comme une minuscule comète jusque dans le sas reliant le Spacelab au corps principal de l'orbiteur.

*

— Tu viens, Megan ? lui demanda Carter tandis qu'ils terminaient tous deux leur rapport au contrôle au sol.

Manœuvrant pour dépasser les couchettes, Megan lui lança par-dessus l'épaule.

— Ouais. Je meurs de faim.

À cet instant, les deux membres d'équipage entendirent un couinement dans leur casque.

— « *Discovery*, ici contrôle au sol. Nous avons cru comprendre que vous alliez faire une pause pour manger un morceau ? »

— Affirmatif, contrôle au sol, répondit Carter.

— « *Discovery*, nos instruments font état d'une possible fuite dans le système de pressurisation au pont inférieur. Nous vous serions reconnaissants si l'un d'entre vous pouvait descendre vérifier ça. »

La voix de Stone se fit entendre dans les écouteurs.

— Megan, Carter, c'est vous qui êtes le plus près.

Carter regarda Megan avec des yeux de chiot.

— J'ai vraiment faim !

Plongeant la main dans une des couchettes, Megan en ressortit un jeu de cartes sous un oreiller sanglé. Elle déchira l'emballage de cellophane, battit le jeu soigneusement pour qu'aucune carte ne lui échappe, et elle le tendit à Carter.

— Coupe. La plus forte gagne.

Carter leva les yeux au ciel, attrapa le jeu et retourna un dix. Megan tira un sept.

Carter éclata de rire et se propulsa en direction du compartiment cuisine.

— Je te garde quelques gâteaux chocolat vanille ! lui lança-t-il.

— Mais oui, merci.

— Ça te va de t'en occuper, Megan ? demanda Stone.

Elle lâcha un soupir.

— Très bien. Fais en sorte que Carter ne monopolise pas les côtelettes de veau, ou n'importe quoi d'autre.

— Compris. On se revoit dans une minute.

Megan savait que la «minute» en question allait durer au moins une heure. Vérifier un sas, cela signifiait enfiler un EMU.

En s'agrippant aux poignées, elle descendit l'échelle jusqu'au pont inférieur. Coincé entre le chargement et l'équipement que la navette emportait, il y avait donc le sas. La lumière rouge au-dessus de la porte clignotait, indiquant un possible dysfonctionnement.

— Juste une saleté de circuit électrique, un point c'est tout, marmonna Megan, et elle poussa plus loin.

*

— Regarde ça.

Carter déchira un carton de jus d'orange, le leva en l'air, et en pressa un peu de liquide. Formant une sphère grossière, le jus flotta devant Carter, qui le perça avec une paille et le sirota. En quelques secondes, le solide, qui était en fait un liquide, disparut.

— Très joli, fit Stone. Tu vas pouvoir venir faire

des tours de magie au prochain anniversaire de mon gamin.

— Ho-ho, la sauce se balade, s'exclama Randall Wallace.

Stone se retourna et s'aperçut que, pendant son petit dialogue avec Carter, la sauce du cocktail de crevettes avait perdu le contact avec sa cuiller. Il prit une tortilla et, d'un seul geste, comme s'il essuyait, il la rattrapa.

— Je me demande ce qui retient Dylan, fit Carter, la bouche pleine de poulet avec son jus, qu'il mangeait directement dans un sachet en plastique clos.

— Dylan, tu me reçois ? demanda Stone dans son micro.

Il n'y eut pas de réponse.

— Probablement toujours dans sa boîte, fit Carter. Il en pince pour les haricots sauce barbecue. Il en a peut-être embarqué une boîte en douce.

Les haricots, tout comme les brocolis et les champignons, ne figuraient jamais aux menus à bord de la navette. L'excès de gaz était bien plus douloureux dans l'espace, et les médecins des vols spatiaux ne savaient toujours pas exactement comment les gaz se comportaient en microgravité.

Carter toussa.

— Tu manges trop vite, le réprimanda Stone.

La réponse de Carter se noya dans une véritable quinte.

— Hé, il est carrément en train de s'étouffer, s'écria Wallace.

Lorsque Stone s'approcha de lui, Carter empoigna subitement le commandant de bord par les épaules. Une autre crise le secoua tout entier et il vomit du sang qui resta suspendu en l'air devant lui.

— Nom de Dieu ! cria Stone.

Ses paroles furent tranchées net quand il s'agrippa la poitrine, tirant sur sa combinaison à pleines mains. Son corps lui donnait l'impression de brûler. Lorsqu'il s'essuya la figure, le dos de sa main fut maculé de sang.

Horrifiés, Karol et Wallace regardèrent leurs camarades rouler sur eux-mêmes, se débattant à coups de pied, agitant les bras en tous sens comme s'ils étaient frappés d'une attaque.

— Monte dans le poste et enferme-toi ! rugit Karol.

— Mais…

— Obéis !

Il poussait Wallace vers l'échelle quand une voix émanant du contrôle au sol se fit entendre dans le casque.

— « *Discovery*, avez-vous un problème ? »

— Et comment ! hurla Karol. Quelque chose est en train de démolir Carter et Stone…

Le corps de Karol fut saisi d'un spasme.

— Oh, Seigneur !

Il se plia en deux, et un filet de sang jaillit de ses yeux et de ses narines en tourbillonnant. Quelque part, très loin, il entendit la voix pressante du contrôle au sol.

— « *Discovery*, vous me recevez ? »

Une réponse se forma dans sa tête, mais avant qu'il ait pu prononcer les mots, un voile rouge lui descendit sur les yeux.

*

Megan, qui travaillait à l'intérieur du sas au pont inférieur, entendit les cris et les râles dans son casque. Elle enfonça le bouton d'émission de son EMU.

— « Frank ? Carter ? Wallace ? »

Elle n'entendit que des parasites. Son système de communication fonctionnait mal.

Ignorant le circuit électrique qu'elle était en train de vérifier, Megan tendit la main vers le levier d'ouverture du sas. Terrorisée, elle s'aperçut qu'il refusait de bouger.

*

Dans le Spacelab, Dylan Reed serrait un chronomètre dans sa main. La variole mutante œuvrait à une vitesse effarante. Il savait qu'il devait mesurer exactement la rapidité à laquelle elle infectait et anéantissait l'équipage. Bauer avait été catégorique : des tests sur des sujets humains étaient le seul moyen d'évaluer la capacité de destruction du nouveau virus. C'était aussi le moyen de se débarrasser de témoins potentiels. Mais pour ce faire, il allait être obligé de regarder le cadran de son chronomètre. Dylan Reed allait donc devoir ouvrir les yeux, et il n'osait pas, car alors il verrait sûrement les visages derrière les cris.

*

À l'autre bout du monde, Harry Landon, le directeur de la mission, se trouvait dans un box au bout du couloir de la salle de contrôle, en train de rattraper un peu du sommeil dont il avait bien besoin. Vétéran de la NASA depuis vingt ans, il avait passé dix de ces années-là dans la cocotte-minute de Cap Canaveral, et il avait appris à se reposer chaque fois que l'occasion se présentait. Il était aussi capable de se réveiller instantanément, alerte et fin prêt.

Il perçut la présence de la main avant même de la sentir sur son épaule. Se retournant, il plongea le regard dans le visage d'un jeune technicien.

— Qu'y a-t-il ? demanda Landon.

— Il y a un problème à bord de *Discovery*, lui répondit l'autre, visiblement nerveux.

Landon roula de sa couchette, attrapa ses lunettes sur un classeur à tiroirs et fila vers la porte.

— Mécanique ? Problème de vol ? Quoi ?

— Problème humain.

Sans ralentir le pas, Landon lança par-dessus son épaule :

— Que voulez-vous dire, humain ?

— C'est l'équipage, bredouilla le technicien. Quelque chose ne va pas.

Quelque chose n'allait pas — quelque chose de terrible. Landon le ressentit dès qu'il pénétra dans la salle. Tous les techniciens étaient penchés sur leur console, et s'adressaient à l'équipage de *Discovery* d'un ton pressant, inquiet. Captant des bribes au passage, Landon comprit que plus personne ne répondait à bord de l'orbiteur.

Il se rendit à son poste de commandement, et aboya :

— Donnez-moi le contact visuel !

— Nous ne pouvons pas, monsieur, lui assura quelqu'un. Les cassettes vidéo doivent être en bout de course.

— Alors passez-moi l'audio !

Landon enfila un micro-casque et s'efforça de conserver une voix égale.

— *Discovery*, ici le directeur de la mission. Répondez, s'il vous plaît. Il n'entendit que l'électricité statique crépiter dans son oreillette. *Discovery*, je répète, ici le directeur de la mission...

— Contrôle, ici *Discovery*.

La voix étranglée glaça le sang de Landon.

— Wallace, c'est vous ?

— Oui, monsieur.

— Qu'est-ce qui se passe, là-haut, fiston ?

Landon dut attendre encore, avec le seul crachotement des parasites. Quand Wallace parla de nouveau, il avait l'air d'étouffer.

— Wallace, qu'est-ce qui ne va pas ?

— Contrôle... contrôle, vous me recevez ?

— Wallace, dites-nous juste...

— Nous sommes tous en train de mourir...

CHAPITRE VINGT-QUATRE

À l'époque de la mise au point de la navette, au début des années 80, des procédures furent instaurées pour faire face à l'inévitable, l'incident, l'avarie, ou la tragédie. Énumérées dans un Livre Noir, elles furent appliquées pour la première fois en janvier 1986, après le désastre de la perte de *Challenger* 51-L.

Harry Landon était présent dans la salle de contrôle des missions ce jour-là. Il se souvenait encore de l'expression d'horreur du directeur du vol quand la navette avait explosé soixante-treize secondes après le décollage. Ensuite il avait regardé le directeur, les larmes qui lui coulaient sur le visage, il avait attrapé le Livre Noir et procédé aux appels téléphoniques indispensables.

Les doigts de Landon tremblaient quand il chercha à tâtons la clef ouvrant le tiroir. Ce tiroir, il avait prié pour ne jamais avoir à l'ouvrir. Le Livre Noir était un mince classeur à trois anneaux. Landon l'ouvrit à la première page, tendit la main vers le téléphone et puis il hésita.

Il se leva, il brancha la fiche de son micro-casque dans le système d'interphone qui le reliait à tous les autres micros-casques utilisés par l'équipe.

— Mesdames et messieurs, annonça-t-il, très sombre. Puis-je avoir votre attention… Merci. Vous avez tous entendu la dernière communication avec *Discovery*. Si ce que nous avons capté est exact… et nous n'en savons rien… alors nous sommes face à une véritable catastrophe. Le mieux que nous ayons à faire pour nos équipes là-haut, c'est de respecter les procédures et de nous tenir prêts à répondre à toute demande d'assistance. Continuez de surveiller tous les aspects du vol et de la situation de la navette. Si vous observez la moindre déviation, le moindre élément inhabituel… si insignifiants soient-ils… je veux en être informé. Je veux que l'équipe d'analyse de données se repasse toutes les bandes, toutes les conversations, toutes les transmissions. Je ne sais pas ce qui se passe là-haut, mais ça va très vite. Et il doit y avoir un facteur déclenchant. Je veux savoir ce que c'est.

Landon s'interrompit.

— Je sais ce que vous devez penser, ce que vous endurez. Je sais que je vous demande là quelque chose de difficile. Mais nous ne pouvons pas perdre espoir de récupérer des survivants. C'est pour eux que nous travaillons. Et ceux qui ont survécu, nous voulons les ramener sur Terre sains et saufs. Rien d'autre ne compte.

Il regarda autour de lui.

— Merci à tous.

Le silence qui s'était instauré dans la salle commença de se dissiper. Landon fut soulagé de constater que les mines lugubres avaient cédé la place à la résolution et à la détermination. Il avait toujours considéré les gens avec qui il travaillait comme les meilleurs. À cet instant, ils lui prouvaient qu'il ne s'était pas trompé.

Le premier appel de Landon fut pour Rich Warfield, le conseiller scientifique du Président. Physicien de formation, Warfield connaissait bien le programme navette. Il saisit immédiatement l'ampleur de l'incident.

— Que puis-je dire au Président, Harry ? le questionna-t-il. Il va vouloir le fond de la vérité, pas de salades.

— D'accord, lui répondit Landon. Premièrement, nous n'avons plus eu aucun échange de communications avec *Discovery* depuis la dernière transmission de Wallace. À ce moment-là, il nous indiquait que l'équipage était mourant ou mort. Je vais faire en sorte que quelqu'un vous fasse écouter la bande, au cas où le Président voudrait l'entendre de ses propres oreilles. Quant à la navette, elle semble stable. Il n'y a eu aucun changement de route de vol, de vitesse ou de trajectoire. Tous les systèmes de bord sont au vert.

— Livrez-moi votre hypothèse, l'incita Warfield.

— Tous les relevés de l'alimentation d'oxygène sont normaux, lui répondit Landon. Cela exclut la contamination par inhalation de produits toxiques. Pas de fumée, pas d'incendie, pas de gaz.

— Et pourquoi pas une intoxication alimentaire ? suggéra Warfield. Ça ne pourrait pas être aussi banal que ça ?

— L'équipage allait prendre son premier repas. Pourtant, même si tous les aliments étaient contaminés, je doute que le poison ait pu se répandre aussi vite… ou de façon si virulente.

— Et la cargaison ?

— Ce n'était pas un vol classé confidentiel. Le Spacelab contenait la ménagerie habituelle de grenouilles, d'insectes et de souris destinés à servir aux expériences…

— Mais alors quoi, Harry ?

Landon vérifia de nouveau le programme des expériences :

— Megan Olson était inscrite pour entamer le travail sur la maladie du Légionnaire. C'est le seul microbe du programme. Elle n'a jamais commencé.

— Le microbe n'aurait pas pu s'infiltrer dans l'habitacle d'une manière ou d'une autre ?

— Dix mille chances contre une. Nous disposons de toutes sortes de capteurs susceptibles de détecter une fuite dans le Biorack. Mais admettons que ce soit le cas. La légionellose n'agit pas aussi rapidement. Ce qui a tué l'équipage l'a fait en l'espace de quelques minutes.

Il y eut un moment de silence.

— Je sais que cela sort de mon domaine de compétence, fit enfin Warfield. Mais si l'on écarte les autres possibilités, pour moi, ça m'a quand même tout l'air d'un microbe qui s'est échappé.

— Officieusement, je serais tenté d'être d'accord avec vous, lui répondit Landon. Mais je n'irais pas loger cette idée dans la tête du Président. Pour l'instant, nous n'en savons rien.

— Le Président va poser des questions, insista lourdement Warfield. Je pense que vous savez quelle sera la première.

Landon ferma les yeux.

— C'est la procédure, Rich. Durant le lancement, le responsable du périmètre de sécurité des vols suit les opérations. Son doigt n'est jamais loin de la commande de destruction. Si quelque chose tourne mal, enfin… vous vous souvenez de *Challenger* ? Après l'explosion du réservoir extérieur et de la navette, les fusées d'appoint à poudre ont continué leur course. Le responsable du périmètre de sécurité les a descendues. La séquence de destruction de la navette peut être activée par nous quand elle est en chute libre. Au stade actuel, elle est suffisamment loin dans l'espace pour que, en cas de besoin, nous la fassions sauter sans aucun danger pour les populations se trouvant au-dessous.

Landon s'interrompit.

— Rich, quand vous lui rapporterez ceci, rappelez-lui que c'est à lui que revient de donner cet ordre.

— Très bien, Harry. Laissez-moi lui transmettre ce dont nous disposons jusqu'à présent. Ne soyez pas surpris s'il vous appelle en direct.

— À la minute où j'en sais plus, je vous le fais savoir, lui assura Landon.

— Harry, une dernière chose : a-t-on les moyens de poser la navette en pilote automatique ?

— Bon Dieu, on sait poser un 747 de cette façon. La question serait plutôt : est-ce que nous allons vouloir la ramener ?

L'appel suivant de Landon fut pour le responsable du périmètre de sécurité des vols, qui était déjà instruit de l'urgence. Landon lui expliqua tout ce qu'il était en mesure de lui expliquer, puis il ajouta que la durée initialement prévue de cette mission était de huit jours.

— Il est clair qu'il n'en est désormais plus question, fit-il. Il ne s'agit pas de savoir si, mais quand nous allons la faire atterrir.

— Et une fois qu'elle sera dans sa fenêtre de rentrée dans l'atmosphère ? demanda calmement l'officier.

— Alors nous verrons.

Landon continua de dérouler sa liste, qui comprenait des appels au général Richardson et à Anthony Price. En plus de son poste de chef d'état-major de l'armée de l'air, Richardson était aussi commandant de la Division de Sécurité Spatiale, qui était responsable de l'identification et de la surveillance de tout ce qui approchait de la Terre ou de ce qui tournait en orbite autour. En tant que directeur adjoint de l'Agence pour la Sécurité Nationale, Anthony Price figurait sur la liste parce que la navette effectuait parfois des missions classées Confidentiel-défense et financées par la NSA.

Chaque fois qu'il achevait un appel, Landon regardait autour de lui, dans l'espoir qu'un de ses collaborateurs aurait des nouvelles à lui apporter. Il reconnut ce réflexe comme le geste d'un homme au désespoir. Vu les circonstances, toute conversation qu'il aurait pu avoir, quelle qu'elle soit, aurait été interrompue si le contact avec la navette avait été rétabli.

Durant les deux heures qui suivirent, Landon continua de travailler au téléphone. Il s'estimait heureux de ne pas avoir à affronter les médias, tout au moins pour l'instant. Beaucoup de monde à la NASA supportait mal que les vols de la navette se soient désormais banalisés au point qu'aucune couverture médiatique n'était plus garantie. Lors du lancement fatal de *Challenger*, CNN était la seule chaîne à filmer en direct. Aujourd'hui, seules les caméras de la NASA avaient enregistré le décollage de *Discovery*.

— Docteur Landon, circuit quatre !

Landon ne prit même pas la peine de voir qui parlait. Il capta le canal et entendit une voix très faible à travers le crachotement des parasites.

— Contrôle au sol, ici *Discovery*. Vous me recevez ?

*

Dylan Reed se trouvait encore à l'intérieur du Spacelab, protégé par son EMU, ses bottes calées dans les étriers de plancher qui le maintenaient en position devant le panneau des systèmes de communication auxiliaires. Les quelques heures délibérément passées sans contact extérieur lui avaient semblé une éternité. Il avait coupé la radio pour ne pas avoir à écouter les voix angoissées qui montaient vers lui depuis la salle de contrôle. À présent, pour entamer la phase suivante de l'opération, il avait rétabli le contact.

— Contrôle au sol, ici *Discovery*. Vous me recevez ?

— *Discovery*, ici le directeur de la mission. Quelle est votre situation ?

— Harry, c'est vous ?

— Dylan ?

— C'est moi. Merci mon Dieu. Harry ! Je croyais ne jamais plus entendre la voix d'un être humain.

— Dylan, que s'est-il passé là-haut ?

— Je n'en sais rien. Je suis dans le labo. L'un des EMU présentait une défaillance. Je l'ai enfilé pour vérifier. Et là j'ai entendu... Seigneur, Harry, on aurait dit qu'ils se faisaient tous étrangler. Et les communications étaient coupées...

— Dylan, tenez bon, d'accord ? Tâchez de garder votre calme. Y a-t-il quelqu'un d'autre dans le labo ?

— Non.

— Et vous n'aviez aucun moyen de communication avec le reste de l'équipage ?

— Non. Harry, écoutez. Qu'est-ce que… ?

— Nous l'ignorons, Dylan. En un mot comme en cent. Nous avons reçu un message confus de Wallace, mais il n'a pas pu nous dire ce qui se produisait. Ce devait être très rapide et totalement meurtrier. Nous songeons à un microbe qui se serait échappé du Biorack. Avez-vous quoi que ce soit en ce sens à bord ?

La vérité, c'est qu'on a une navette tout entière devenue zone très chaude.

Mais au lieu de cela, il dit :

— Bon Dieu, Harry ! De quoi parlez-vous ? Regardez le plan de vol. Ce que nous transportons de plus violent, c'est le Légionnaire, et il est encore au biocongélateur.

— Dylan, il faut faire une chose, dit Landon d'une voix posée. Il faut retourner dans l'orbiteur et voir… et nous dire ce que vous voyez.

— Harry !

— Dylan, il faut que nous sachions.

— Et s'ils sont tous morts, Harry ? Qu'est-ce que je suis censé faire d'eux ?

— Rien, fiston. Il n'y a rien à faire. Mais nous allons vous ramener au bercail. Personne ne quitte son poste tant que vous n'êtes pas revenu au sol, sain et sauf.

Landon était sur le point d'ajouter « je vous le promets », mais ces mots ne purent franchir le seuil de ses lèvres.

— Très bien, Harry. Je vais aller contrôler la situation dans l'orbiteur. Je voudrais que vous laissiez la liaison radio ouverte.

— Nous avons besoin que vous alliez vérifier le circuit vidéo. Nous n'avons pas d'image.

C'est parce que je me suis occupé des caméras.

— Bien compris. Maintenant je sors du labo.

La volumineuse combinaison spatiale le rendait maladroit dans ses mouvements, mais lentement Reed se laissa flotter dans le tunnel de communication, en veillant à ne coincer aucun élément de sa tenue. La moindre déchirure pourrait lui être fatale.

La vision de l'entrepont lui provoqua un haut-le-cœur. Stone, Karol et Carter étaient réduits à l'état de cadavres boursouflés, couverts de plaies à vif, flottant librement ou avec un bras ou une jambe accrochés à des éléments d'équipement de bord. Tâchant de ne pas regarder, Reed s'arrangea pour les contourner en direction de l'échelle. Dans le poste de pilotage, il trouva Wallace, sanglé sur le siège du pilote.

— Contrôle au sol, ici *Discovery*.

Landon lui répondit instantanément.

— Allez-y, Dylan.

— J'ai retrouvé tout le monde, sauf Megan. Seigneur, je ne peux pas vous dire…

— Nous avons besoin de savoir quelle apparence ils ont, Dylan.

— Les corps sont bouffis, des plaies, du sang… Je n'ai jamais rien vu de tel.

— Y a-t-il des traces d'agent contaminant ?

— Négatif. Mais je ne retire pas mon EMU.

— Bien sûr que non. Pouvez-vous nous dire ce qu'ils mangeaient ?

— Je suis dans le poste de pilotage, avec Wallace. Laissez-moi le temps de redescendre.

Au bout de quelques minutes, Reed était de retour en ligne. En réalité, il n'avait pas bougé.

— Apparemment, ce n'était que les aliments embarqués à bord. Du poulet, du beurre de cacahuète, des crevettes...

— D'accord, nous vérifions tout de suite la source des approvisionnements. Si les aliments étaient contaminés, l'agent contaminant a pu muter en microgravité. Landon réfléchit. Il faut retrouver Megan.

— Je sais. Je vais encore vérifier dans l'entrepont, et aux WC... Si elle n'y est pas, c'est qu'elle est au pont inférieur.

— Contactez-moi dès que vous l'avez trouvée. Directeur de la mission, terminé.

*

Merci mon Dieu !

Même si son commutateur de transmission fonctionnait mal, Megan avait entendu tout cet échange entre Reed et Landon. Elle s'affala en avant, et son casque cliqueta contre la porte du sas. Des centaines de questions se bousculaient dans sa tête : comment le reste de l'équipage pouvait-il être mort ? Qu'est-ce qui avait pu les frapper ? quelque chose qu'on aurait embarqué à bord ? Il s'était écoulé moins d'une heure depuis la dernière fois qu'elle avait vu Carter et les autres. Et maintenant ils étaient morts ? Morts ?

Megan s'efforça de retrouver son calme. Elle jeta un coup d'œil à l'écheveau de fils et de câbles dans la trappe ouverte au-dessus de la porte. Manifestement, il y avait eu une erreur de câblage. Suivant les instructions imprimées sur la trappe, elle avait essayé d'intervertir un certain nombre de branchements, mais jusqu'à présent elle n'en avait isolé aucun qui soit défaillant.

Détends-toi, se répéta-t-elle. Dylan va descendre d'ici quelques minutes. Quand il ne me trouvera pas dans le pont inférieur, il va comprendre que je suis là-dedans. Il va ouvrir la porte de son côté.

Megan se réconforta autant que possible à cette pensée. Elle n'était pas sujette à la claustrophobie, mais elle sentait bien que ce sas était fermé sur elle — et pas plus grand que deux placards à balais mis bout à bout.

Si seulement ce foutu micro fonctionnait ! Le son d'une autre voix humaine serait la chose la plus délicieuse qu'elle aurait jamais entendue.

Ensuite je répare ce micro, se dit-elle.

La voix de Dylan surgit dans le casque :

— « Directeur de la mission, je suis dans le pont inférieur. Aucun signe de Megan pour l'instant. Je vérifie les soutes. »

Elle avait beau savoir que les sons, dans l'espace, sont étouffés, Megan leva les deux mains et se mit à cogner sur la porte. Peut-être Dylan finirait-il par l'entendre.

— « Directeur de la mission, j'ai contrôlé presque tous les compartiments de la soute. Toujours rien. »

La voix de Landon flotta dans le casque de Megan :

— « Je suggère d'essayer le sas. Peut-être est-elle entrée dedans. »

Oui, le sas !

— « Bien compris, directeur de la mission. Je coupe les communications jusqu'à ce que j'atteigne le sas. »

Dès que Reed se fut approché de la porte, il vit le visage de Megan derrière le hublot. La joie et le soulagement qu'il perçut dans ses yeux le transpercèrent. Il alluma l'intercom de son système de communication.

— Megan, tu m'entends? Il vit son hochement de tête. Je ne reçois rien. Ton émetteur est fichu?

Megan confirma de la tête, puis elle se laissa flotter vers le haut et désigna l'unité de transmission de son EMU, sur son torse. Elle lui adressa le signe universel, pouce vers le bas, et parvint à redescendre à hauteur du hublot.

Reed la regarda.

— D'accord. Je comprends. D'ailleurs, ça ne change pas grand-chose.

Megan n'était pas certaine d'avoir entendu correctement, et elle mima un haussement d'épaules interrogateur.

— Tu ne comprends pas, reprit Reed. Bien sûr que non. Comment pourrais-tu comprendre? Megan... Il hésita. Je ne peux pas t'aider à sortir de là.

Les yeux de Megan s'agrandirent, sous le coup de la terreur et de l'incrédulité.

— Laisse-moi t'expliquer ce qui se passe ici, Megan. Un virus. Un type de virus que le monde n'a jamais vu parce qu'il n'est pas de ce monde. Il est né sur Terre, mais on lui a donné vie ici, dans le Spacelab. C'est à ça que je travaillais.

Elle secouait la tête, ses lèvres remuant frénétiquement pour former des mots inaudibles.

— Tu devrais tâcher de garder ton calme, continua Reed. Tu m'as entendu parler au contrôle au sol. Ils savent que tout le monde est mort. Ils n'ont aucun indice sur ce qui s'est passé ici. Et ils n'en auront jamais.

Reed s'humecta les lèvres.

— *Discovery* est devenu une sorte de *Marie Céleste*,
un vaisseau fantôme, un vaisseau condamné. Naturellement, il y a des différences. Moi, je suis encore en
vie, et toi aussi… pour l'instant. La NASA peut ramener l'orbiteur au sol en pilotage automatique, et elle va
le faire. Tant que je suis vivant, ils ne vont pas appuyer
sur le bouton d'autodestruction.

Reed laissa s'écouler un temps de silence.

— Ils n'en auront pas besoin.

Megan sentit des larmes brûlantes lui couler sur les
joues. Elle eut vaguement conscience qu'elle criait,
mais cela n'eut aucun impact sur Reed. Son expression demeura aussi froide et lointaine que la banquise.

— J'aurais préféré que ça tombe sur quelqu'un
d'autre que toi, Megan, lui expliquait-il. Franchement,
sincèrement. Mais il a fallu éliminer Treloar et tu étais
sa remplaçante. Enfin, je ne m'attends pas à ce que tu
comprennes. Mais comme je suis celui qui t'a fait
intégrer le programme et qui t'a offert cette chance,
j'estime te devoir une explication. Tu vois, nous avons
besoin de conserver un puissant arsenal biochimique.
Tous ces traités que nous avons signés… crois-tu que
dans des endroits comme l'Irak, la Libye ou la Corée
du Nord, on y accorde la moindre importance ? Bien
sûr que non. Ils sont trop occupés à développer leurs
propres armements. Eh bien, désormais, nous possédons quelque chose qui permettra d'anéantir tout ce
qu'ils seraient susceptibles de nous opposer. Et nous
serons les seuls à en disposer. L'échantillon que j'ai
fabriqué ? Un dé à coudre suffirait à éradiquer le pays
de notre choix. J'admets que ce n'est pas là un mode
de mesure très scientifique, mais tu vois où je veux en

venir. Si tu ne me crois pas, regarde ce qui s'est passé ici, la vitesse à laquelle la variole a opéré, les conséquences…

Jamais de toute sa vie Megan ne s'était sentie aussi impuissante. La voix de Reed bourdonnait dans ses oreilles, comme issue d'un cauchemar. Elle n'arrivait pas à croire que des mots pareils puissent émaner d'un homme qu'elle avait cru connaître, un collègue, un mentor, quelqu'un à qui elle vouait une confiance sans réserve.

«Il est fou. Je n'ai pas besoin d'en savoir plus. Ce dont j'ai besoin, c'est de sortir d'ici!»

Quand Reed reprit la parole, on eût dit qu'il avait lu dans ses pensées.

— Megan, en t'enfermant de la sorte, tu m'as pour ainsi dire mâché la besogne. L'incendie fera le reste. Je ne t'ai pas évoqué cet aspect? Eh bien, quand ce truc va atterrir, il va y avoir une sacrée confusion. La seule chose que le contrôle de la mission aura en tête, ce sera de me sortir d'ici en toute sécurité. Après quoi, si quelque chose explose, eh bien… Il haussa les épaules. Tu es entrée dans l'histoire, Megan. Je ne t'oublierai jamais… pas plus que les autres.

Sans la quitter une seule seconde des yeux, il manipula le panneau de commande de son unité de transmission.

— Directeur de la mission, ici Reed. Vous me recevez?

Elle entendit la voix de Landon:

— «Bien reçu, Dylan.»

— J'ai du nouveau. Je… j'ai trouvé Megan. Elle est morte… comme les autres.

À l'autre bout, il y eut un moment de silence.

— Bien reçu, Dylan. Je suis tellement désolé. Écoutez, nous sommes au travail pour vous ramener au bercail. Pouvez-vous regagner le poste de pilotage ?

— Affirmatif.

— Nous n'avons pas besoin d'aide, mais si quelque chose tournait mal…

— Compris. Harry ?

— Oui ?

— Vous avez ouvert le Livre Noir, n'est-ce pas ?

— Oui, Dylan.

— Il y a un nom qui n'y figure pas. Le docteur Karl Bauer. Il en sait plus sur les microbes que n'importe qui d'autre sur Terre. J'ai pensé que vous pourriez avoir envie de le consulter au sujet de la quarantaine.

— Bien compris. Nous allons faire venir Bauer sur le site de l'atterrissage. Nous lançons tout de suite les modèles informatiques de descente d'urgence. Dès que nous obtenons une trajectoire ferme, nous vous le faisons savoir.

Reed eut un vague sourire et, en regardant Megan droit dans les yeux, il ajouta :

— Compris, directeur de la mission. *Discovery*, terminé.

CHAPITRE VINGT-CINQ

L'hélicoptère acheminant Jon Smith de Camp David atterrit dans la zone des transports cargo de la base aérienne d'Andrews. Smith bondit au sol et traversa le tarmac au petit trot en direction de la camionnette blanche garée à côté d'un jet d'affaires au fuselage effilé.

— Salut, Jon, lui lança le major-général Kirov, en regardant les hommes du corps d'élite tirer un brancard de l'arrière du véhicule.

— Tout s'est-il passé comme prévu? lui demanda Smith.

— Oui, lui répondit Kirov. Ces hommes… (il désigna les soldats du corps d'élite) sont arrivés à votre domicile exactement à l'heure. Ils se sont montrés très rapides, très efficaces.

Smith jeta un regard sur Beria que l'on roulait devant lui, une couverture remontée jusque sous le menton.

— Comment va-t-il?

— Les tranquillisants ont parfaitement agi, le rassura Kirov.

Smith hocha la tête.

Tandis que la civière disparaissait dans le jet, Kirov se tourna vers Smith.

— Je vous suis reconnaissant… à vous et à M. Klein… pour m'avoir permis de vous apporter mon aide. J'aurais simplement aimé pouvoir en faire davantage.

Smith serra la main du Russe.

— Je garderai le contact, général. Je pense que nous avons obtenu de Beria tout ce que nous pouvions en tirer, mais s'il ajoute quoi que ce soit d'intéressant…

— Vous serez le premier informé, Jon, lui assura Kirov. Au revoir, Jon Smith. J'espère que nous nous reverrons, dans des circonstances plus plaisantes.

Smith attendit que Kirov soit monté à bord et que la porte soit refermée. Le temps que le jet avale la piste de décollage, il était remonté dans sa voiture, et d'un geste on le guidait hors du périmètre de sécurité. Alors qu'il se dirigeait vers l'autoroute, ses pensées revinrent à ce qui avait été accompli et à ce qui restait encore à mener à bien.

*

À Moscou, c'était le milieu de la nuit, mais les lumières étaient encore allumées dans les bureaux de Bay Digital Corporation.

Dans la salle de conférences, Randi Russell s'occupait de se préparer sa quatrième tasse de café, tout en regardant Sacha Roublev s'échiner à débusquer les secrets de l'ordinateur portable que Jon Smith lui avait confié. Environné de matériels informatiques connectés à l'ordinateur, Sacha était devant son clavier depuis plus de sept heures, avalant de temps à autre son Coca habituel pour maintenir la tension énergétique de son organisme. À trois reprises, Randi lui avait suggéré de laisser tomber pour cette nuit, mais chaque fois, d'un geste, Sacha s'était contenté d'écarter sa proposition.

— J'y suis presque, avait-il marmonné. Encore quelques minutes à peine.

À présent, Randi avait tranché la question : Sacha ne mesurait pas le temps comme les simples mortels.

Elle laissa passer son café, regarda fixement le marc, puis elle dit :

— Bon, ça suffit. Et cette fois je le pense vraiment.

Sacha leva la main, tout en continuant de taper de l'autre.

— Attends un peu…

D'un geste triomphant, il frappa sur une touche et s'affala dans son siège.

— Regarde, fit-il fièrement.

Randi ne pouvait en croire ses yeux. L'écran principal, qui était resté toute la soirée rempli de séries de symboles indéchiffrables, se métamorphosa soudain en une succession de courriers électroniques en clair.

— Sacha, comment… ? Randi secoua la tête. Peu importe. Je ne comprendrai jamais.

Sacha la regardait, radieux.

— La personne à qui appartenait cet ordinateur utilisait CARNIVORE, le tout dernier programme de cryptage du FBI. Il la regarda avec un petit air futé. Je croyais que personne, hors d'Amérique, ne possédait ce machin.

— Moi aussi, murmura Randi.

En se servant de la souris, elle fit défiler les courriers électroniques, sans arriver à croire à ce qu'elle lisait.

Nom de Dieu, qu'est-ce que c'est que ce Pacte Cassandre ?

De retour à Bethesda, Jon Smith se prépara rapidement un repas léger qu'il emporta dans son bureau. Il subsistait, en suspension dans la maison, une légère odeur de médicaments et les relents de peur d'un homme brisé. Smith ouvrit la porte et s'assit avec les dossiers que Nathaniel Klein lui avait remis.

Travis Nichols et Patrick Drake... tous deux des sergents de l'armée américaine. Tous deux originaires de la même petite bourgade dans le centre du Texas, là où les jeunes gens s'engageaient soit sur les champs de pétrole soit dans l'armée. Ces vétérans rompus au combat avaient été au feu en Somalie, dans le Golfe, et plus récemment au Nigeria.

L'intérêt de Smith fut piqué au vif quand il lut les bilans de santé de l'École Supérieure de Guerre de Fort Benning, en Géorgie. Nichols et Drake étaient sortis diplômés de leur classe à la première et à la deuxième places, deux hommes durs et froids dont le tranchant et la motivation avaient été encore affûtés par des instructeurs qui les avaient formés aux méthodes de combat les plus meurtrières.

Et ensuite ils disparaissent...

À présent, Smith savait ce que Klein entendait par ces « trous » qu'il avait évoqués. Au cours de chacune de ces cinq années, on était incapable de localiser ces soldats, et ce, pendant plusieurs mois. Pas la moindre annotation n'avait été portée par aucun des officiers sous le commandement desquels ils se trouvaient, aucun ordre de transfert ou de transport n'était accessible.

En se fondant sur son expérience des méthodes militaires, Smith devinait aisément où Nichols et Drake avaient pu s'évanouir. Il existait, disséminées un peu partout dans l'armée, des unités spéciales. La plus connue, la moins secrète, c'était les Rangers. Mais il y en avait d'autres, dont on allait puiser les membres parmi les troupes les plus expérimentées et les plus endurcies au combat. Au Vietnam, elles étaient connues sous le nom de LRPS (*Long Rang Reconnaissance Patrols*, ou Patrouilles de Reconnaissance à Long Rayon d'Action). Dans d'autres parties du monde, elles ne recevaient absolument aucune désignation.

Smith avait connaissance de trois de ces unités, mais il soupçonnait qu'il en existait davantage. Il ne connaissait personne au sein de ces trois unités-là, et n'avait ni le temps ni les ressources pour lancer une traque à partir de zéro. Il ne restait qu'une seule voie : le numéro de téléphone que Peter Howell avait recueilli des lèvres d'un Travis Nichols mourant.

Durant l'heure qui suivit, Smith envisagea un plan d'action après l'autre. Il retint de chacun de ces plans un élément ou deux qui, une fois rattachés ensemble, finirent par former un tout cohérent. Ensuite, il reprit la totalité du raisonnement, sans relâche, sondant les faiblesses éventuelles, éliminant les questions une par une, tâchant de se donner les meilleurs avantages possibles. Il savait qu'à la minute où il téléphonerait à cet interlocuteur encore inconnu de lui, sur une ligne répondant à un numéro qui n'existait pas, sa vie serait suspendue au moindre de ses mots, au moindre de ses gestes.

Dehors, les insectes et les oiseaux entamaient leur litanie nocturne. Lorsque Smith se leva pour fermer la fenêtre, son téléphone sonna.

— Jon, c'est Randi.

— Randi ! Quelle heure est-il, là-bas ?

— Je n'en sais rien. J'ai perdu le fil. Écoute, Sacha a pu percer les barrières informatiques du système de ce portable. Tous les courriers électroniques… et tout le reste… c'est en clair.

À son ton de voix, Smith comprit que Randi voulait une explication.

— J'ai besoin que tu me transmettes ce que tu as déniché, Randi, fit-il calmement. Et sans poser de questions. Pas pour le moment.

— Jon, tu m'as demandé de te rendre un service. Je l'ai fait. Si j'en crois le peu que j'ai lu, ce truc est explosif. Il y a des références à Biopreparat et à une affaire baptisée le Pacte Cassandre…

— Mais je n'ai jamais rien vu passer de cet ordre, fit Smith d'un ton pressant. C'est pour ça qu'il me faut ce matériel… pour tenter de découvrir ce qui est train de se passer.

— Il va falloir que tu me dises une chose, lui répliqua Randi. Cette « crise », ce je-ne-sais-trop-quoi, c'est localisé en Russie ? Ou bien quelque chose a-t-il filtré à l'extérieur ?

Smith s'était déjà trouvé confronté à la ténacité de Randi. Il savait qu'elle ne briguait pas la gloire. Elle était un agent de renseignement qui s'efforçait de faire son travail. D'une manière ou d'une autre, il lui fallait la convaincre que ses intérêts à elle et les siens à lui étaient les mêmes.

— Quelque chose a filtré à l'extérieur, lâcha-t-il.

— Pas comme Hadès, Jon. Ça ne va pas recommencer !

— Cela n'a rien à voir, lui assura-t-il. Nous

sommes confrontés à une situation de crise, ici, aux États-Unis. Crois-moi, on a frappé aussi fort que possible pour y mettre un terme. Les ordres viennent de l'échelon le plus élevé. Tu comprends ? De l'échelon le plus élevé. Il laissa ses propos produire leur effet. Ce que tu as décroché va énormément m'aider, poursuivit-il. Crois-moi, je t'en prie : tu ne peux rien faire de plus de ton côté. Tout au moins rien pour le moment.

— Donc j'en déduis que tu ne souhaites pas que j'informe Langley.

— C'est bien la dernière chose que je souhaite. Je te demande de te fier à moi, Randi. S'il te plaît.

Après un instant d'hésitation, elle lui répondit.

— Ce n'est pas une affaire de confiance, Jon. Simplement je ne veux pas… je ne pourrais pas supporter de rester bras croisés pendant qu'il se crée une situation comparable à Hadès.

— Personne n'en a envie. Et ça n'arrivera pas.

— Est-ce qu'au moins tu vas me tenir au courant ?

— Dans la mesure du possible, lui répliqua Smith en toute sincérité. Les choses vont très vite, ici.

— Très bien. Mais souviens-toi de ta promesse.

— Tu ne l'apprendras pas par CNN.

— Je t'expédie le contenu tout de suite. Que veux-tu que je fasse de cet ordinateur portable ?

Smith considéra les choix qui s'offraient à lui. En principe, il aurait dû faire restituer l'ordinateur à Kirov. Mais si Lara Telegin n'était pas la seule félonne ? Il ne pouvait courir le risque que des secrets probablement vitaux tombent entre les mauvaises mains.

— Je suis certain que tu as un coffre-fort sûr, fit-il. De préférence un coffre sécurisé.

— J'ai un de ces coffres-flamme dernier cri. Toute

personne essayant de le forcer est bonne pour une mauvaise surprise.

— Bien. Une dernière question : le téléphone portable.

— Il y a un paquet de numéros en mémoire… tous sur le central téléphonique militaire russe. Je t'en envoie copie.

Smith entendit un bip sonore, se retourna vers son écran et vit un message entrant s'afficher sur l'écran.

— Je reçois ton envoi, dit-il.

— J'espère que c'est ce qu'il te faut, fit Randi, hésitante, puis elle ajouta : Bonne chance, Jon. Je penserai à toi.

Smith tourna son attention vers l'écran et examina ces courriers électroniques un par un. L'expéditeur portait le nom de code *Sphinx*, le destinataire, *Méphisto*.

À mesure qu'il poursuivait sa lecture, l'énormité de ce qui était évoqué sous le nom de Pacte Cassandre ne faisait que croître sous ses yeux. Lara Telegin — *Sphinx* — était en contact avec *Méphisto* depuis plus de deux ans, et lui fournissait des informations ultrasecrètes sur Biopreparat, son personnel et sa sécurité. Les notes les plus récentes mentionnaient nommément Youri Danko et Ivan Beria.

Qui alimentais-tu ? Qui est Méphisto ?

Smith alla plus avant dans la lecture de cette masse de courriers électroniques. Subitement, une information lui sauta aux yeux et il revint en arrière dans le défilement. C'était un message de félicitations. Méphisto avait reçu une citation. Il y avait une référence à la cérémonie, à une certaine date.

Le Veterans Day… Le Jour des anciens combattants…

En utilisant son code d'accès de l'USAMRIID, il entra sur le site du Pentagone et saisit la date en question. Instantanément, les précisions sur la cérémonie apparurent, photos comprises. Il y avait là un cliché du président Adams Castilla tenant la médaille entre ses mains. Et le soldat à qui il était sur le point de la décerner.

*

— En êtes-vous absolument certain ? lui demanda Klein.

Smith eut l'impression que Klein était fatigué, mais c'était peut-être dû à la qualité de la ligne.

— Oui, monsieur, insista-t-il. Le courrier électronique se réfère à une date bien particulière. Il ne s'est tenu ce jour-là que cette seule et unique cérémonie. Une seule citation a été décernée. Il n'y a pas d'erreur.

— Je vois… Au vu de ce nouveau développement, vous êtes-vous arrêté sur un moyen de procéder ?

— Oui, monsieur.

Il avait fallu à Smith deux heures pour réviser le plan qu'il avait élaboré avant le coup de fil de Randi Russell. Il en communiqua promptement les détails à Klein.

— Cela me paraît terriblement dangereux, Jon, lâcha Klein à voix basse. Je me sentirais bien mieux si vous n'y alliez pas seul.

— Croyez-moi, j'aimerais assez avoir Peter Howell dans les parages, mais nous n'avons pas le temps de le faire venir. En outre, j'ai besoin de lui en Europe.

— Et vous êtes certain de vouloir engager cette action immédiatement ?

— Pourvu que vous puissiez vous procurer les éléments que j'ai évoqués, je serai prêt.

— Considérez que c'est déjà fait. Et… Jon, vous porterez un émetteur, n'est-ce pas ?

Smith leva en l'air une minuscule pastille, un connecteur par fibre optique qui avait l'air d'un petit pansement adhésif circulaire, du genre de ceux que l'on se colle sur la peau quand on se coupe en se rasant.

— Au moins, monsieur, si quelque chose tourne mal, vous saurez jusqu'où je suis allé.

— Ne pensez pas à ce genre de choses.

Après avoir raccroché, Smith s'accorda un instant, le temps de reprendre une contenance. Il songea à tout ce qui s'était passé jusqu'à cette minute, à toutes les vies que l'on avait sacrifiées sur l'autel du Pacte Cassandre. Puis il revit Youri Danko venir vers lui en traversant la place Saint-Marc… et Katrina, sa veuve.

Sans hésitation, il décrocha son téléphone, s'assura que le brouilleur était activé, et composa le numéro que Peter Howell lui avait transmis. Si quelqu'un tentait de localiser l'appel, il allait devoir circuler d'un bout à l'autre du pays, de filtrage en filtrage par disjonctions successives.

À l'autre bout de la ligne, le téléphone sonnait. On décrocha le combiné et une voix irréelle, déformée électroniquement, lui répondit :

— Oui ?

— C'est Nichols. Je suis au bercail. Blessé. J'ai besoin de venir au rapport.

CHAPITRE VINGT-SIX

Involontairement, le général Frank Richardson en renversa le cigare qui brûlait dans le cendrier en verre taillé.

— Répétez, dit-il dans le combiné.

C'est une voix brouillée par vagues, hachée, qui lui arriva en retour :

— … Nichols… Blessé… venir au rapport.

Richardson serra le combiné.

— Rendez-vous au point de sécurité Alpha. Je répète : point de sécurité Alpha. Compris ?

— Compris.

La communication fut coupée.

Richardson resta les yeux fixés sur le téléphone, comme s'il s'attendait à ce qu'il sonne de nouveau. Mais le silence de son bureau ne fut rompu que par les tic-tac assourdis de l'horloge comtoise et par les ronronnements lointains des véhicules blindés des détachements de sécurité effectuant leurs patrouilles autour de Fort Belvoir.

Nichols… blessé… Impossible !

Richardson tira sur son cigare, histoire de se rasséréner. En chef aguerri, il passa promptement en revue les choix qui s'offraient à lui et prit sa décision. Son premier appel s'adressa au cantonnement des sous-officiers de la base. C'est une voix vive et brusque qui lui répondit.

Le second coup de téléphone de Richardson fut pour le directeur adjoint de la NSA, Anthony Price. Il était réveillé lui aussi, et heureusement pas très loin, dans sa maison d'Alexandria.

En attendant l'arrivée des deux hommes, Richardson écouta l'enregistrement de la conversation. En dépit de son téléphone sécurisé connecté aux tout derniers équipements d'enregistrement, la voix de son interlocuteur était brouillée par des crachotements. Le général était incapable de dire si l'appel était local ou à longue distance. Il ne pensait pas que « Nichols » soit si loin que cela, pas s'il était prêt à se rendre au point de sécurité Alpha.

Mais Nichols est mort.

Il fut interrompu dans ses conjectures par un coup frappé à la porte de son bureau. Son visiteur était un grand gaillard costaud, le milieu de la trentaine, des cheveux couleur de paille coupés ras et des yeux bleus éclatants. Le treillis, ample comme de juste, était tendu sur la musculature puissante de rugbyman.

— Bonsoir, mon général, fit le sergent Patrick Drake, avec un salut net.

— Repos, répondit Richardson. Il eut un geste en direction du bar dans le coin de la pièce. Servez-vous, sergent. Croyez-moi, vous allez en avoir besoin.

Un quart d'heure plus tard, Anthony Price était introduit dans cette même pièce par l'aide de camp du général.

— Bonsoir, Tony.

Price regarda vers Drake et haussa les sourcils.

— Que se passe-t-il, Frank ?

— Ce qu'il se passe, c'est ça, répliqua le général en enfonçant d'un coup sec le bouton « lecture » du magnétophone.

Il observa l'expression des deux hommes tandis qu'ils écoutaient le bref échange. Il ne décela rien, si ce n'est une authentique surprise — et, dans le cas de Price, l'inquiétude.

— Comment diable Nichols a-t-il pu passer ce coup de fil ? interrogea Price. Il se tourna vers Drake. Je croyais vous avoir entendu certifier qu'il était mort, soldat !

— Sauf votre respect, monsieur, Nichols est mort, confirma Drake d'une voix atone. Il se tourna vers Richardson : Mon général, j'ai vu Nichols prendre un coup de couteau dans les tripes. Vous savez qu'un homme n'a aucun moyen de survivre à ça, à moins qu'il ne soit l'objet de soins intensifs immédiats... moyens qui n'étaient pas disponibles sur les lieux.

— Vous auriez dû vous assurer qu'il était bien mort, intervint Price d'un ton cassant.

— Tony, ça suffit ! le coupa Richardson. Je me souviens de votre rapport, sergent. Mais vous voudrez bien expliquer les détails de l'action à monsieur Price ici présent.

— Oui, monsieur. Drake se tourna vers Price. Monsieur, notre contact, Franco Grimaldi, s'est montré imprudent. Il a permis à Peter Howell de flairer le piège. Howell l'a descendu, ensuite il s'en est pris à Nichols et à moi quand nous nous sommes approchés de lui. Howell est arrivé à s'emparer du pistolet de Nichols et il a tiré sur Grimaldi. À ce stade, je n'avais pas d'autre choix que de battre en retraite. Mes ordres étaient de conduire cette opération de façon clandestine. Si quelque chose tournait au vinaigre, je devais décrocher et attendre une meilleure opportunité.

— Qui ne s'est jamais présentée, ironisa Price.

— Les fortunes de la guerre, monsieur, répliqua Drake d'une voix monocorde.

— Assez d'insinuations ! s'écria Richardson. Drake a respecté les ordres, Tony. Que l'opération ait viré à la catastrophe, ce n'est pas sa faute. La question est de savoir qui se fait passer pour Nichols.

— Peter Howell, à l'évidence, répliqua Price. Manifestement, Nichols a survécu suffisamment longtemps pour lui révéler le numéro de contact.

Richardson lança un coup d'œil à Drake.

— Sergent ?

— Je confirme que Nichols a dû livrer le numéro, monsieur. Et aussi le point de rendez-vous. Sans quoi votre interlocuteur vous aurait demandé d'identifier le point de sécurité Alpha. Mais à mon avis ce n'était pas Howell.

— Pourquoi ?

— Howell vit aux États-Unis, monsieur. Il s'est retiré, mais nous le soupçonnons depuis longtemps d'être encore disponible pour certaines opérations, et il est apparu que Smith et lui travaillaient ensemble au moment de l'opération Hadès. Je pense que Howell ne passerait à l'action que si Smith le lui demandait, mais il se bornerait à le faire en dehors du pays. C'est pourquoi il était à Palerme, lui, et non Smith. Je pense que c'est ce dernier qui est l'auteur de l'appel, mon général.

Richardson hocha la tête.

— Moi aussi.

— Smith…, grommela Price. Tout remonte vers lui. D'abord il est à Moscou, et ensuite Beria disparaît. Maintenant il est ici. Frank, il faut s'occuper de lui, une bonne fois pour toutes.

— Oui, acquiesça Richardson. Et c'est pourquoi je lui ai indiqué de se rendre au point Alpha. Il regarda Drake. Où vous l'attendrez.

*

Chaussé de Nike, vêtu d'un pantalon, d'un col roulé noirs et d'un blouson en nylon de couleur sombre, Jon Smith se faufila hors de chez lui et se glissa au volant de sa voiture. Il sortit de Bethesda, sans cesser de contrôler ses rétroviseurs. Aucun véhicule ne le suivit dans ces rues résidentielles et silencieuses. Aucune filature ne prit le relais à son entrée sur la rocade.

Smith traversa le Potomac et pénétra dans le comté de Fairfax, en Virginie. À cette heure de la nuit, la circulation était fluide, et il traversa sans être ralenti cette campagne peuplée de chevaux, autour de Vienna, de Fairfax et de Falls Church. Au sud d'Alexandria, il retomba sur le fleuve Potomac, qu'il longea presque jusqu'aux confins du comté de Prince William. Là, cette campagne opulente laisse place à des étendues de terrains en bordure de rivière ceints d'une épaisse forêt. Alors qu'il se rapprochait de la limite du comté, Smith eut le point de sécurité Alpha en vue.

La station de pompage de la centrale thermique de Virginie avait été construite vers 1930, quand le charbon ne coûtait pas cher, à une époque où les questions de santé publique étaient inexistantes. L'apparition d'installations plus neuves, plus propres, allant de pair avec le tollé des écologistes, suffit à fermer la centrale au début des années 90. Depuis lors, toutes les tentatives de modernisation étaient venues s'échouer sur les récifs des considérations budgétaires. Et par conséquent, l'usine continuait de se dresser sur le bord du Potomac, une construction énorme et noire, semblable à une usine désaffectée.

Smith quitta la route et, éteignant ses phares, s'engagea sur la voie d'accès. Il se gara sous un bosquet à cinq cents mètres de là et, ajustant son sac à dos sur ses épaules, il effaça le reste du chemin au pas de course.

La première chose qu'il remarqua en se rapprochant fut la clôture Cyclone — encore impeccable, surmontée de fer feuillard luisant et affûté. Un gros cadenas, sans trace de rouille, fermait la chaîne du portail d'entrée. Le périmètre était bien éclairé, les lampadaires halogènes conféraient un éclat hivernal au parking désert situé devant l'édifice.

Qui n'est plus en service, mais qui sert encore...

Smith avait déjà vu ce genre de bâtiments. L'armée préférait les lieux non entretenus, abandonnés, en ruine, où elle pouvait apporter à ses escadrons spéciaux le genre d'entraînement impossible à reproduire sur des terrains militaires. La centrale thermique de Virginie revêtait cet aspect singulier... de n'être plus en service, mais de servir encore...

Parfaite pour le point de sécurité Alpha.

Smith boucla presque le tour du périmètre avant de trouver un point d'entrée accessible, où la clôture rejoignait la rive du fleuve. Escaladant les rochers glissants, il parvint à contourner la clôture, puis, d'une

417

pointe de vitesse, il traversa en courant le parking désert jusqu'au mur le plus proche. Après avoir marqué une pause, le temps de repérer les lieux, il scruta le périmètre. Il ne vit rien, n'entendit rien, à part les appels étouffés des créatures nocturnes, près de l'eau. Pourtant, son instinct le mit en garde : il n'était pas seul. Son coup de téléphone avait fait frémir la toile d'araignée. Seulement il n'y avait pas d'araignée en vue… pas encore.

Smith se plaqua contre le mur latéral du bâtiment et progressa le long du mur, cherchant un point d'entrée.

*

Trois étages au-dessus de lui, dans l'ombre d'une fenêtre cassée, le sergent Patrick Drake surveillait la progression de Smith avec des jumelles à infrarouge. Il l'avait repéré dès qu'il avait contourné la clôture, par le point d'accès le plus logique. Selon le contenu du dossier que Drake avait lu, Smith était tout sauf illogique. C'était une qualité admirable chez un soldat, mais elle le rendait prévisible. Et dans le cas présent, d'une vulnérabilité fatale.

Drake avait été déposé à l'usine par hélicoptère. Plus tard, quand il aurait achevé son travail, une voiture l'attendrait. Arriver sur les lieux aussi rapidement lui avait permis de se familiariser avec le plan de l'usine, d'avoir le choix du lieu pour le meurtre, et de trouver un poste d'observation pour suivre l'arrivée de Smith.

Et il était là, il avait trouvé la porte, ainsi que Drake l'avait escompté, il essayait la poignée… il l'ouvrait.

Drake se détourna de la fenêtre et traversa la salle nue qui autrefois avait abrité la machinerie de pompage. Ses souliers à semelles de crêpe se déplaçaient sans bruit sur le sol de béton poussiéreux.

Il se glissa dans la cage d'escalier, sortit son Colt Woodsman équipé d'un silencieux. Le calibre .22 était une arme d'assassin, destinée au travail à bout portant. Drake voulait voir Smith en face avant de l'abattre. Peut-être la terreur qu'il lirait sur son visage l'aiderait-elle à soulager la douleur que Drake portait en lui depuis la perte de son partenaire.

Ou peut-être vais-je d'abord lui tirer dans les tripes, pour qu'il puisse éprouver ce que Travis a traversé.

Deux étages plus bas, Drake s'arrêta sur un palier et tira prudemment à lui une porte qui s'ouvrait sur une deuxième salle des pompes. Le clair de lune qui filtrait par les hautes fenêtres baignait le sol en béton grêlé de trous dans ce qui aurait pu passer pour une couche de glace. Avançant rapidement de pilier en pilier, Drake se positionna de manière à avoir une vue dégagée sur une autre porte, encore fermée. Sachant par où Smith était entré, c'était le seul accès à cette salle. Comme tout bon soldat, son adversaire vérifierait tous les espaces dans lesquels il pénétrerait, s'assurant que les lieux étaient sûrs, que personne ne le prendrait par surprise dès qu'il aurait le dos tourné. Mais dans ce cas, même ces précautions si logiques ne le sauveraient pas.

Quelque part à l'extérieur de la salle des pompes, Drake entendit un bruit de pas. Libérant le cran de sûreté de son Woodsman, il pointa son arme vers la porte et attendit.

Smith considéra la porte, son enveloppe métallique zébrée de vieilles taches de peinture rouge. Le point de sécurité Alpha. Où Travis Nichols aurait dû venir faire son rapport. Où l'attendrait le propriétaire de cette horrible voix déformée.

Il ne sera pas venu seul, se dit Smith. Il aura amené du renfort. Mais combien d'hommes ?

Smith fit coulisser le sac à dos de ses épaules. Plongeant la main à l'intérieur, il en sortit un petit objet rond de la taille d'une balle en caoutchouc. Puis il en tira son Sig-Sauer et poussa la porte du bout de sa chaussure.

La nappe de lumière lunaire entama sa vision nocturne, l'aveugla. À cet instant, il s'avança d'un pas, franchissant le seuil. Soudain, quelque chose de très dur vint le frapper à la poitrine. Il vacilla en arrière, et le sac à dos lui échappa des mains. Un second coup l'envoya valser contre le mur.

Smith avait l'impression d'avoir la poitrine en feu. Le souffle coupé, il tâcha de rester debout, mais ses genoux se dérobèrent sous lui. Il glissa contre le mur, et vit une ombre émerger derrière un pilier.

Son pouce bascula la goupille de la grenade incapacitante qu'il tenait en main. D'un geste manquant de force, il la lança à travers la salle et aussitôt se protégea les yeux et les oreilles.

Drake marcha vers Smith avec la confiance du chasseur qui sait qu'il vient de réussir un coup au but — deux, en réalité. Les deux balles avaient atteint Smith en plein torse, parfaitement centrées. Si le colonel n'était pas déjà mort, il le serait bientôt.

Drake se délectait à cette pensée quand une sphère noire décrivit une courbe dans sa direction. Il fit preuve d'un instinct et d'une promptitude à réagir impeccables, mais ne put se protéger les yeux à temps. La grenade incapacitante explosa comme une supernova, et l'aveugla. L'onde de choc le plaqua au sol.

Drake était jeune et très affûté. Lors de son entraînement sous des tirs à balles réelles et lors de ses missions véritables, il avait connu sa part d'explosions. Dès qu'il toucha le sol, il se couvrit la tête, contre d'éventuels éclats. Il ne se paniqua pas lorsque, rouvrant les yeux, il ne vit rien que du blanc. D'ici quelques secondes, l'éclair se résorberait. Il tenait encore son pistolet en main. Il savait qu'il avait touché Smith et que l'autre était à terre. Tout ce qu'il avait à faire, c'était d'attendre de recouvrer la vue.

Ensuite, Drake entendit le ululement lointain des sirènes. Poussant un juron, il se releva en titubant. Même si la salle était encore dans le flou, il discerna les fenêtres. Sa vision se précisa suffisamment pour qu'il distingue deux points rouges clignotant entre les arbres qui longeaient la route d'accès à l'usine.

— Bordel ! rugit-il en entendant les sirènes se rapprocher. Smith avait amené ses propres renforts ! Qui était-ce ? Combien étaient-ils ?

Sa vision redevenue presque normale, Drake se précipita vers l'endroit où il avait vu Smith tomber.

Mais il n'y était pas !

Les sirènes résonnaient de plus en plus fort. Jurant encore, Drake attrapa le sac à dos et se dirigea vers la cage d'escalier. Il sortit juste à temps pour apercevoir les deux berlines qui s'arrêtaient devant le portail.

Qu'ils viennent, songea-t-il. *Tout ce qu'ils trouveront, c'est un cadavre !*

*

Fixant du regard les câbles qui pendaient du panneau, Megan Olson luttait pour refouler son désespoir. Elle avait perdu le fil de toutes les combinaisons qu'elle avait essayées, en raccordant différents câblages à différentes bornes. Jusqu'à présent, rien n'avait fonctionné. Le sas de la navette demeurait hermétiquement clos.

Sa seule consolation, c'était qu'elle croyait être parvenue à réparer son micro. Mais elle n'avait pas envie de le tester pour l'instant.

Calme-toi, se répétait-elle. *Il y a un moyen de sortir d'ici. Tout ce qu'il faut, c'est le trouver.*

Il était rageant de penser qu'à moins de trente centimètres, de l'autre côté de la porte, il y avait le levier de secours. Il suffisait que Dylan Reed tire dessus.

Au lieu de quoi il va te laisser mourir. Comme tous les autres...

En dépit de tous ses efforts, Megan ne parvenait pas à prendre du recul par rapport à l'horreur de tous les actes de Reed. Durant les dernières heures, elle avait écouté ses conversations laconiques, intermittentes, avec Harry Landon, du contrôle au sol. Au cours de l'une d'elles, il avait procédé à une description très crue des cadavres.

Mais comment a-t-il pu obtenir une souche de virus?

Par Treloar! Klein lui avait parlé de ce vol à Biopreparat et de la manière dont Treloar avait contribué à introduire clandestinement cet échantillon russe de la variole sur le territoire américain. Mais comment Treloar avait-il pu amener le virus jusqu'au site du lancement? Il avait été assassiné après son atterrissage à Washington.

C'est alors qu'elle se souvint du matin du décollage, de son impossibilité de trouver le sommeil, de ses quelques pas dans l'obscurité, d'avoir vu le pas de tir au loin, et d'avoir aperçu Reed… Et puis ce visiteur anonyme, qui s'était approché de lui, qui lui avait remis quelque chose, avant de repartir. Pouvait-il s'être agi d'un transfert de dernière minute? Il le fallait bien.

Si ce que Reed avait reçu là était en fait la variole, songea Megan, alors elle sera restée stable jusqu'à la mise sur orbite de la navette, et Reed avait pu la conserver dans le biocongélateur.

Le Spacelab! Subitement, elle se rappela le message qui leur était parvenu dans le poste de pilotage. Quelques minutes plus tard, Reed avait modifié le programme des expériences, pour l'éjecter de la première place et se la réserver pour lui-même. Il avait expliqué ça tellement en douceur que personne, pas même elle, ne l'avait interrogé.

Même pas quand tu as vu le numéro d'immatriculation de la NASA associé à ce message. Le numéro de Reed. Et tu t'es demandé comment il avait pu s'envoyer un message à lui-même…

Megan secoua la tête. Les réponses étaient bien là,

mais elle les avait ignorées. Au lieu de quoi, elle avait accepté ces événements comme autant de coïncidences, elle avait choisi de croire à l'intégrité de l'homme qui l'avait emmenée vers les étoiles.

La question de la motivation qui avait poussé Reed à prendre part à un acte aussi barbare la harcelait. Même après avoir réfléchi à tout ce qu'elle savait de lui, aucune réponse ne s'offrait à elle. Il y avait en lui, chez lui, quelque chose qu'elle n'avait pas su voir. Que personne n'avait su voir.

Auparavant, Megan s'était raccrochée au frêle espoir que Reed allait revenir. Une part d'elle-même ne parvenait pas à croire qu'il allait la tuer de sang-froid. Mais à mesure que les heures passaient et qu'elle écoutait les communications avec le contrôle au sol, elle avait fini par se résoudre au fait que, en ce qui le concernait, elle était déjà morte.

Megan se concentra très fort sur le panneau de câblages. Comme elle était à même d'écouter les conversations avec le contrôle au sol, elle savait par quelle méthode Harry Landon avait l'intention de ramener la navette au sol et, plus important, combien de temps cela prendrait. Elle avait encore le temps d'imaginer un moyen de s'échapper d'ici. Une fois qu'elle l'aurait trouvé, elle irait droit au système de communications auxiliaire, dans la soute inférieure.

Mais si ces câblages s'obstinaient à déjouer ses tentatives, et comme le temps était compté, il lui restait une dernière option. Si elle choisissait de l'appliquer, cela signifiait que la porte allait s'ouvrir — cela ne présentait aucun doute. Mais elle n'avait aucune garantie d'y survivre, après coup.

Smith se redressa en titubant, arracha son blouson, et tira sur les attaches Velcro de son gilet pare-balles en Kevlar Seconde Chance. Il était homologué pour arrêter tout projectile jusqu'à 9 mm. Mais il avait eu beau absorber facilement le choc du .22 de Drake, Smith se sentait encore comme s'il avait reçu le coup de sabot d'une mule.

Une fois remonté dans sa voiture, il activa la balise GPS encastrée dans le tableau de bord. Instantanément, un point bleu luminescent apparut sur le petit écran qui affichait une carte du comté de Fairfax.

Smith attrapa le téléphone.

— Ici Klein.

— C'est moi, monsieur, fit-il.

— Jon ! Est-ce que ça va ? J'ai reçu un rapport évoquant une explosion.

— J'en suis la cause.

— Où êtes-vous ?

— Juste à l'extérieur de l'usine. La cible se déplace… si j'en crois mon écran, à pied. Ceux que vous m'avez envoyés, monsieur, ont fait leur travail. Ils sont arrivés pile à l'heure pour effaroucher Drake.

— Et ce Drake justement ? A-t-il mordu à l'hameçon ?

Smith jeta encore un coup d'œil au point bleu qui se déplaçait en clignotant.

— Oui, monsieur. Il est en route.

Il fallut au sergent Patrick Drake cinq minutes pour couvrir le chemin forestier d'un kilomètre et demi qui séparait l'usine électrique de l'aire de repos déserte où on lui avait garé une voiture.

Guettant le moindre signe de filature, Drake roula jusqu'à la périphérie d'Alexandria. Il s'arrêta sur le parking d'un motel de la chaîne Howard Johnson et se gara devant le dernier bungalow de la rangée. Il ouvrit la porte et se présenta devant le général Richardson et Anthony Price qui l'attendaient à l'intérieur.

— Rapport de mission, sergent? lui demanda Richardson.

— La cible a été neutralisée, monsieur, lui répondit sèchement Drake. Deux coups au but, centrés.

— Vous en êtes sûr? insista Price.

— Qu'est-ce que vous voulez, Tony? le coupa Richardson. La tête de Smith sur un plateau? Il se tourna vers Drake. Repos, sergent. Vous avez parfaitement agi.

— Merci, monsieur.

Price eut un geste vers le sac à dos que Drake avait rapporté.

— Et ça, qu'est-ce que c'est?

Drake lança le sac sur un des lits.

— C'est ce que Smith a laissé derrière lui.

Il défit les languettes et en vida le contenu : deux chargeurs, une carte routière, un téléphone portable, un magnétophone à cassettes et un petit objet rond qui attira l'attention de Price.

— Qu'est-ce que c'est que ça?

— Une grenade incapacitante, monsieur, lui répondit Drake, en faisant mine de ne pas remarquer l'ex-

426

pression de Price. Tout va bien, monsieur. La goupille est en place.

— Voulez-vous nous laisser, je vous prie, soldat, fit Price.

Drake se retira dans la salle de bains, et Price attrapa Richardson par le bras.

— Ça suffit avec ces conneries de petit soldat, Frank. Nous n'avions aucun besoin d'être présents, ni l'un, ni l'autre. Drake aurait pu nous transmettre le résultat par téléphone.

Richardson dégagea son bras d'un coup sec.

— Ce n'est pas ma façon de travailler, Tony. J'ai perdu un petit soldat, comme vous les appelez, là-bas à Palerme. Il portait un nom. Travis Nichols. Et au cas où vous l'auriez oublié, Smith s'est déjà suffisamment rapproché de nous, au point de m'appeler à Fort Belvoir… sur une ligne dont vous m'aviez garanti la sécurité !

— Le numéro était sûr ! lui rétorqua Price. C'est votre homme qui l'a révélé.

Richardson secoua la tête.

— Pour quelqu'un qui a commis tous les actes que vous avez commis, vous n'aimez décidément pas vous salir les mains, pas vrai ? Vous préférez donner des ordres et laisser les autres crever pendant que vous suivez le résultat des courses à la télévision, comme si tout ça n'était qu'un grand match. Richardson se pencha plus près. Je ne joue aucun match, Tony. Je fais ça parce que je crois que c'est nécessaire. Je le fais pour mon pays. En quoi croyez-vous donc ?

— À la même chose que vous, lui répliqua Price.

Richardson s'ébroua.

— Mais avec Bauer-Zermatt, vous vous êtes constitué un joli matelas, pas vrai ? Dès que nous aurons livré un petit avant-goût de ce que notre microbe peut provoquer, tout le monde va réclamer un antidote à cor et à cri. Tout à fait fortuitement, Bauer-Zermatt se débrouillera grâce à une petite fuite pour faire circuler la nouvelle que le groupe tient la corde dans cette recherche, et le cours de ses actions va grimper en flèche. Simple curiosité, Tony. Combien de titres Bauer vous a-t-il offerts ?

— Un million, lui répondit calmement Price. Et il ne me les a pas offerts, Frank. Je les ai gagnés. N'oubliez pas que c'est moi qui ai trouvé Beria, qui ai veillé sur vos arrières, en m'assurant que personne n'avait rien flairé de ce qui se tramait à Hawaï. Alors n'essayez pas de m'enfumer avec vos foutaises !

Il lança un coup d'œil sur les objets que Drake avait sortis du sac à dos.

— Bien, maintenant remballons ce bazar…

Il n'acheva pas sa phrase.

— Qu'est-ce qui ne va pas ? s'enquit Richardson.

Prise prit le magnétophone à microcassettes, examina le boîtier et leva le clapet du logement à cassettes.

— Dites-moi que ce n'est pas ça, marmonna-t-il.

— Quoi ? lui demanda Richardson. Smith avait apporté ça avec lui au cas où il aurait pu enregistrer des confidences.

— Peut-être…

Price retira la cassette et tira sur un des deux ergots qui la maintenaient en place dans son logement. Tout le bloc suivit d'un seul tenant.

— Et peut-être pas !

Il avait la peau du visage comme marbrée, sous le coup de la rage.

— Je savais bien que je reconnaissais ce truc ! Regardez ça, Frank.

Dans la cavité, Richardson vit un émetteur ultramoderne.

— Le dernier cri en matière de technologie de la surveillance ! fit Price en sifflant entre ses dents. Votre gars s'est fait avoir ! Smith savait que si quelque chose tournait mal, son assassin allait forcément s'emparer de son sac à dos. Quelqu'un a entendu chacune des paroles que nous venons de prononcer !

— Sergent ! rugit Richardson.

Drake surgit précipitamment de la salle de bains, pistolet en main. Richardson fonça sur lui et lui montra le magnétophone éviscéré.

— Dites-moi encore, Smith est-il mort ?

Drake reconnut instantanément l'émetteur.

— Monsieur, je ne savais pas…

— Est-il mort ?

— Oui, monsieur !

— Tout ce que cela signifie, c'est qu'il est incapable de nous dire où se trouve le récepteur, lâcha Price. Il regarda Richardson. Êtes-vous croyant, Frank ? Parce que la prière, c'est peut-être bien tout ce qui nous reste !

*

La porte du bungalow s'ouvrit et Richardson, Price et Drake en sortirent en vitesse, se dirigeant vers leurs voitures.

À une quinzaine de mètres de là, Jon Smith les observait derrière le pare-brise de son véhicule.

— C'est Richardson, Price et Drake, fit-il au téléphone.

— Je sais, lui confirma Klein. J'ai reconnu les voix… sauf pour ce qui est de Drake. Et le Président également.

Smith jeta un coup d'œil sur son émetteur, logé dans le compartiment situé entre les deux sièges, qui avait relayé la conversation des conspirateurs vers Camp David.

— Je vais intervenir, monsieur.

— Non, Jon. Regardez autour de vous.

Smith aperçut deux berlines noires qui venaient se mettre en position pour barrer l'accès au motel. Deux autres fermaient la sortie de derrière.

— Qui est-ce, monsieur ?

— Peu importe. Ils vont s'occuper de Richardson et Price. Vous, faites profil bas jusqu'à ce que ce soit terminé. Je vous attends à la Maison Blanche dès l'aube.

— Monsieur…

Le pare-brise explosa sous l'impact d'une balle qui fracassa le verre sécurit. Smith se jeta en travers du siège côté passager, et deux autres projectiles traversèrent l'habitacle en sifflant.

*

— Vous m'avez soutenu qu'il était mort ! criait Price.

— Ça ne saurait tarder, lâcha Richardson d'un ton

430

sombre. Montez dans la voiture ! Sergent, cette fois, soyez sûr de votre coup !

Drake ne prit pas la peine de regarder derrière lui. Il avait repéré la berline tous phares éteints dès l'instant où il était sorti du bungalow. Le véhicule de Smith était garé dans l'ombre portée d'une espèce de benne à ordures. Mais il avait oublié la lune. Froide et brillante, elle inondait l'intérieur de la voiture, et l'éclairait à la perfection. Drake avait tiré sa première balle avant que Smith ne se soit aperçu qu'il était joué. À présent, Drake avançait vers lui pour s'assurer de sa victime.

Il se trouvait à cinq mètres de la voiture quand soudain les phares s'allumèrent d'un seul coup, et l'aveuglèrent. Drake entendit le vrombissement du moteur et comprit ce qui se passait. Mais il ne fut tout de même pas assez rapide pour se garer à temps. Lorsque Drake se jeta de côté, deux tonnes de métal froid le percutèrent, le catapultant par-dessus la voiture.

Au volant, Smith se redressa et garda le pied enfoncé sur la pédale de l'accélérateur. En bordure de son champ de vision, il entrevit des formes noires qui se ruaient hors des berlines pour former un barrage, mais cela ne l'arrêta pas. Il vit Richardson et Price grimper dans un véhicule et reculer à toute vitesse. Tournant son volant, il tenta de leur couper la route. Le temps d'une fraction de seconde, il entrevit l'expression de Richardson par la vitre, puis il sentit un choc terrible quand les deux voitures s'écrasèrent l'une contre l'autre dans un enchevêtrement de métal.

Smith s'accrocha au volant, tâchant de faire basculer la voiture de Richardson sur le flanc. Puis il leva les yeux et vit les deux berlines barrant la sortie. Il donna un coup de volant, freina à fond et partit en dérapage contrôlé.

Frank Richardson avait senti sa voiture tanguer dès que celle de Smith s'était écartée. Puis il découvrit le barrage, à son tour.

— Frank ! lui cria Price.

Richardson s'arc-bouta sur les freins, mais il était trop tard. À l'instant où il se protégeait le visage des deux mains, sa voiture percuta l'avant des deux berlines disposées en angle. Quelques secondes plus tard, il fut projeté à travers le pare-brise, et un morceau de métal déchiqueté lui tranchait la gorge.

Smith bondit hors de sa voiture, courut à toute vitesse. Il arriva suffisamment près pour voir le corps de Richardson affalé en travers du capot, avant que deux bras puissants ne le saisissent par-derrière.

— Monsieur, il est trop tard ! lui lança une voix.

Smith se débattit mais il fut tiré en arrière. Un instant après, une énorme explosion le plaqua au sol.

Haletant, pris d'une quinte de toux, Smith s'efforça de reprendre son souffle. Décollant la tête de l'asphalte, il vit une gigantesque boule de feu engloutir les trois véhicules. Lentement, il roula sur le côté, sans avoir conscience des ombres qui filaient en tous sens autour de lui, des voix pressantes qui s'interpellaient. Deux mains le hissèrent pour le remettre sur pieds, et il se retrouva en face d'un jeune homme au visage taillé à la serpe.

— Vous n'avez plus rien à faire ici, monsieur.

— Qui… qui êtes-vous ?

D'une main ferme, l'homme glissa un trousseau de clefs dans la paume de Smith.

— Une Chevy verte vous attend au coin de la route. Prenez-la et filez. Et, monsieur ? Monsieur Klein m'a demandé de vous rappeler votre rendez-vous à la Maison Blanche.

CHAPITRE VINGT-SEPT

Engourdi, épuisé, Smith réussit tout de même à rouler jusqu'à Bethesda. Il rentra chez lui, jeta ses vêtements au passage en se rendant à la salle de bains, alluma la douche et resta sous le jet brûlant qui le picotait.

Le martèlement de l'eau noya les cris et les explosions de la nuit. Mais en dépit de tous ses efforts, Smith ne parvenait pas à effacer l'image de la voiture de Richardson fonçant dans le barrage, l'éruption de la boule de feu, la vision de Richardson et Price réduits à l'état de torches humaines.

Il passa dans la chambre à coucher en chancelant un peu, et s'allongea nu sur les couvertures. Fermant les yeux, il recala son horloge mentale de soldat et se laissa happer par un long et sombre tunnel. Il se sentit flotter sans fin, comme un astronaute qui aurait rompu son cordon de sécurité et qui serait condamné à rouler-bouler sans fin dans le cosmos. Puis il sentit un objet le heurter et se réveilla en sursaut pour s'apercevoir qu'il agrippait son pistolet posé sur la table de nuit.

Smith reprit une douche et s'habilla promptement. Il se dirigea vers la porte quand il se souvint qu'il n'avait pas vérifié les messages sur la boîte de messagerie sécurisée de son téléphone. Il passa rapidement la liste en revue et découvrit un mot de Peter Howell. Quelque chose l'attendait sur son ordinateur.

Smith alluma son appareil, lança le programme de cryptage, et téléchargea le fichier qu'Howell y avait déposé. Il le lut, et resta stupéfait. Après en avoir effectué une copie, il sauvegarda le texte dans un dossier protégé et tapa un bref courrier électronique que Howell recevrait sur son téléphone mobile : *Travail bouclé... et mieux que ça. Rentre. Le champagne est pour moi. J. S.*

Au point du jour, Smith quitta son domicile et roula dans des rues désertes en direction de l'entrée Ouest de la Maison Blanche. Le garde contrôla sa pièce d'identité en la confrontant à la liste informatisée et lui fit signe d'entrer. Au portique, un caporal des Marines l'escorta dans les couloirs silencieux de l'Aile Ouest, jusque dans un petit bureau encombré où Nathaniel Klein se leva pour le saluer.

Smith fut effaré de l'allure de Klein. Le chef du Réseau ne s'était pas rasé et on aurait dit qu'il avait dormi dans ses vêtements. D'un geste las, il lui signifia qu'ils feraient mieux de s'asseoir tous deux.

— Vous avez accompli un travail formidable, Jon, commença-t-il tranquillement. Beaucoup de gens vous doivent toute leur reconnaissance. Je suppose que vous vous en êtes sorti indemne.

— Cabossé, avec quelques bleus, mais à part cela, intact, monsieur.

Le pâle sourire de Klein s'évanouit aussitôt.

— Vous n'êtes au courant de rien, n'est-ce pas ?

— Rien du tout à quel sujet, monsieur ?

Klein hocha la tête.

— Bien… C'est bon signe. Cela veut dire que l'embargo tient le coup. Il respira à fond. Voici huit heures, Harry Landon, le directeur de mission à Cap Canaveral, a été avisé d'une situation d'urgence à bord de *Discovery*. Quand il est parvenu à rétablir les communications radio, il a appris que… que tout l'équipage était mort, à l'exception d'un de ses membres.

Il regarda Smith et le tremblement dans sa voix trahit sa détresse.

— Megan est morte, Jon.

Smith sentit tout son corps se raidir. Il essaya de parler mais fut incapable de trouver ses mots. La voix qu'il entendit lui parut appartenir à un autre.

— Que s'est-il produit, monsieur ? Un incendie ?

Klein secoua la tête.

— Non. L'orbiteur fonctionne parfaitement. Mais quelque chose a envahi le vaisseau et tué l'équipage.

— Qui est le survivant ?

— Dylan Reed.

Smith releva la tête.

— Le seul et unique survivant ? Nous en sommes certains ?

— Reed a contrôlé tout le vaisseau. Le compte y est. Je suis désolé.

Smith avait déjà perdu des êtres proches à cause d'une mort soudaine et violente. Il savait que sa réaction était typique de celle du survivant : mentalement, il se cala sur l'image de sa dernière rencontre avec Megan, dans cette cafétéria près de l'enceinte de la NASA, à Houston.

Et maintenant elle avait disparu. Aussi simplement que ça.

— Landon et le reste de la NASA s'en arrachent les cheveux, reprit Klein. Ils n'arrivent toujours pas à comprendre ce qui a mal tourné.

— Comment Reed a-t-il survécu?

— Il avait enfilé l'une des tenues qui servent aux sorties dans l'espace. Apparemment, il était en train de se préparer à une expérience.

— Et les autres membres de l'équipage, eux, portaient leur tenue de travail normale, leur combinaison, commenta Smith. Aucun équipement de protection. Il marqua un temps de réflexion. Vous m'avez précisé qu'il n'y avait pas eu d'incendie, et que quelque chose les avait saisis, comme ça.

— Jon…

— Megan avait vu quelqu'un avec Reed, juste avant le lancement, elle a dû vous en informer, le coupa Smith. Vous soupçonniez déjà un lien entre Treloar et Reed… Il hésita un instant. De quoi les corps avaient-ils l'air?

— Landon m'a expliqué que Reed les lui avait décrits comme tout boursouflés, couverts de plaies à vif, et saignant par les orifices.

Smith sentit un picotement tandis que les connexions s'enchaînaient, claires et distinctes, dans son esprit.

— J'ai reçu un message de Peter Howell, rapporta-t-il à Klein. Il a eu une longue conversation avec Herr Weizsel. Ce monsieur s'est montré très coopératif, au point d'insister pour emmener Peter à son appartement, où il avait accès aux ordinateurs de la banque Offenbach par l'intermédiaire de son portable. Il semble qu'Ivan Beria ait entretenu une longue et profitable relation avec la banque, surtout depuis qu'un client l'emploie en exclusivité : Bauer-Zermatt AG.

Klein resta abasourdi.

— Le géant pharmaceutique ?

Smith approuva de la tête.

— Au cours des trois dernières années, Bauer-Zermatt a effectué un total de dix virements sur le compte de Beria, et deux des trois derniers juste avant que le garde russe et Treloar ne soient éliminés.

— Et le troisième virement ? s'enquit son chef.

— C'était le contrat sur ma tête.

Après un instant de silence, Klein posa la question :

— Possédez-vous une preuve ?

Comme s'il déplaçait une pièce sur l'échiquier, pour faire échec et mat, Smith exhiba une disquette.

— Une preuve formelle.

L'autre remua la tête.

— Très bien. Bauer-Zermatt paie... payait Beria pour commettre des assassinats. Parmi lesquels le meurtre du garde russe et de Treloar. Voilà qui relie Bauer-Zermatt aux souches de variole dérobées. Mais il subsiste deux questions : pourquoi Bauer-Zermatt voulait-il se procurer le virus ? Et qui au sein du groupe pharmaceutique a autorisé les assassinats et les paiements ? Il désigna la disquette du doigt. Y a-t-il un nom ?

— Pas de nom, admit Smith. Mais ce n'est pas difficile à deviner, non ? Seul un homme aurait pu autoriser l'emploi d'un Beria : Karl Bauer. En personne.

Klein ponctua en soufflant par les narines.

— Très bien... Mais de là à dénicher les empreintes digitales de Bauer sur l'autorisation d'employer Beria, ou sur les paiements eux-mêmes, c'est une autre histoire.

— Il n'en existe pas, lâcha Smith, catégorique.

438

Bauer est bien trop prudent pour laisser une trace aussi évidente derrière lui. Il hésita. Mais tout d'abord, pourquoi voulait-il mettre la main sur cette variole ? Pour fabriquer un vaccin ? Non. Nous savons déjà le produire. Pour jouer avec ? L'améliorer par manipulation génétique ? Peut-être. Mais dans quel but ? La variole a fait l'objet d'études pendant des années. On ne peut s'en servir comme arme sur le champ de bataille. La période d'incubation est trop longue. Les effets ne sont pas prévisibles à cent pour cent. Alors pourquoi Bauer en voulait-il quand même un exemplaire ? Et au point de tuer pour y parvenir ?

Il regarda Klein.

— Savez-vous comment les gens meurent de la variole. Le premier symptôme, c'est une plaque rouge sur le palais, qui ensuite se propage au visage et aux avant-bras, et enfin au reste du corps. Il y a éruption de pustules, des croûtes se forment, puis de nouveau des éruptions de pustules. Par la suite, il y a le saignement par les orifices…

Klein le dévisagea.

— Exactement comme pour l'équipage de la navette ! chuchota-t-il. Ils sont morts comme meurent les victimes de la variole ! Êtes-vous en train d'expliquer que Bauer a introduit la variole dérobée à bord de *Discovery* ?

Smith se leva et tâcha de dissiper l'image de Megan, la façon dont elle était morte, ses terribles derniers moments.

— Oui. C'est ce que je suis en train de dire.

— Mais… ?

— Dans l'espace… en microgravité… on peut recomposer les cellules, les bactéries, pratiquement tout, d'une manière qui reste impossible sur Terre. Il s'interrompit. Nous avons éradiqué la variole de la surface de la planète, mais nous avons conservé deux séries de souches… une ici, et l'autre en Russie. Selon toute apparence, nous l'avons fait parce que nous refusions de nous résoudre à éradiquer une espèce en voie d'extinction. La vérité est plus noire : nous ne savions pas quand nous pourrions en avoir besoin. Dans peut-être des années d'ici, nous allions trouver un moyen de la reconvertir en arme. Ou si quelqu'un d'autre l'avait fait, nous possédions suffisamment de matière pour produire un vaccin… heureusement. Bauer n'a pas attendu toutes ces années. Je ne sais comment, il a découvert un procédé qui devait fonctionner, croyait-il. Peut-être l'a-t-il achevé à cinquante ou soixante pour cent, mais il n'a pu le mener à son terme. Il ne pouvait en avoir la certitude. Le seul moyen de prouver qu'il avait raison, c'était d'organiser une expérience dans un environnement unique, où les bactéries allaient croître à la vitesse de l'éclair. Il avait besoin de le faire à bord de la navette. Smith observa un silence. Et il l'a fait.

— Jon, si vous avez raison, intervint Klein d'une voix tendue, cela signifie que Dylan Reed est son homme de paille.

— Il est le seul survivant, non ? Le directeur du programme de recherches médicales de la NASA. Le type tout à fait adapté à la situation, face à l'épouvante.

— Suggérez-vous que Reed ait assassiné son propre équipage ?

— C'est exactement ce que j'affirme.

— Pourquoi, au nom du ciel ?

— Deux raisons : pour se débarrasser des témoins

éventuels, et… La voix de Smith se brisa. Et pour conduire une expérience sous contrôle sur des sujets humains, afin de voir à quelle vitesse le virus allait tuer.

Klein s'affaissa sur son siège.

— C'est de la démence.

— Uniquement parce que celui qui a conçu cela est dément, insista Smith. Pas celle d'un fou enragé, la bave aux lèvres. Mais celle d'un fou insidieux et nuisible, oui.

Son chef l'observa fixement.

— Bauer…

— Et Richardson, Price, Treloar, Lara Telegin…

— Pour pincer Bauer, nous aurons besoin de preuves tangibles, Jon. Nous pouvons essayer de retracer l'historique de ses communications…

Smith secoua la tête.

— Nous manquons de temps. Voici le seul moyen, à mon sens : nous supposons qu'une arme biochimique est embarquée à bord de la navette et que Reed en a la maîtrise. Bauer et ses complices vont vouloir détruire toutes les preuves de ce qui s'est passé là-haut. J'ai également la certitude que nous ne retrouverons aucun indice de ses relations avec Richardson et Price. Mais Bauer a tout de même besoin de s'assurer que la navette revienne sans dommages. Il a besoin de sortir Reed et les souches de virus de là. Quand la NASA ramène-t-elle l'orbiteur ?

— Dans environ huit heures. Ils vont devoir attendre tout ce temps qu'une fenêtre de rentrée dans l'atmosphère s'ouvre, afin de pouvoir la faire atterrir sur la base d'Edwards, en Californie.

Smith se pencha en avant.

— Pouvez-vous faire en sorte que je voie le Président… tout de suite ?

*

Deux heures plus tard, après s'être entretenus avec le Président, Smith et Klein se retrouvèrent dans la petite salle de conférences située à côté du Bureau Ovale. En attendant que le Président ait terminé sa réunion, Klein reçut un appel téléphonique de Cap Canaveral.

— Monsieur Klein ? C'est Harry Landon, du contrôle de mission. J'ai l'information que vous m'avez demandée.

Klein écouta en silence et remercia Landon. Avant de raccrocher, il lui demanda :

— Quel est l'angle de descente ?

— Nous la ramenons aussi en douceur que possible, lui répondit Landon. Il faut que je vous précise… nous n'avons jamais rien tenté de ce genre… en dehors des simulations, je veux dire. Mais nous ramènerons notre monde. Vous avez ma parole.

— Merci, monsieur Landon. Je garde le contact.

Il se tourna vers Smith.

— Landon a appelé toutes les personnes figurant sur le Livre Noir… et quelqu'un que Reed l'a personnellement prié de prévenir.

— Laissez-moi deviner. Karl Bauer.

— Tout juste.

— Bonne idée, commenta Smith. Il voudra être sur place quand Reed redescendra avec son bébé.

Klein approuva de la tête et désigna le moniteur de

442

télévision en circuit fermé qui afficha subitement une image.

— Le cirque commence.

*

Malgré les rides soucieuses et les pattes-d'oie de ses yeux, le Président, assis à son bureau, projetait une image d'autorité et de maîtrise. En attendant l'arrivée du dernier membre du groupe de travail, il étudia les individualités assises autour de lui.

La CIA était représentée par Bill Dodge, d'un austère sang-froid, sa physionomie ne trahissant rien, tandis qu'il lisait le dernier rapport de la NASA.

Martha Nesbitt, conseillère pour la sécurité nationale, avait pris place à côté de Dodge. Vétéran du Département d'État, Marti, comme on l'appelait, était réputée pour la vitesse à laquelle elle évaluait une situation, formulait une décision, démarrait et savait tenir le rythme.

En face d'elle, il y avait le secrétaire d'État, Gerald Simon, qui retirait des pellicules imaginaires de son costume sur mesure, un rituel indiquant qu'il était torturé par l'indécision.

— J'espère que vous avez eu le temps de rassembler vos esprits, fit le Président. Vu les circonstances, il nous faut prendre la bonne décision dès le premier tour de table.

Il adressa au groupe un regard circulaire.

— *Discovery* va atteindre sa fenêtre de rentrée dans l'atmosphère terrestre dans approximativement une heure. À ce stade, il va s'écouler encore quatre heures avant qu'elle n'entame sa procédure de descente.

Soixante-quinze minutes plus tard, elle atterrira à Edwards. La question qui se pose est simple : allons-nous permettre au vaisseau d'atterrir ?

— J'ai une question, monsieur, intervint Martha Nesbitt. À quel moment perdons-nous toute latitude de détruire l'orbiteur ?

— Il n'existe pas réellement de point limite, lui répondit le Président. Le fait que la navette soit équipée d'un dispositif d'autodestruction composé de matériaux hautement explosifs n'a jamais été rendu public, et ce pour des raisons évidentes. Toutefois, en recourant à des relais par satellite, nous pouvons activer le mécanisme à tout moment entre la position actuelle de l'orbiteur et l'atterrissage.

— Mais en réalité, monsieur le Président, ce dispositif a été conçu pour faire exploser l'orbiteur dans l'espace, rectifia Bill Dodge. Toute la question est d'éviter d'introduire des éléments contaminants dans notre atmosphère.

— C'est exact, admit le président Castilla.

— Ce qui est également exact, c'est que nous n'avons aucune idée de ce qui s'est réellement produit à bord de *Discovery*, souligna Gerald Simon. Il lança un coup d'œil autour de la pièce. Cinq personnes zélées, convaincues, sont mortes. Nous ne savons pas pourquoi. Mais l'une d'elles est encore en vie. Sur le champ de bataille, nous récupérons toujours nos morts. Et s'il y a un survivant là-haut, nous ferions mieux d'aller le chercher.

— Je suis d'accord, fit Martha Nesbitt. Premièrement, selon nos dernières informations, l'orbiteur est sain, techniquement parlant. Deuxièmement, la NASA est encore en train d'examiner ce qui a pu anéantir

444

l'équipage. Ils se focalisent, à juste titre, sur les approvisionnements en aliments, tant solides que liquides. Nous savons que les bactéries croissent très rapidement en microgravité. Il est absolument possible que quelque chose d'inoffensif sur Terre ait mué de façon ahurissante et ait eu raison de ses victimes avant qu'elles aient pu réagir.

— Mais n'est-ce pas exactement pour cela que nous ne pouvons prendre le risque de ramener la navette ? s'enquit Gerald Simon. Je dois bien considérer le problème du point de vue de la nation. Nous savons que nous avons une substance mortelle à bord de ce vaisseau spatial, et nous allons quand même le faire rentrer sur Terre ? À quel type de danger sommes-nous en train de nous exposer… nous et le reste du monde ?

— Peut-être à un danger nul, répondit Bill Dodge. Nous ne sommes pas confrontés au scénario d'une espèce en provenance d'Andromède, Gerry. Ou à un dossier classé sous X concernant une épidémie extra-terrestre qui aurait investi la navette on ne sait trop comment. Ce qui a tué nos gars est venu de la Terre. Mais ici, à l'évidence, ça n'avait pas les mêmes capacités mortelles. Sortez-la de son environnement en microgravité, et cette saloperie mourra.

— Vous voulez jouer le pays entier à quitte ou double sur la base de cette théorie ? lui rétorqua Simon. Ou la planète ?

— Je pense que vous réagissez de manière excessive, Gerry.

— Et moi je juge votre attitude un peu trop cavalière !

— Mesdames et messieurs !

445

Les mots du Président ramenèrent le silence dans la pièce.

— Le débat, les questions, les commentaires, soit. Mais pas de prises de bec ou d'insinuations. Nous n'avons pas le temps.

— La NASA a-t-elle raisonnablement l'espoir de déterminer ce qui s'est passé là-haut ? voulut savoir le conseiller pour la sécurité nationale.

Le Président répondit négativement d'un mouvement de la tête.

— J'ai soumis cette même question à Harry Landon. La réponse est non. Même si le survivant, Dylan Reed, est docteur en médecine, il n'a ni le temps, ni les équipements ou les soutiens nécessaires pour mener quelque investigation sérieuse que ce soit. Nous possédons une description générale de l'état des corps, mais certainement pas d'éléments suffisants pour déterminer la cause de la mort. Il balaya la pièce du regard. Il est une chose que je peux affirmer avec certitude : Harry Landon n'imagine même pas que l'on étudie l'éventualité de détruire la navette. C'est pourquoi ni lui ni personne de la NASA ne doivent avoir accès à nos débats. Cela étant dit, et comme nous avons tous eu l'occasion d'examiner les faits tels que nous les connaissons, il nous reste à passer au vote préliminaire. Bill, nous allons commencer par vous : sauvetage ou abandon ?

— Sauvetage.

— Marti ?

— Abandon.

— Gerry ?

— Abandon.

Le Président joignit les doigts, et Bill Dodge prit la parole.

— Monsieur, je peux comprendre pourquoi mes collègues ont voté en ce sens. Mais nous ne pouvons pas perdre de vue que nous avons un survivant là-haut.

— Personne ne perd cela de vue, Bill, commença par rectifier Martha Nesbitt.

— Laissez-moi terminer, Marti. Je crois que j'ai une solution. Dodge se tourna vers le groupe : Comme vous le savez tous, je porte ici deux casquettes différentes, et notamment celle de codirecteur de la Division de la Sécurité Spatiale. Avant son tragique accident, Frank Richardson partageait cette responsabilité avec moi. Nous avions donc anticipé l'éventualité, un jour, d'un incident biologique… si c'est bien ce qui s'est produit… à bord d'un vol habité ou inhabité. Nous avons étudié spécifiquement la navette et nous avons conçu une installation spéciale afin de parer à un tel imprévu.

— Et où se situe cette installation ? demanda Gerald Simon.

— Sur notre zone d'essai en vol de Groome Lake, à cent kilomètres au nord-est de Las Vegas.

— Et de quoi parlons-nous là, au juste ? s'enquit le Président.

Dodge sortit une vidéocassette de sa serviette.

— Il vaut mieux que vous vous rendiez compte par vous-même.

Il inséra la cassette dans le magnétoscope situé sous la télévision à haute définition et appuya sur la touche de lecture. Après un tourbillon neigeux, une image du désert apparut avec une grande netteté.

— Ça ne ressemble pas à grand-chose, commenta le conseiller pour la sécurité nationale.

— C'est intentionnel, répliqua Dodge. Nous avons emprunté cette idée aux Israéliens. Étant donné la configuration de son territoire, Israël dispose de peu d'endroits où dissimuler ses intercepteurs. Et donc ils ont construit une série de casemates souterraines, avec des pistes d'envol qui n'ont pas l'air de pistes d'envol… et qui possèdent des caractéristiques uniques.

Sur l'écran, ce qui avait ressemblé au sol du désert se mit à suivre un plan incliné selon un angle de pente croissant. Dodge immobilisa l'image.

— C'est là que la piste semble se terminer. Mais il y a sous terre un système de vérins hydrauliques. En réalité, la piste s'étend sur six cents mètres supplémentaires tout en descendant vers une casemate souterraine.

La caméra suivit la plongée de la piste sous terre. De part et d'autre, une rangée de balises lumineuses s'alluma. À mesure que la caméra descendait la rampe, une gigantesque casemate renforcée de béton surgit de l'obscurité.

— C'est la chambre de confinement, expliqua Dodge. Les parois sont en béton armé, d'une épaisseur d'un mètre quatre-vingts. Le système de ventilation est équipé d'un filtre à particules à haute densité, identique à celui des labos du secteur le plus sensible du CDC d'Atlanta. Une fois la navette à l'intérieur, l'installation est hermétiquement close. Une équipe spéciale attend le docteur Reed à sa sortie et l'emmène dans une chambre de décontamination. Une autre équipe prélève des échantillons à l'intérieur du vaisseau pour au minimum déterminer ce qu'il y a à l'intérieur.

— Et s'ils trouvent quelque chose ? demanda le secrétaire d'État. Quelque chose que nous n'aurions aucune envie de voir se promener dans la nature ?

— Alors après que l'équipe a été dégagée de là, il se produit ceci.

Sur l'écran, l'image laissa place à un déluge de feu.

— Ce que nous provoquons là, c'est l'équivalent non pas d'une, mais de trois bombes incendiaires à explosion aérienne. Le feu et la chaleur incinèrent tout… et je dis bien tout.

Une fois achevée sa présentation, Dodge récupéra la cassette.

— Des questions, des observations ? demanda le Président.

— Bill, cette installation a-t-elle été testée ? voulut savoir Martha Nesbitt.

— Nous n'avons jamais détruit de navette, si c'est le sens de votre question. Mais l'armée a fait brûler des chars d'assaut jusqu'à carbonisation complète. Et l'armée de l'air des fusées d'appoint de lanceur Titan tout entières. Je peux vous assurer que là-dedans rien ne survit.

— Moi, pour ma part, cette idée me séduit assez, intervint Gerald Simon. Tout aussi important que de ramener le docteur Reed, il faut découvrir ce qui s'est passé là-haut. Si nous avons une chance d'obtenir cette information et de pouvoir détruire le vaisseau spatial si besoin était, alors je suis prêt à modifier mon vote.

Il y eut des hochements de tête et des murmures approbateurs tout autour de la table.

— J'ai besoin de quelques minutes pour réfléchir à

ceci, fit le Président, en se levant. Je vais vous demander de bien vouloir tous rester ici. Je ne serai pas long.

*

Dans la pièce voisine, le Président se retrouva face
à Smith et Klein. Désignant l'écran de télévision du
réseau intérieur de la Maison Blanche, il fit :

— Vous avez tout vu, tout entendu. Quel est votre
avis ?

— L'existence d'une installation à Groome Lake
qui non seulement est adaptée sur mesure à la situation présente, mais dont en outre personne n'avait
jamais entendu parler, ne constitue-t-elle pas une inté-
ressante coïncidence, monsieur ? glissa Klein.

Le Président secoua la tête.

— Je n'ai jamais soupçonné l'existence d'un tel
site. Dodge a dû trouver les fonds dans je ne sais quelle
caisse noire budgétaire, où il n'a pas à se soucier de la
surveillance du Congrès… ni de quiconque.

— Cet endroit a été construit et aménagé dans un
seul but, monsieur le Président : recevoir la navette, en
retirer cette souche virale et détruire l'orbiteur, en
déduisit Smith.

— Je suis d'accord, ajouta Klein. L'opération de
Bauer est en cours depuis des années, monsieur le Président. Richardson aura au moins eu besoin d'un tel
laps de temps pour créer cette installation. Et Bauer ne
se serait pas embarqué dans ce projet sans un complice en lequel il pouvait avoir une absolue confiance.
La position du général Richardson sur le traité de limi-
tation des armements biochimiques que vous avez

450

signé est une affaire de notoriété publique. Il vous a combattu à toutes les étapes.

— Et il a finalement franchi la limite entre le patriotisme et la trahison, conclut Adams Castilla. Il regarda les deux hommes : Je vous ai entendus formuler votre plan. Mais je me dois de vous reposer la question : recommandez-vous que nous laissions cet appareil revenir sur Terre ?

*

Lorsque le Président revint du Bureau Ovale, trois visages se tournèrent vers lui, dans l'attente d'une réponse.

— Mesdames et messieurs, je vous remercie de votre patience, commença le Président en guise de préambule. Après mûre réflexion, j'ai décidé qu'il convient de permettre à la navette d'atterrir à Groome Lake.

Il y eut des hochements de tête approbateurs tout autour de la table.

— Bill, j'attends d'avoir les détails complets sur cette installation et sur les plans prévus afin de s'assurer de l'orbiteur et son contenu.

— Vous les aurez dans l'heure, monsieur, lui répondit d'un ton vif le directeur de la CIA. J'aimerais également rappeler à tout le monde ici présent que le docteur Reed a précisément exigé que le docteur Karl Bauer soit présent sur le site de l'atterrissage. Je crois que c'est une suggestion avisée. Le docteur est une autorité mondiale en matière d'incidents biochimiques. Dans le passé, il a travaillé en étroite collaboration avec le Pentagone... y compris sur le projet de

Groome Lake… et il conserve une autorisation d'accès à tout matériau classé ultrasecret. Sa présence serait précieuse, tant en qualité d'observateur que de conseiller.

Il y eut des murmures de consensus autour de la table.

— Bien, la séance est donc levée, déclara le Président. Chacun d'entre vous recevra des mises à jour par l'intermédiaire de ce Bureau. Air Force One part pour le Nevada dans deux heures.

CHAPITRE VINGT-HUIT

Après avoir transmis à Dylan Reed ses ordres de modification du programme, le docteur Karl Bauer avait immédiatement embarqué à bord de son jet et s'était envolé vers l'est, en direction du complexe tentaculaire de son groupe industriel, à proximité du Jet Propulsion Laboratory de Pasadena, en Californie.

Sachant que la navette ne pouvait atterrir que sur le site où se faisaient les essais en vol, à Groome Lake, Bauer avait soigneusement veillé à ce que sa présence en Californie apparaisse comme une coïncidence. Son plan de vol depuis Hawaï avait été déposé trois jours plus tôt. L'équipe de Pasadena avait été informée de son arrivée.

C'était dans son bureau, dont les fenêtres donnaient sur les montagnes de Saint-Gabriel au loin, que Bauer reçut son premier appel téléphonique de la part de Harry Landon. Lorsque le directeur de la mission lui expliqua la nature de la situation d'urgence qui avait frappé *Discovery*, il simula l'épouvante, puis la profonde inquiétude. Il ne put réprimer un sourire quand Landon lui rapporta que Reed avait expressément exigé qu'il se rende sur le site de Groome Lake. Bauer répondit qu'il allait se libérer, naturellement. Il suggéra que Landon contacte le général Richardson pour que ce dernier confirme l'autorisation de sa venue sur les lieux.

Là-dessus, le directeur des vols, d'une voix brisée, annonça à Bauer que Richardson et Price avaient trouvé la mort en perdant le contrôle de leur véhicule. Cette fois, Bauer fut sincèrement choqué de la nouvelle. Remerciant Landon, il se connecta immédiatement sur CNN.com et dévora tous les détails de l'accident. D'après tous les comptes rendus, le décès de Richardson et Price était en effet, tout simplement… accidentel.

Autrement dit, voici deux témoins de moins. Parfait.

Pour ce qui concernait Bauer, ces deux hommes avaient rempli leur office. Ils s'étaient montrés particulièrement serviables dans l'élimination de ce foui-neur de Smith. Ce qui restait à accomplir, Bauer pouvait le mener à bien tout seul.

Malgré son éloignement de son infrastructure principale située à Hawaï, Bauer disposait encore des ressources nécessaires pour écouter les communications entre *Discovery* et la NASA. Une console de télécommunications, petite mais puissante, encastrée dans son bureau, était connectée à son ordinateur portable. L'écran afficha la trajectoire actuelle de la navette et sa distance par rapport à la Terre. La NASA suivait exactement la stratégie qu'il avait prévue. Vérifiant l'heure, il estima que, à moins de complications, l'orbiteur allait rentrer dans l'atmosphère terrestre dans un peu plus de quatre heures.

Bauer reposa ses écouteurs, referma son portable et éteignit la console. D'ici quelques heures, il serait en possession d'une forme de vie absolument inédite, d'une entité qu'il avait créée et qui, si jamais elle était libérée dans la nature, représenterait le fléau le plus puissant ayant jamais sévi sur Terre. Cette pensée l'enivra. Que personne — tout au moins pas avant très longtemps — ne l'associe à ce nouveau virus, voilà qui le laissait indifférent. L'état d'esprit de Bauer était celui d'un collectionneur d'œuvres d'art qui s'achetait un chef-d'œuvre uniquement pour le dissimuler au monde. La joie, l'excitation, l'ivresse ne découlaient pas de la valeur financière de son œuvre, mais du fait qu'elle était unique et qu'elle était sienne. Comme le collectionneur, Bauer serait le seul à poser les yeux sur cette nouvelle variante de la variole, à la tester, à sonder ses secrets. Et il avait déjà un lieu pour l'accueillir, dans une partie spéciale de son laboratoire de Big Island.

*

À mille kilomètres à l'ouest du Mississippi, Air Force One continuait de voler vers l'ouest.

Le Président et le groupe de travail du Bureau Ovale étaient réunis dans la salle de conférences du pont supérieur, où ils examinaient les derniers rapports du contrôle de la mission. Dans l'heure, *Discovery* allait approcher de sa fenêtre de rentrée dans l'atmosphère terrestre. D'après Harry Landon, tous les systèmes de bord de l'orbiteur étaient au vert. Même si Dylan Reed restait assis sur le siège du pilote, dans le poste de pilotage, les ordinateurs de la salle de contrôle avaient pris les commandes de *Discovery*.

Flottant dans des haut-parleurs invisibles, la voix de Landon remplit la cabine.

— « Monsieur le Président ? »

— Nous sommes tous là, docteur Landon, fit Adams Castilla dans le micro.

— « Nous approchons de la fenêtre, monsieur. À ce stade, j'ai besoin de transmettre au responsable du périmètre de sécurité des vols l'instruction d'ouvrir le canal radio pilotant le dispositif d'autodestruction, ou de renoncer. »

Le Président lança un regard dans la cabine.

— Si vous ouvrez ce canal radio, quelles sont les implications ?

— « Cela peut permettre de parer à de possibles… dysfonctionnements, monsieur le Président. Mais si le canal reste fermé, nous renonçons à toute possibilité d'activer le dispositif. »

— Je m'occupe de cela tout de suite, monsieur Landon. Vous recevrez l'autorisation nécessaire dans un moment.

Castilla quitta la salle de conférences, traversa la cabine réservée aux agents des services secrets, et pénétra dans le saint des saints d'Air Force One — la salle des communications. Dans une zone de la taille d'une cuisine, huit spécialistes surveillaient des consoles et veillaient au fonctionnement d'équipements à des années-lumière de tout ce que le grand public aurait pu imaginer en matière de systèmes électroniques. Protégés des impulsions électromagnétiques, ces appareils étaient capables d'échanger des messages cryptés numériquement avec n'importe quelle infrastructure dépendant des États-Unis d'Amérique, civile ou militaire, n'importe où dans le monde.

L'un des trois techniciens de service leva les yeux.

— Monsieur le Président ?

— J'ai besoin d'expédier un message, fit calmement Adams Castilla.

*

La base aérienne d'Edwards était située à cent vingt kilomètres au nord-est de Los Angeles, à l'orée du désert de Mojave. En plus des bombardiers de première frappe et des chasseurs qu'elle abritait, la base servait régulièrement d'aire d'atterrissage pour la navette, mais elle remplissait aussi une fonction bien moins publique : c'était l'une des six zones d'affectation des équipes du Détachement d'attaque et d'incursion rapide, qui seraient sur le pied de guerre en cas d'incident biochimique.

Pratiquement inconnu du grand public, ce contingent était identique au NEST, le corps de spécialistes chargé de la récupération des armes nucléaires perdues ou volées. L'unité était basée dans un édifice trapu, aux allures de bunker, sur la partie Ouest du terrain d'aviation. Dans un hangar voisin, un C-130 et trois hélicoptères Comanche transportaient l'équipe sur le site d'intervention d'urgence.

La Salle d'Alerte était un espace aux murs de parpaing, de la taille d'un terrain de basket-ball. Le long d'un des murs étaient alignés douze boxes, séparés par des rideaux. Dans chacun de ces boxes était rangée une combinaison anti-épidémique complète de Niveau Quatre, avec son respirateur, une arme et des munitions. Les onze hommes qui composaient cette équipe d'incursion étaient en train de calmement vérifier leurs armements. Comme les équipes du SWAT[1], ils emportaient avec eux toute une panoplie, depuis les fusils d'assaut jusqu'aux pistolets, et diverses armes défensives. La seule différence entre eux et les SWAT, c'était l'absence de tireurs d'élite. Le Détachement s'était spécialisé dans le travail d'intervention rapprochée, tandis que la responsabilité de protéger un périmètre avec des fusils à longue portée revenait soit à l'armée soit à une unité fédérale des SWAT.

Le douzième homme, le commandant Jack Riley, était dans son bureau improvisé à une extrémité de la salle. Il regarda par-dessus l'épaule de son officier de transmissions, assis devant un terminal de communications portable, puis il se tourna de nouveau vers Smith.

— La navette est presque au sol, Jon, fit-il. Ça commence à se rapprocher sérieusement.

Smith répondit d'un hochement de tête à ce grand type élancé avec qui il s'était entraîné au sein de l'USAMRIID, pour plus tard servir avec lui lors de l'opération Tempête du Désert.

— Je sais.

Smith surveillait la pendule, lui aussi. Klein et lui avaient quitté Washington deux heures avant le Président et les autres qui avaient embarqué à bord d'Air Force One. En route pour Edwards, le chef de l'exécutif s'était adressé à Riley, l'avait instruit de la situation de crise survenue à bord de la navette, sans s'attarder sur les détails. Il lui avait également appris que Jon Smith était en chemin et que Riley et son équipe recevraient ses ordres de lui.

1. Special Weapons And Tactics, forces d'intervention spéciales de la police fédérale américaine.

— Que fait-on des Comanche ? lui demanda Smith.

— Les pilotes sont installés dans leur cockpit, lui répondit Riley. Tout ce dont ils ont besoin, c'est d'être avertis deux minutes à l'avance.

— Monsieur, nous recevons un appel d'Air Force One, signala l'officier de transmissions.

Riley décrocha le téléphone, se présenta et écouta attentivement.

— Compris, monsieur. Oui, il est à côté de moi. Il passa le combiné à Smith. Oui ? fit ce dernier.

— Jon, ici le Président. Nous sommes à environ soixante minutes de Groome Lake. Quelle est la situation de votre côté ?

— Fin prêts, monsieur. Tout ce qu'il nous faut, ce sont les plans de l'enceinte de confinement.

— Ils vous sont transmis à l'instant. Rappelez-moi quand Riley et vous les aurez consultés.

Le temps que Smith raccroche, l'officier de transmissions avait disposé les télécopies sur une table de travail.

— Ça ressemble à un incinérateur industriel, murmura Riley.

Smith acquiesça. Les bleus d'architecte montraient un espace rectangulaire de cinquante mètres de longueur, treize de largeur et vingt de hauteur. Les quatre murs étaient construits dans un béton spécialement renforcé. Une partie du plafond était en fait une rampe qui se refermerait hermétiquement une fois que la navette serait à l'intérieur. À première vue, les lieux auraient pu être pris pour un parking ou un entrepôt. Mais après un examen plus attentif, Smith vit à quoi Riley venait de faire allusion — les murs étaient garnis de tuyaux qui, selon les bleus, étaient reliés à des arrivées de gaz. Smith ne pouvait qu'imaginer le genre d'enfer qu'ils créeraient une fois allumés.

— Nous acceptons comme un article de foi l'idée que la navette soit propre côté extérieur, c'est ça ? fit le commandant du Détachement. Rien n'a pu en sortir ?

Smith secoua la tête.

— Même si c'était le cas, la chaleur lors de la rentrée dans l'atmosphère aura récuré l'orbiteur. Non, la zone sensible, c'est l'intérieur.

— Ça, c'est notre rayon, assura l'autre.

— Ouais, sauf que cette fois nous pourrions être amenés à retirer le bébé des mains de quelqu'un d'autre, le prévint Smith.

Riley attira son partenaire à l'écart.

— Jon, cette opération ne se déroule pas précisément dans les règles. D'abord le Président m'appelle et me demande de scinder l'équipe, de faire bande à part. Tout ce qu'il m'explique, c'est que nous allons quelque part dans le Nevada. L'endroit se révèle être une base fantôme à Groome Lake, où la navette va effectuer un atterrissage d'urgence parce qu'elle présente un risque biochimique. Maintenant on dirait que vous avez l'intention d'incinérer la bestiole.

Smith accompagna Riley hors de portée de voix, loin des oreilles du reste de l'équipe. Un instant plus tard, l'un des membres du Détachement sollicita son voisin d'un coup de coude.

— Hé, regarde-moi Riley. On dirait qu'il est sur le point de dégueuler.

En fait, Jack Riley aurait préféré ne jamais avoir questionné Smith sur ce qui se trouvait à bord de l'orbiteur.

Megan Olson s'était résignée : elle était à court d'alternatives. L'écheveau de câbles l'avait emporté. Aucune des combinaisons qu'elle avait essayées n'avait fonctionné. La porte du sas restait bloquée.

Debout à l'écart de la porte, Megan écoutait les conversations entre Reed et le contrôle au sol. La navette n'était qu'à quelques minutes de sa fenêtre de rentrée dans l'atmosphère, par laquelle elle allait regagner la Terre. Elle disposait exactement de ce laps de temps pour se décider.

Elle s'obligea à poser le regard sur les boulons explosifs logés dans chacun des angles de la porte. Durant son entraînement, ses instructeurs les lui avaient montrés, en lui disant qu'en réalité ils ne constituaient qu'un dispositif de redondance. L'équipage de la navette n'était jamais censé s'en servir. Ils étaient là au cas où l'équipe au sol de la NASA aurait eu à pénétrer à l'intérieur lors d'une évacuation d'urgence, après l'atterrissage de l'orbiteur.

Après l'atterrissage, les instructeurs avaient insisté là-dessus. Et seulement si l'entrée par les écoutilles principales était, pour une raison ou une autre, devenue impossible. Ils l'avaient prévenue : les verrous étaient sur minuterie, afin de laisser le temps à l'équipe au sol de se mettre à couvert.

— Ces objets provoquent une explosion mesurée, lui avaient-ils rappelé. Quand ça saute, personne n'a intérêt à se trouver dans un rayon de quinze mètres au moins.

Megan estimait se trouver au mieux à quatre mètres cinquante, peut-être cinq mètres de la porte du sas.

Si tu dois le faire, vas-y tout de suite !

D'après son entraînement et ses balades à bord de la Comète à Vomi, elle savait que la descente dans l'atmosphère terrestre allait être encore plus éprouvante que le décollage. Elle se rappela Carter lui racontant que cela revenait à monter un taureau Brahmane dans un rodéo. Tout le monde et tous les objets devaient être solidement sanglés en place. Si elle restait dans le sas, elle allait être projetée violemment contre les parois jusqu'à sombrer dans l'inconscience — ou pire. Son EMU allait sans aucun doute se déchirer, et donc même si elle survivait à la rentrée dans l'atmosphère, ce que Reed avait relâché dans le vaisseau allait la bouffer tout entière. Mais il existait une alternative. Il fallait qu'elle se donne une chance d'atteindre le Spacelab, de trouver le monstre de Reed, et de le détruire avant que la navette ne soit trop proche de la Terre.

Megan se sentit envahie d'une sensation d'apaisement, alors que son cœur cognait avec la force d'un marteau-piqueur. Elle fixa toute son attention sur les boulons hexagonaux, peints en rouge, avec un point jaune au centre. Poussant sur le mur, elle flotta au-dessus du plancher. Quand elle atteignit le boulon inférieur droit, elle appuya sur le point jaune. Un minuscule panneau de contrôle glissa vers l'avant. La diode clignota sous ses yeux : ARMEMENT/DÉSARMEMENT. Avec précaution, parce que le gant de son EMU rendait ses doigts maladroits, elle appuya sur ARMEMENT.

Merde !

La minuterie se régla immédiatement sur soixante secondes, un délai plus court que prévu. Elle se laissa dériver vers le deuxième boulon et le régla en vitesse.

462

En se repoussant loin du plancher, elle s'arrima et activa les deux boulons supérieurs. Quand elle eut terminé, il lui restait vingt secondes.

Elle fit deux pas, et puis elle se laissa flotter aussi loin de la porte que possible. Même avec sa visière baissée, elle discernait encore les impulsions lumineuses des quatre voyants au centre des boulons. Elle savait qu'elle aurait dû tourner le dos au sas, ou au moins se présenter de flanc, afin que les explosions ne la touchent pas au visage. Mais à part le décompte des secondes, tout ce qu'elle parvenait à faire, c'était regarder fixement les témoins lumineux clignotants.

*

Deux étages plus haut, dans le poste de pilotage, Dylan Reed recevait les ultimes signaux de la part de Harry Landon et du contrôle au sol.

— Vous êtes pile sur l'objectif, lui fit Landon. La rentrée s'annonce bien.

— Je ne vois pas le compteur, lui indiqua Reed. Combien de temps avant la coupure radio ?

— Quinze secondes.

Durant la rentrée dans l'atmosphère, la suspension des transmissions radio était un épisode normal. L'interruption durait environ trois minutes et demeurait, même après tous ces vols habités, l'intervalle le plus insoutenable pour les nerfs de toute la mission.

— Êtes-vous sanglé, Dylan ? lui demanda Landon.

— Autant que possible. Cette combinaison est un peu volumineuse.

— Tenez bon, c'est tout, et nous ferons en sorte de rendre le parcours le plus paisible et le plus rapide possible. Landon s'interrompit. Dix secondes… Bonne chance, Dylan. On se reparle de l'autre côté. Sept, six, cinq…

Reed se redressa sur son siège et ferma les yeux. Il songea qu'immédiatement après la rentrée dans l'atmosphère et le rétablissement du contact avec Landon, il aurait à retourner dans le Spacelab et…

La navette enregistra une secousse, d'une puissance qui arracha presque Reed à ses entraves.

— Nom de Dieu ! Harry !

— Dylan, qu'est-ce qui ne va pas ?

— Harry, il y a eu…

*

La voix de Reed fut coupée net. Seul un léger crachotement remplit les haut-parleurs de la salle de contrôle. Landon pivota vers le technicien à côté de lui.

— Repassez-moi la bande !

« *Nom de Dieu ! Harry !*

— *Dylan, qu'est-ce qui ne va pas ?*

— *Harry, il y a eu…* »

— Une explosion ! chuchota Landon.

*

Le groupe de travail était encore dans la salle de conférences d'Air Force One avec le Président quand l'officier de transmissions entra précipitamment. Adams Castilla consulta le message, et il blêmit.

— Vous en êtes certain ? demanda-t-il, en dévisageant l'officier.

— Le docteur Landon est formel, monsieur.

— Mettez-moi en communication avec lui. Tout de suite !

Il adressa un regard circulaire autour de la table.

— Quelque chose a sauté à bord de la navette.

*

Les boulons partirent comme des fusées dans la direction de Megan, pour aller frapper la cloison du sas et se planter dedans. Mais comme la navette avait subi une secousse lors de la rentrée dans l'atmosphère, la porte, qui aurait dû fondre directement sur elle, fut violemment projetée vers la gauche. Après avoir rebondi sur la paroi, elle s'était couchée sur le côté à quelques centimètres de la jeune femme, avant d'aller frapper une autre cloison.

Sans cesser de réfléchir, Megan se projeta en avant et flotta vers la porte, l'agrippa et la coinça des deux bras. Elle la retint un instant, puis elle lâcha prise et la laissa s'éloigner en flottant.

En empruntant la cavité qui venait de s'ouvrir, elle passa dans le pont inférieur, grimpa l'escalier vers l'entrepont et se dirigea vers l'écoutille qui ouvrait sur le tunnel d'accès au Spacelab.

*

Elle a fait sauter les boulons ! La salope a fait sauter les boulons !

Reed avait compris dès qu'il avait senti ce tremblement qui avait parcouru tout le vaisseau. Il en eut la confirmation sous la forme des voyants clignotant sur le tableau de bord, indiquant un dysfonctionnement du sas.

Reed se libéra tant bien que mal des sangles qui l'entravaient, il se fraya un chemin vers l'échelle et, comme un plongeur qui s'enfonce dans l'eau, il s'engouffra tête la première. Il estimait avoir environ deux minutes pour trouver Megan. Après quoi, la course de la navette allait devenir trop mouvementée pour qu'il continue la poursuite. Le vaisseau allait aussi sortir de son rideau de coupure radio. Reed n'en doutait pas, si le contrôle au sol n'avait pas entendu l'explosion, leurs instruments l'auraient enregistrée. Harry Landon allait le soumettre à un feu roulant de questions, exiger des explications et des nouvelles.

Tout en rampant au bas de l'échelle, Reed s'avoua sidéré des actes de Megan. Il lui avait fallu du cran — plus qu'il ne l'aurait crue capable — pour faire sauter la porte du sas. Mais il y avait gros à parier pour qu'elle soit morte. Il avait déjà vu les effets d'une explosion dans un lieu aussi confiné qu'un sas.

Reed atteignit l'entrepont et il était sur le point de continuer son chemin quand du coin de l'œil il aperçut du mouvement.

Mon Dieu, elle est en vie !

Reed regarda Megan, le dos tourné vers lui, qui actionnait la roue de la porte du tunnel, du type commande d'écoutille à bord d'un sous-marin. S'approchant d'une armoire à outils, il ouvrit un tiroir et en sortit une scie spécialement conçue.

*

Installé dans le Comanche de commandement, Jon Smith considéra les visages fermés des autres agents du Détachement. Pour le moment, ils portaient tous des combinaisons de vol. Cela changerait dès leur arrivée à Groome Lake, où ils endosseraient leurs tenues de protection de Niveau Quatre avant de pénétrer dans le bunker.

Se tournant vers Riley, il parla dans le micro de son casque.

— À quelle distance sommes-nous ?

Riley leva un doigt et communiqua avec le pilote.

— Quarante minutes, lui répondit-il. Vous pouvez parier que Groome Lake nous suit déjà sur son radar. Encore quelques kilomètres et ils vont donner l'alerte à leur propre hélico, ou à un tandem de F-16, histoire de venir jeter un coup d'œil.

Il haussa les sourcils.

— Qu'est-ce que le Président attend ? Air Force One est au sol depuis près d'une demi-heure.

Comme obéissant à ce signal, une autre voix se fit entendre dans le casque de Smith.

— Ici Bluebird, j'appelle le Détachement.

Smith répondit instantanément.

— Ici le Détachement. Parlez, Bluebird.

Bluebird, c'était la désignation de Nathaniel Klein.

— « Jon ? »

— C'est moi, monsieur. Nous nous demandions quand vous appelleriez.

— « Nous avons eu un… un imprévu ici. Le Président vient à peine d'ordonner qu'on autorise votre vol à atterrir. Dans l'intérêt de cette mission, vous et vos gars serez considérés comme rattachés à son équipe. »

— Oui, monsieur. Vous évoquiez un imprévu, monsieur.

Il y eut une légère hésitation.

— « Le contrôle au sol de Houston indique avoir parlé avec Reed juste avant que l'orbiteur n'entre dans la zone de coupure radio. La dernière chose que Landon ait entendue, c'est une explosion, confirmée par les ordinateurs. »

— Le vaisseau est-il intact ? s'enquit Smith.

— « Selon les relevés des instruments, *Discovery* est toujours sur sa trajectoire de vol attitrée. L'explosion a eu lieu dans un sas. Pour une raison que nous ignorons, les boulons explosifs ont sauté. »

— Le sas… Où était Reed à ce moment-là ?

— « Dans le poste de pilotage. Mais Landon n'est pas certain de l'étendue des dégâts, ou même que Reed soit encore vivant. Là-haut, personne ne répond plus, Jon. »

CHAPITRE VINGT-NEUF

La dernière chose que Megan avait entendue dans son casque, c'était l'échange entre Reed et Harry Landon, quelques secondes avant que les boulons du sas ne sautent. Après sa remontée dans l'entrepont, elle avait compris que Reed n'allait pas tarder à descendre voir. Il fallait qu'il s'assure qu'elle était morte ou blessée — l'une ou l'autre solution lui conviendrait tout à fait. Quand il ne l'aurait pas trouvée dans le sas ou au pont inférieur, il se mettrait à chercher ailleurs.

Megan savait qu'elle ne pourrait pas se cacher longtemps. L'orbiteur était trop petit, tout simplement. Il n'y avait qu'une seule issue. En se frayant un chemin vers l'entrepont, elle se laissa flotter vers la porte qui s'ouvrait sur le tunnel menant au Spacelab. Elle agrippa les poignées de la roue sur la porte et commença de tourner.

Mais elle avait oublié qu'elle tournait le dos à l'échelle reliant les trois niveaux. Jamais elle n'entendrait Reed s'il la remarquait et s'il s'approchait dans son dos. Le petit miroir qu'elle avait posé au pied de la porte du tunnel allait maintenant lui sauver la vie.

Dans le reflet, elle avait vu Reed descendre l'échelle, hésiter, puis la repérer et commencer de flotter vers elle. Elle l'avait regardé s'arrêter près d'une armoire à outils, y récupérer une espèce de scie à guichet, avant de s'approcher encore.

Elle avait déjà tourné la roue de cette porte à fond, mais elle gardait les mains sur les poignées, faisant comme si elle était coincée. Baissant les yeux, elle vit Reed dériver de plus en plus près, son bras droit tendu vers elle. Dans sa main, la scie ressemblait au nez pointu d'un marlin.

Elle laissa glisser sa main gauche de la roue. Un bouton logé dans la porte en commandait l'ouverture une fois que la roue était tournée à fond. Les yeux rivés au miroir, elle évalua la distance entre Reed et elle. Elle allait devoir agir en parfaite coordination.

Reed l'observa qui s'acharnait sur la roue avec des mouvements saccadés. Levant la scie, il vint flotter plus près. Comme elle était debout, il choisit un point entre le cou et l'épaule. Les dents de la scie allaient découper le plastique de la combinaison. Il en résulterait une dépressurisation instantanée. L'air à l'intérieur de la tenue allait fuir à l'extérieur… et l'air contaminé tout autour d'elle allait affluer par la déchirure. Deux ou trois inhalations et la variole allait pénétrer dans ses poumons.

En microgravité, il est impossible de bouger véritablement vite. Quand Reed entama son geste vers le bas, il parut l'exécuter au ralenti. Mais Megan s'éloigna d'une seule poussée, en se propulsant sur le côté de la porte. En même temps, elle enfonça le bouton d'ouverture. Avec un sifflement presque inaudible, la porte bascula, s'ouvrit, tandis que Reed venait dériver dans l'espace occupé par Megan juste une seconde plus tôt. La lourde porte le heurta en plein sur son casque, lui rejetant brutalement le cou en arrière, puis elle l'entraîna tout en achevant de s'ouvrir en grand. Ses doigts perdirent leur prise sur la scie, qui partit à la dérive.

Abasourdi et déboussolé, Reed tenta faiblement de rattraper Megan qui le contournait en flottant vers le tunnel. Une fois dedans, elle trouva un autre bouton, l'enfonça, et regarda la porte qui commençait de se refermer.

Allez, allez !

La porte semblait se rabattre lentement vers elle. Dès que Megan put atteindre les poignées sur la roue, elle se mit à tirer dessus.

Elle vit l'éclair de la scie pointer par l'interstice, à quelques centimètres seulement de la manche de sa combinaison. Alors que Reed armait son bras pour frapper encore, elle parvint à fermer la porte et à tourner la roue. Les verrous se calèrent et elle tira sur le levier de secours pour les bloquer en place.

La voix rauque de Reed lui fit bondir le cœur dans la gorge.

— Quelle petite futée tu fais, Megan. Tu m'entends ? Tu as réparé ton intercom, en plus ?

Elle appuya sur un bouton de son unité de transmission et entendit un léger crépitement.

— Je t'entends respirer, poursuivit Reed. Ou plus exactement, entrer en hyperventilation.

— Je t'entends, mais pas très bien, fit-elle. Il va falloir hausser le ton.

— Je suis ravi de constater que tu n'as pas perdu ton sens de l'humour, reprit Reed. Très retors, ce que tu as fait là. Tu faisais la morte, hein ? Tu m'attendais…

— Dylan… Elle ne savait par où commencer.

— Tu te crois en sécurité, n'est-ce pas ? Tant que les verrous de secours sont enclenchés, je ne peux pas entrer. Mais si tu réfléchis un peu, Megan, si tu mets de côté ta peur panique et si tu réfléchis vraiment, ce n'est pas vrai.

Elle déploya un énorme effort pour comprendre à quoi il faisait allusion, mais rien ne lui vint à l'esprit.

— Peu importe ce que tu crois pouvoir faire, tu ne sortiras jamais de ce vaisseau vivante, ajouta-t-il.

Réprimant un frisson, elle lui répliqua :

— Toi non plus tu ne gagneras pas, Dylan. Je vais détruire l'horreur que tu as fabriquée ici.

— Ah vraiment ? Tu n'as aucune idée de ce que j'ai fabriqué là-dedans.

Oh si, je le sais !

— Je trouverai bien !

— À moins de soixante minutes de l'atterrissage ? Je ne pense pas. Tout ce que tu vas pouvoir faire, c'est te débrouiller pour rester en vie pendant les dernières étapes de la rentrée dans l'atmosphère. Et puis, Megan, même si, tu trouvais, que ferais-tu ? Balancer le tout par les écoutilles à ordures ? Pas une mauvaise idée… si nous étions encore dans l'espace. Mais comme tu ignores sur quoi je travaillais, comment peux-tu être certaine que la chose mourrait une fois que nous serons dans l'atmosphère ? Balancer la chose par-dessus bord, cela reviendrait à courir le risque de la propager. Il s'interrompit un instant. Tu n'as pas vu les corps, n'est-ce pas ? Franchement, c'est pas plus mal. Mais si tu les avais vus, tu ne songerais pas une seconde à disperser ce virus dans la nature. Reed gloussa. Maintenant tu t'interroges, où est-ce que je l'ai fourré ? Comment l'ai-je dissimulé ? Tant de questions, et pas le temps de trouver les réponses. Parce que nous allons aborder la prochaine phase des secousses. Si j'étais toi, je trouverais quelque chose où m'accrocher... et en vitesse.

Megan entendit le déclic du micro lorsque Reed coupa la communication. Puis elle sentit un tremblement parcourir le vaisseau, quand l'orbiteur traversa une deuxième couche de l'atmosphère terrestre. Sans se retourner, elle s'achemina dans le tunnel qui conduisait au Spacelab.

*

Reed regagna le poste de pilotage et parvint à se sangler dans le siège du pilote tandis que les vagues de turbulences venaient frapper la navette. L'orbiteur frémit, puis il dévia de sa course. En vérifiant les instruments du tableau de bord, Reed remarqua que les moteurs du système de manœuvre orbitale s'étaient allumés, ralentissant le vaisseau juste assez pour que la gravité puisse exercer ses effets. Si tout allait bien, la pesanteur allait attirer *Discovery* hors de son orbite et l'amener en douceur dans une glissade vers la Terre.

Les frémissements se muèrent en séries de vibrations, tandis que la vitesse du vaisseau chutait de vingt-cinq fois à deux fois la vitesse du son. Puis les secousses cessèrent totalement et *Discovery* s'engagea sur sa trajectoire de descente. Le black-out des communications radio avait pris fin et Reed entendit la voix pressante de Landon.

— *Discovery*, vous me recevez? Dylan, vous m'entendez? Un silence. Nos instruments ont enregis-

tré une explosion à bord. Pouvez-vous confirmer ?
Est-ce que ça va ?

Je n'ai pas le temps de répondre à ça pour l'instant, Harry.

Reed coupa le canal de communications radio et jeta un coup d'œil sur le tableau de bord, jusqu'à ce qu'il trouve ce qu'il cherchait. Il avait prévenu Megan : si elle croyait qu'il ne pouvait accéder directement aux verrous de la porte du tunnel, elle se trompait. Il se demanda si elle avait compris comment. Probablement pas. Si brillante et si capable soit-elle, Megan était encore une novice. Elle ne pouvait pas savoir qu'un interrupteur, à partir du poste de pilotage, pouvait manœuvrer les verrous de la porte du tunnel en commande manuelle.

*

À l'intérieur du Spacelab, il n'y avait pas beaucoup de prises où se tenir, et donc Megan improvisa. Au centre du labo, il y avait un objet métallique qui ressemblait à un moderne chevalet de torture, et une sorte de chaise longue high-tech. L'Unité d'Expériences de Physiologie dans l'Espace, c'était sa dénomination technique. L'équipage l'appelait la chaise à bascule. C'était là que, couchés sur le dos et solidement sanglés, les astronautes subissaient des tests sur les muscles et les articulations, les effets de la gravité sur l'oreille interne et sur le globe oculaire, ainsi que diverses autres expériences.

Une fois sanglée dans la chaise à bascule, Megan put mieux supporter les turbulences. Ensuite elle détacha les sangles et, non sans effort, se mit debout. Elle fut aussitôt prise d'étourdissements, provoqués par la diminution du volume sanguin. Megan savait qu'il lui faudrait quelques minutes avant que ce volume sanguin ne croisse, à mesure que l'orbiteur approcherait de la Terre. Le processus serait plus rapide si elle disposait d'un peu d'eau et de tablettes de sel.

Mais tu n'en as pas. Et le temps presse !

Elle considéra la dizaine de casiers qui servaient de postes d'expérimentations dans le Spacelab.

Réfléchis ! Où est-ce qu'il aura mis ça ?

Le regard de Megan passa au système de mesure de l'accélération dans l'espace, puis à l'équipement d'analyse du point critique. *Non.* Elle se dirigea vers le module d'investigation vestibulaire de la microgravité, mais elle s'arrêta.

Un virus... Reed a modifié l'ordre des expériences. Il s'est placé en premier, il a pris ma place ! Il avait besoin du Biorack !

Megan se rendit devant le Biorack et alluma tous ses systèmes. L'écran d'affichage resta vide.

Quoi qu'il ait fait, il a effacé les fichiers.

Elle jeta un œil dans la Boîte à gants, et découvrit qu'elle était vide.

C'est là que tu as accompli ton boulot, espèce de fils de pute. Mais où as-tu stocké les résultats ?

Megan vérifia les deux unités d'incubation, les panneaux d'accès et de contrôle, et le tableau d'alimentation. Ce dernier était déjà allumé, avant même qu'elle ait touché au système d'exploitation du Biorack... *parce que le frigo est allumé !*

Megan ouvrit la porte et en examina le contenu. Tout était en place. On n'en avait rien retiré, on n'y avait rien ajouté. Restait le congélateur.

Elle abaissa le panneau, en inventoria rapidement le contenu. À première vue, rien d'inexplicable. Pas satisfaite, elle sortit un support à éprouvettes, examina les étiquettes, et remit le support en place. Elle répéta le processus avec deux autres supports. Sur le troisième, elle avisa une éprouvette sans étiquette.

*

Dès que le vol de la navette se fut stabilisé, Reed se détacha du siège du pilote. Il lança un programme de commande manuelle dans l'ordinateur, régla la minuterie, et activa la séquence. Si son évaluation était exacte, il devait atteindre la porte du tunnel juste au moment où le programme libérerait les verrous de secours.

En descendant par l'échelle, Reed atteignit l'entrepont et s'achemina d'un pas lourd vers la porte. Il n'eut que quelques secondes à attendre avant que les verrous ne s'ouvrent. Manœuvrant la roue, il ouvrit en poussant sur l'écoutille et se mit à ramper dans le tunnel. Une fois arrivé au bout, il ouvrit la porte du Spacelab en la tirant à lui. Megan était là, debout près du Biorack, en train de fouiller dans le congélateur.

Reed s'approcha derrière elle. Son bras droit la cueillit à la poitrine et il lui crocheta les jambes. La gravité fit le reste. Megan tomba en arrière, atterrit lourdement sur l'épaule et roula sur le ventre.

— Pas la peine de te relever, fit Reed dans son micro. Tu m'entends ?

Il la vit hocher la tête, puis il ouvrit le congélateur et en sortit un support à éprouvettes. Il savait exactement où il avait rangé celui qui contenait la variole, et il était bien là. Il le fourra dans une poche munie d'un rabat de sécurité en Velcro, et il recula. Megan avait roulé sur elle-même, ce qui lui permit de le voir.

— Tu peux encore arrêter tout ça, Dylan.

Il secoua la tête.

— Tu ne peux pas remettre le génie dans le flacon. Mais au moins tu mourras en sachant que c'est notre génie à nous.

Reed recula vers la porte, sans la quitter des yeux une seconde. Il posa le pied dans le tunnel, referma l'écoutille et la verrouilla.

L'horloge située au-dessus de sa tête affichait vingt minutes avant l'atterrissage.

CHAPITRE TRENTE

Il s'était écoulé un peu plus d'une heure depuis qu'Air Force One avait atterri à Groom Lake. Escorté par deux intercepteurs F-15 Eagle, il avait emprunté la piste construite une décennie plus tôt pour les essais en vol du bombardier B-2. Dès que la plate-forme présidentielle eut touché le sol, un contingent de sécurité de l'armée de l'air accompagna le chef de l'exécutif et son équipe vers le site d'atterrissage de la navette, à deux kilomètres de là.

Malgré la chaleur, le Président insista pour longer la piste à pied, accompagné de sa suite, avant de descendre par la rampe jusque dans la zone de confinement. Il jeta un œil à l'intérieur du bunker. Avec ses murs en béton lisse, ponctués uniquement par les orifices des jets de gaz, il lui évoqua un four crématoire géant.

Ce que c'est bel et bien, en réalité...

Le Président désigna un boyau en forme de cocon, haut de deux mètres cinquante, large d'un mètre cinquante, qui courait de l'un des murs vers le milieu du bunker comme un gigantesque cordon ombilical.

— Qu'est-ce que c'est? demanda-t-il à un lieutenant de la police de l'armée de l'air.

Quand il entendit le bruissement feutré d'une voiturette électrique pour terrain de golf, Adams Castilla se retourna. Assis à côté d'un garde de la sécurité de l'armée de l'air, il vit le docteur Karl Bauer. Dès que la voiturette se fut arrêtée à côté du groupe, Bauer en descendit et, adressant un hochement de tête à quelques membres de l'entourage présidentiel, il s'approcha directement du chef de l'exécutif.

— Monsieur le Président, fit-il d'un ton grave. Quel plaisir de vous revoir. Même si j'aurais préféré que ce soit dans des circonstances plus plaisantes.

Le Président savait que ses yeux étaient son point faible. Ils trahissaient toujours ses humeurs et ses émotions. Tâchant de ne pas repenser à ce que Smith et Klein lui avaient révélé, il s'efforça de sourire et de serrer la main à cet homme qu'il avait jadis respecté, qui avait eu l'honneur d'être reçu à la Maison Blanche. *Et qui est un salaud, un monstre.*

Mais sa réponse fut :

— Tout le plaisir est pour moi, docteur Bauer. Croyez-moi, je vous sais gré d'être ici. Il fit un geste en direction du cocon. Peut-être pourrez-vous m'expliquer ceci.

— Certainement.

Bauer ouvrit la marche jusqu'à l'extrémité du cocon. En regardant à l'intérieur, le Président s'aperçut que les deux derniers mètres de la cavité étaient hermétiquement séparés du reste, de manière à créer une sorte de coffre-fort ou de sas.

— Ce cocon portatif est de ma conception et de ma fabrication, expliqua Bauer. On peut le transporter par avion n'importe où dans le monde, puis le coupler par télécommande à sa cible. Son seul objectif est d'extraire un individu d'une zone sensible où il peut être difficile, voire impossible d'entrer… autrement dit, la situation à laquelle nous sommes confrontés.

— Pourquoi ne pas pénétrer directement dans la navette, docteur ? Avec des combinaisons de protection, c'est certainement possible.

— Possible, oui, monsieur le Président. Recommandé ? Non. Nous n'avons aucune idée de ce qui se promène dans l'orbiteur. Pour l'heure, nous avons un survivant, le docteur Reed, qui n'est pas contaminé. Il vaudrait mieux le sortir du vaisseau et lui faire subir le processus de décontamination plutôt que de risquer d'envoyer quelqu'un à l'intérieur. Il y aura moins de risques d'accident, et nous serons à même de découvrir rapidement ce qui s'est produit.

— Mais le docteur Reed ignore ce qui s'est passé, objecta le Président. Ou ce à quoi nous sommes confrontés.

— Nous n'en sommes pas sûrs, lui répliqua Bauer. Dans de pareilles circonstances, il n'est pas surprenant que des individus aient pu observer ou se rappellent davantage de choses qu'ils ne le croient. Quoi qu'il en soit, nous enverrons ensuite un robot prélever des échantillons. Nous avons ici tous les équipements de laboratoire nécessaires. Je pourrais vous dire dans l'heure à quoi nous avons affaire.

— Et en attendant, la navette restera stationnée ici, alors qu'elle est « chaude », pour employer vos termes.

— Vous pourriez évidemment donner l'ordre de la détruire immédiatement, lui répondit Bauer. Toutefois, il reste les corps des autres membres de l'équipage. S'il subsiste la moindre chance de les sortir de là, pour leur accorder une sépulture décente, j'estime que nous devrions nous y raccrocher.

Le Président lutta pour maîtriser sa fureur. Entendre ce boucher se préoccuper du sort de ses victimes, cela dépassait presque les limites du supportable.

— Je suis d'accord. Je vous en prie, continuez.

— Une fois le cocon accouplé à la navette, j'entrerai par l'autre extrémité... derrière le mur, expliqua Bauer. Je vais passer dans cette petite chambre de décontamination, la contrôler, et la fermer hermétiquement. C'est seulement à ce moment-là que nous donnerons au docteur Reed l'instruction d'ouvrir l'écoutille de *Discovery* et de descendre directement dans la zone de décontamination.

Bauer désigna l'un des tuyaux en PVC qui couraient au plafond sur toute la longueur du cocon.

— Ces tuyaux fournissent l'électricité et les détergents de décontamination. Cette chambre de décontamination est équipée de lampes ultraviolettes, qui sont mortelles pour toutes les formes connues de bactéries. Le docteur Reed se déshabillera. Sa combinaison et lui seront nettoyés en même temps... mis à part l'échantillon dont nous avons besoin.

— Pourquoi nettoyer la combinaison ?

— Parce que nous n'avons aucun moyen pratique de nous en débarrasser à l'intérieur de la chambre, monsieur le Président.

Le Président se souvint de la question que Klein lui avait demandé de soulever. La réponse de Bauer était vitale, mais il lui fallait l'obtenir sans éveiller le moindre soupçon.

— Si la combinaison doit être stérilisée, demanda-t-il, alors comment l'échantillon sort-il de là ?

481

— La chambre de décontamination possède un sas, expliqua Bauer. Le docteur Reed déposera l'échantillon sur un plateau mobile. De l'autre côté, je roulerai ce plateau jusque dans la Boîte à gants. Ainsi, l'échantillon restera dans un environnement sûr. Grâce à la Boîte à gants, je déposerai l'échantillon dans un conteneur étanche, puis je le sortirai.

— Et vous vous en occuperez personnellement.

— Comme vous pouvez le voir, monsieur le Président, l'espace à l'intérieur du cocon est quelque peu restreint. Oui, je vais opérer seul.

Comme ça, personne ne verra ce que vous fabriquez réellement.

Le Président s'éloigna du cocon.

— Tout cela est très impressionnant, docteur Bauer. Espérons que cela fonctionnera comme prévu.

— Cela ne fait pas de doute, monsieur le Président. Au moins, nous savons que nous pouvons sauver une de ces âmes valeureuses.

Le Président se tourna vers le groupe.

— J'imagine que nous sommes fin prêts.

— Je recommande que nous allions dans le bunker d'observation, suggéra le directeur de la CIA, Bill Dodge. La navette est à quinze minutes du sol. Nous pourrons suivre l'atterrissage sur les écrans.

— Y a-t-il eu un contact avec le docteur Reed ? s'enquit le Président.

— Non, monsieur. Les communications radio sont toujours coupées.

— Et cette explosion ?

— J'attends encore davantage de précisions, monsieur le Président, lui répondit Marti Nesbitt. Mais quoi qu'il en soit, cela n'a pas affecté la trajectoire de vol de *Discovery*.

Le groupe suivit le Président vers l'entrée du bunker, et Adams Castilla se retourna.

— Vous n'entrez pas avec nous, docteur Bauer ?

L'expression de Bauer avait toute la gravité requise.

— Oh, non, monsieur le Président. Ma place est ici.

*

En s'agrippant au système de mesure de l'accélération dans l'espace, Megan parvint à se relever. Sa poitrine lui faisait mal, à l'endroit où Reed l'avait frappée, et une douleur lancinante la lançait dans les reins, là où elle s'était reçue.

Le temps presse. Bouge !

Megan tituba jusqu'à la chaise à bascule. Elle ne doutait pas que Reed se servirait du système d'autodestruction de *Discovery* pour volatiliser toutes les preuves de son œuvre démoniaque. Ce serait le seul moyen d'assurer sa sécurité. C'est pourquoi il ne l'avait pas tuée avant de quitter le Spacelab. Megan jeta un coup d'œil à la chaise à bascule et elle comprit que c'était son seul espoir.

À l'intérieur du Spacelab, il n'y avait pas d'instruments de communications en tant que tels. Mais pendant les tests médicaux, les membres de l'équipage étaient connectés non seulement aux instruments d'enregistrement du bord, mais aussi à un système de relais qui acheminait les résultats directement aux médecins du contrôle de mission. Megan s'installa sur le fauteuil et se sangla les deux chevilles et un poignet. De sa main restée libre, elle brancha la prise du micro dans l'unité de communications de sa combinaison. À sa connaissance, l'unité renvoyait au contrôle de mission des informations numériques, et non vocales. Mais là encore, personne ne lui avait jamais affirmé que toute communication vocale était impossible.

Pourvu que quelqu'un m'entende à l'autre bout, et elle activa le panneau de contrôle des instruments de la chaise.

*

— « Détachement à Looking Glass, à vous. »

La voix du pilote du Comanche de tête crépita dans le casque de Smith. Une seconde plus tard, il entendit la réponse de la tour de Groome Lake.

— « Détachement, ici Looking Glass. Vous pénétrez dans un espace aérien à accès réservé. Autorisation immédiate demandée. »

— Code d'autorisation Brass Hat, répondit calmement le pilote. Je répète, Brass Hat.

Brass Hat était le nom de code du Président au sein des services secrets.

— « Unité du Détachement, ici Looking Glass, lui répondit le contrôleur aérien. Nous avons votre accord. Vous êtes autorisé à atterrir sur la piste R vingt-sept, L gauche. »

— R vingt-sept L gauche, compris, fit le pilote. Atterrissage dans deux minutes.

— Où est la navette ? demanda Smith.

Le pilote se brancha sur la fréquence de la NASA.

— À treize minutes d'ici.

*

Au contrôle de mission, Harry Landon suivait la progression de la navette dans l'atmosphère sur une table traçante géante, où elle apparut sous la forme d'un point rouge en lente descente. D'ici quelques minutes, les satellites évoluant à basse altitude seraient en mesure de transmettre des images. Quand *Discovery* serait en approche, les appareils de reconnaissance de l'armée de l'air feraient tourner leurs caméras.

— Landon ?

Landon leva les yeux vers le technicien des transmissions.

— Qu'y a-t-il ?

— Je ne suis pas trop sûr, monsieur, lui répondit le technicien, manifestement troublé. Il tendit à Landon un feuillet imprimé. Ceci vient de nous parvenir.

Landon jeta un coup d'œil sur la feuille.

— Ce sont des données médicales qui nous viennent de la chaise à bascule. Il secoua la tête. Ce doit être une anomalie. Reed est dans le poste de pilotage. Pour que ces données soient exactes, il faudrait que quelqu'un d'autre se trouve dans la chaise.

— En effet, monsieur, acquiesça le technicien. Il n'avait aucun besoin qu'on lui rappelle qu'il faudrait pour cela que quelqu'un d'autre ait survécu. Mais regardez aussi ceci. Les instruments de la chaise sont allumés. Le moniteur cardiaque montre des signes d'activité... très faibles, mais d'activité quand même.

Landon fit glisser ses lunettes sur son nez. Le technicien avait raison : le moniteur cardiaque enregistrait la présence d'un organisme vivant.

— Qu'est-ce que c'est que ça, bon sang ?

— Écoutez, monsieur, ajouta le technicien. Ce sont

les dernières minutes de l'enregistrement de bord. Nous l'avons laissé tourner, même si…

Landon attrapa l'écouteur.

— Passez-moi la bande !

Depuis le début de l'alerte, Landon avait écouté tellement d'heures d'échanges de transmissions qu'il n'eut aucun mal à faire abstraction du sifflement et du crachotement qui lui remplit les oreilles. Derrière les parasites, il entendit quelque chose, à peine discernable, mais une voix humaine, distinctement… une voix qui appelait du fin fond de l'éther.

« Ici… *Discovery*… Spacelab… suis en vie… Je répète, en vie… Aidez-moi… »

*

Jack Riley et son équipe du Détachement d'attaque sautèrent au-dehors avant même que les rotors des Comanche se soient immobilisés. Smith regarda en direction des énormes hangars alignés comme des tortues préhistoriques, au toit peint d'une couleur marron terne, pour se fondre avec ce paysage de désolation. Au sud et à l'ouest se dressaient les chaînes montagneuses ; au nord-est, rien que le désert. Même au milieu du vacarme des hommes et des machines, il régnait sur la base un calme étrange.

L'équipe chargea son matériel sur un camion à plateau qui venait de stopper à leur hauteur, puis les hommes y montèrent pour un court trajet. Smith et Riley suivaient à bord du véhicule de commandement.

L'intérieur du hangar était subdivisé afin de protéger l'équipe des regards indiscrets — et, soupçonnait Smith, d'éviter que les hommes ne voient ce qu'on avait stocké là. Ainsi que Riley l'avait promis, on y avait installé une console de communications, et l'opérateur était une jeune femme officier.

— Colonel, fit-elle. Vous avez une communication expresse de Bluebird.

Smith coiffa l'écouteur juste à l'instant où la voix de Klein lui parvenait.

— Quelle est votre position, Jon ?

— Nous enfilons tout de suite nos tenues de protection de Niveau Quatre. Où en est la navette ?

— Le temps que vous arriviez sur place, elle sera dans la chambre de confinement.

— Et Bauer ?

— Il ne soupçonne rien. Il est déjà en tenue et prêt à accoupler le cocon à la navette.

Smith avait vu les bleus et les photos de l'outil créé par Bauer, mais il n'était jamais entré à l'intérieur.

— Jon, il faut que vous sachiez quelque chose… Écoutez-moi bien, ajouta Klein. Voici quelques minutes, Landon a reçu une communication provenant de l'intérieur du Spacelab. C'était un signal de détresse. Nous le soumettons à vérifications en ce moment même. Je ne veux pas vous créer de faux espoirs, mais la voix ressemblait à celle de Megan.

Smith se sentit envahi d'une joie pure et intense. Et pourtant, en même temps, il avait bien conscience des conséquences potentiellement mortelles de ce nouveau développement.

— Landon en a-t-il parlé à Reed ?

— Pas que je sache. Les communications sont toujours coupées. Mais j'aurais dû prévenir Landon de se taire au cas où le contact serait rétabli. Attendez une seconde.

Smith s'efforça de maîtriser ses émotions contradictoires. L'idée que Megan soit en vie était synonyme d'espoir. Simultanément, si Reed venait à le découvrir, il lui resterait encore une possibilité de la tuer avant de quitter la navette.

— Jon ? Tout va bien. Landon me confirme que les communications sont toujours coupées. Je l'ai sacrément tourneboulé en lui ordonnant de ne pas en faire mention au cas où le contact radio serait rétabli, mais j'ai sa parole qu'il n'en dira pas un mot à Reed.

— Et concernant ces tests vocaux ? s'enquit Smith.

— Jusque-là, guère concluants.

— Pouvez-vous me faire écouter la bande ?

— Ça crachote pas mal.

Smith ferma les yeux et écouta. Au bout de quelques instants, il fit :

— C'est elle, monsieur. Megan est vivante.

CHAPITRE TRENTE ET UN

— Looking Glass, ici Eyeball. Me recevez-vous ?

— Eyeball, nous vous recevons cinq sur cinq. Que voyez-vous ?

— *Discovery* vient juste de percer la couverture nuageuse. Assiette correcte. Vitesse correcte. Elle va nous faire un atterrissage de précision.

— Compris, Eyeball. Restez en observation. Looking Glass, terminé.

L'échange entre Eyeball, le leader des chasseurs qui allaient escorter la navette, et la tour de contrôle de Groome Lake, fit l'objet d'une écoute attentive par un bon nombre de gens.

Dans le bunker d'observation, le Président jeta rapidement un coup d'œil autour de lui dans la salle. Tous les regards étaient rivés sur les écrans de contrôle qui montraient *Discovery* fendant le ciel. Sur un autre écran, il vit le docteur Karl Bauer sur le point de quitter la zone de décontamination, baptisée Salle de Préparation. Le Président respira à fond. D'ici peu… d'ici très peu de temps.

Vêtu d'une combinaison de protection contre le risque biologique de Niveau Quatre, Bauer pénétra dans le petit couloir reliant la Salle de Préparation et la porte massive, semblable à une porte de coffre-fort, qui allait lui permettre d'accéder à l'intérieur du cocon. Une fois devant, il leva brièvement la tête vers la caméra montée sur le mur et hocha la tête. Lentement, la porte commença de s'ouvrir, révélant une cavité taillée dans la paroi de béton. Cette extrémité du cocon était rattachée au mur de la cavité, et ses contours étaient soudés au béton. Bauer entra dans le cocon et immédiatement la porte commença de se refermer.

En face de lui s'ouvrait un long tunnel éclairé d'une lumière bleue. Lorsque la porte fut hermétiquement close, il avança sur un sol capitonné en caoutchouc. Les parois du cocon étaient fabriquées dans un plastique très dense et très épais, semi-transparent. En regardant à travers, Bauer put vaguement discerner les contours de la zone de confinement de la navette, éclairée par des projecteurs géants. Il s'avança vers la chambre de décontamination du cocon, et entendit alors un grondement sourd. Le bunker fut inondé d'un surcroît de lumière, et la rampe de la piste s'abaissa.

— Ici Bauer, fit-il dans son casque. Me recevez-vous ?

— Nous vous recevons, monsieur, lui répondit un technicien du bunker d'observation.

— La navette a-t-elle atterri ?

— Elle a presque touché le sol, monsieur.

— Bien, répondit Bauer, et il continua sa progression vers la chambre de décontamination du cocon.

À l'autre bout de la base, Smith écoutait lui aussi cet échange radio. Il se tourna vers Jack Riley.

— On embarque.

L'équipe grimpa à bord de deux camions bâchés. Smith aurait préféré utiliser les AVAB de commandement, plus manœuvrables et plus rapides, mais avec les combinaisons de protection, cela aurait posé un problème d'espace.

Les portes du hangar s'ouvrirent et le petit convoi, avec Riley à bord du véhicule de commandement, s'engagea dans le désert et dans la nuit. Ballotté sur une banquette à l'arrière du véhicule, Smith s'efforça de maintenir un petit moniteur de contrôle de la taille d'un Palm-Pilot aussi stable que possible. La navette n'était plus qu'à mille mètres au-dessus du sol désertique. Elle volait le nez légèrement relevé, et le train d'atterrissage était sorti et verrouillé. Malgré tous ses efforts, les pensées de Smith revenaient sans cesse vers Megan. Il savait que d'instinct, son premier mouvement serait de se précipiter sur l'orbiteur et de la chercher. Mais ce faisant, il mettrait son existence en péril. Il lui fallait d'abord trouver Reed et le neutraliser. Ensuite seulement, il pourrait se lancer à la recherche de Megan.

Smith se remémora les objections de Klein lorsqu'il lui avait fait part de ses intentions. Le chef du Réseau Bouclier partageait l'inquiétude de Smith pour Megan, mais il savait aussi à quel danger Smith allait s'exposer.

— Nous n'avons aucune garantie que vous la retrouviez vivante, Jon, lui avait-il dit. Avant que je ne vous envoie à l'intérieur, nous avons besoin de savoir à quoi nous avons affaire.

— Et nous le saurons, lui avait assuré Smith d'un ton grave.

La voix de Riley crépita dans son casque.

— « Jon, regardez au sud-est. »

Smith regarda par-dessus la porte arrière du camion

et vit des points lumineux en descente rapide. De part et d'autre, on apercevait les feux clignotants anticollision du chasseur d'escorte de la navette. Il écouta Riley décompter les chiffres de la descente :

— « Cent quatre-vingts mètres... soixante-dix mètres... atterrissage. »

Le convoi roulait sur une piste parallèle à celle empruntée par la navette. Smith vit l'orbiteur plonger en avant lorsque la roulette avant du train absorba son poids. Puis les parachutes jaillirent, s'ouvrirent et ralentirent le vaisseau spatial.

— «Et voici la cavalerie», entendit-il s'écrier Riley.

Trois camions de pompiers et un véhicule de transport de matériaux dangereux se déployèrent derrière la navette, en restant une quinzaine de mètres en retrait.

Smith les regarda passer devant eux, puis il fit :

— Allez, Jack. On forme les rangs.

Les deux camions se mirent en prise et suivirent le véhicule de commandement de Riley qui s'engageait sur le taxiway, puis la piste principale.

— Ne la lâchez pas, Jack ! cria Smith quand il vit la navette atteindre la rampe qui descendait vers le bunker.

Riley s'exécuta. Il fonça, et pila à l'entrée de la rampe à l'instant même où la navette disparaissait.

— Jon !

Mais Smith avait déjà bondi au-dehors et il pénétrait dans le bunker en courant. Aux deux tiers de sa descente, il sentit la rampe frémir et lentement se relever. Fonçant aussi vite que possible, il atteignit l'extrémité de la rampe pour s'apercevoir qu'il se trouvait à trois mètres au-dessus du sol du bunker. Smith respira un bon coup et sauta, se reçut durement, puis il plongea et roula sur lui-même. Couché sur le dos, il regarda la rampe se dresser, masquer le ciel, puis se verrouiller hermétiquement.

Il se releva, se retourna et vit le cocon, une espèce de ver blanc monstrueux sous les lampes zénithales. À l'intérieur, une ombre s'immobilisa dans ses mouvements et se tourna lentement vers lui.

*

Le docteur Karl Bauer avait regardé la navette se parquer, puis il se tourna vers la rampe. L'espace d'un instant, il avait cru apercevoir quelque chose tomber de là-haut, mais il écarta cette idée lorsqu'il entendit la rampe se refermer avec un frémissement. La caverne était hermétiquement close.

— Contrôle, ici Bauer.

— Ici contrôle, docteur, lui répondit un technicien. Tout va bien ?

— Oui. Je vais procéder à l'accouplement du cocon avec la navette. Quand le docteur Reed sera sorti, en sûreté, je refermerai l'écoutille du vaisseau. Bien compris ?

— Bien reçu, docteur. Bonne chance.

*

Scrutant à travers l'enveloppe de plastique, Smith vit la silhouette de Bauer se fondre, devenir de plus en plus vague au fur et à mesure que le scientifique s'enfonçait dans le cocon. En veillant bien à ne pas se faire voir, Jon se dirigeait vers la navette quand il repéra une fente arrondie dans le béton. Puis il en repéra une autre. Et plusieurs autres encore. Les emplacements où l'on avait évidé le béton pour y loger les tuyaux de gaz qui alimenteraient les flammes.

*

Dans le poste de pilotage, Dylan Reed était resté sanglé dans le siège du pilote jusqu'à ce qu'un témoin lumineux sur le tableau de bord lui indique que les systèmes de l'orbiteur étaient complètement inertes. La descente avait été éprouvante pour ses nerfs. À Cap Canaveral, on avait montré à Reed des simulations par ordinateur de la procédure par laquelle les ordinateurs de la NASA, en cas d'urgence, ramèneraient le vaisseau — et le feraient s'arrêter pile à l'emplacement désiré, en cas de nécessité. Il se rappela avoir souri et trouvé ça formidable. En son for intérieur, il s'était dit : *Bien sûr. Foncer à bord d'un appareil vieux de dix ans, construit par le soumissionnaire le moins cher du marché, et encore rempli de quelques centaines de litres de carburant résiduel extrêmement inflammable.* Et pourtant, en vertu d'on ne savait trop quel miracle, les ordinateurs et l'orbiteur avaient tous deux mené leur tâche à bien.

Reed se détacha, sortit de son siège, et descendit à l'entrepont. Il jeta un bref coup d'œil à la porte qui ouvrait le tunnel d'accès au Spacelab. Il se demanda si Megan Olson avait survécu. Peu importait. Elle ne reverrait plus jamais aucun visage familier.

Durant la rentrée dans l'atmosphère, Reed avait maintenu les canaux de communications en position éteinte. Il avait jugé qu'il ne supporterait pas les questions pleurnichardes et les inquiétudes exprimées par Harry Landon. Il n'avait pas non plus envie de se laisser distraire de ce qui l'attendait. Il se posta en face de l'écoutille de sortie, tapa le code alphanumérique de rétraction des verrous. Mais il fallait encore que l'écoutille soit ouverte de l'intérieur.

Reed jeta un coup d'œil sur la poche de son pantalon où il avait rangé la fiole de virus. Subitement, il eut très envie de s'en défaire.

Allez ! se dit-il, avec impatience.

Il sentit l'orbiteur se déplacer légèrement. Et puis encore une seconde fois. Il s'imagina avoir entendu le sifflement de l'air lorsque le cocon s'accoupla à la navette. De plus en plus impatient, il leva les yeux sur le tableau d'affichage au-dessus de sa tête. Une lampe verte s'alluma, indiquant que l'accouplement était terminé.

Reed passait de fréquence en fréquence sur la radio de sa combinaison quand, sans avertissement, l'écoutille s'ouvrit et il se retrouva en face du visage casqué du docteur Bauer.

— Vous ! s'écria-t-il.

*

Le plan originel prévoyait que Bauer attendrait Reed dans la salle de quarantaine de la chambre de décontamination. Mais avec Price et Richardson supprimés du scénario, Bauer avait décidé d'améliorer son plan initial. En manœuvrant les manettes du panneau de contrôle monté sur son piédestal, il suréleva le cocon pour que son ouverture vienne se loger contre celle de la navette. Une fois les joints étanches en place, il prit le temps de se glisser dans son nouveau rôle, et il ouvrit l'écoutille. L'air stupéfait de Reed le fit presque sourire.

— Que faites-vous ici ? lui demanda le chef du programme médical de la navette. Quelque chose ne va pas ?

Bauer lui fit signe de reculer, pour qu'il puisse entrer à son tour.

— Richardson est mort, lâcha-t-il sans détour. Et Price aussi.

— Mort ? Mais comment… ?

Bauer se mit à combiner les mensonges.

— Le Président est au courant pour le virus.

Même à travers sa visière de protection, Bauer vit à quel point Reed pâlit.

— C'est impossible !

— C'est la vérité, lui répondit Bauer. Maintenant écoutez-moi. Il nous reste encore une issue. Vous m'écoutez ?

Le casque de Reed s'inclina quand il hocha la tête.

— Bien. Maintenant confiez-moi l'échantillon.

— Mais comment allons-nous… ?

— Sortir d'ici ? Grâce à moi. Écoutez, Dylan. Je n'ai aucune indication sur ce que savent exactement Castilla et son entourage au sujet de Richardson et Price. Peut-être les ont-ils déjà reliés à vous. Mais nous ne pouvons pas nous permettre de courir ce risque. Si vous êtes dans le collimateur, tout est fini. Mais ils n'oseraient pas lever le doigt sur moi.

— Et que va-t-il m'arriver ? demanda Reed, d'une voix où se percevait la peur panique.

— Rien. Vous avez ma parole. Le temps que tout cela soit terminé, vous serez un héros, le seul survivant d'une mission qui a tragiquement mal tourné. Maintenant donnez-moi l'échantillon.

Précautionneusement, Reed plongea la main dans sa poche et en sortit la fiole. Il recula promptement quand Bauer l'ouvrit calmement et en versa le contenu mortel sur un contrefort en acier.

— Vous êtes fou ? cria Reed. C'est tout ce que nous avons !

— Je n'ai pas dit que je n'allais pas en prélever un peu, lui répondit Bauer.

Il sortit un tampon et une minuscule capsule en céramique, de la taille d'une gélule de vitamines. En se penchant sur la flaque qu'il venait de répandre, il trempa le tampon dans le liquide, en rompit le bout, et le glissa dans la capsule qu'il referma hermétiquement. Reed le regarda faire, décontenancé. Il ne saisissait pas vraiment le rôle de cette capsule.

— Vous allez emporter ça dehors comme ça ? demanda-t-il. Et le processus de décontamination ?

— La céramique protégera l'échantillon, lui répondit Bauer. Après tout, c'est le matériau des plaques fixées sur le ventre de la navette, qui la protègent de la chaleur lors de la rentrée dans l'atmosphère. Ne vous inquiétez pas, Dylan. Tout cela fait partie de mon nouveau plan.

Pour Reed, quelque chose clochait.

— Alors qu'est-ce que je…

Du coin de l'œil, il vit l'éclair d'un scalpel qui entailla sa combinaison, en la découpant jusqu'à la chair.

— Non ! hurla-t-il, en titubant en arrière.

— Les témoins ne font pas partie de mon nouveau plan, fit Bauer. Si je vous laisse sortir, les enquêteurs vous mettraient en pièces. Et comme fondamentalement vous êtes un être faible, vous parleriez. Mais si vous ne survivez pas, alors c'est moi qui écrirai le chapitre final de l'histoire de *Discovery*, un chapitre fort triste.

Quand Reed tenta désespérément de l'agripper, Bauer se contenta de s'écarter d'un pas. Reed tomba et roula sur lui-même, puis il se mit à trembler violemment. Son corps fut saisi de convulsions qui lui firent cambrer la colonne vertébrale, comme un arc que l'on bande. En restant à bonne distance, Bauer regarda, fasciné, sa création accomplir son œuvre de mort. Il ne parvint pas à quitter Reed des yeux plus de quelques secondes, pas même quand il arma la séquence d'autodestruction de la navette.

CHAPITRE TRENTE-DEUX

Ça ne viendra pas de ces jets de gaz. Ce sera autre chose... Mais quoi ?

Cette question résonnait dans la tête de Smith lorsqu'il se rua sous l'aile gauche de la navette en direction du train d'atterrissage. Soit Bauer l'ignorait, soit il avait négligé le fait qu'il existait une autre voie d'accès à l'intérieur de l'appareil que le cocon. Smith grimpa sur les pneus, puis se hissa sur la jambe et sur le mécanisme du train. D'un coup sec, il ouvrit une petite écoutille, passa la main dedans, et tira sur une manivelle. Il logea une extrémité de cette manivelle dans une rainure, puis il commença de tourner. Petit à petit, une autre porte, bien plus large, s'écarta de la coque de l'orbiteur.

Repoussant cette porte de côté, Smith se hissa dans le ventre de la soute située derrière le Spacelab. Il se retrouva accroupi à côté des conteneurs du poste de largage de la soute, l'emplacement où l'on stockait les matériels d'expériences et les réserves. En face, il y avait une écoutille ovale, semblable à une porte étanche de sous-marin — la porte arrière du Spacelab.

*

À l'intérieur du Spacelab, Megan Olson, horrifiée, fixait du regard la roue de la porte arrière qui tournait de plus en plus vite. Adossée contre la chaise à bascule, elle se sentait nauséeuse, prise de vertige. Elle avait eu beau se sangler aussi solidement que possible, les trépidations de la rentrée dans l'atmosphère l'avaient très fortement ébranlée. Elle avait l'impression qu'on lui avait martelé tout le corps.

Il n'est pas trop tard. Je peux encore sortir de là.

Se raccrochant à cette pensée, elle descendit de la chaise à bascule et se dirigea en titubant vers la porte qui reliait le labo au tunnel. Mais après avoir essayé quelques minutes, elle se rendit compte que soit elle était trop faible, soit l'écoutille était verrouillée de l'extérieur.

Refoulant ses larmes, elle avait désespérément tenté de réfléchir à une autre issue. Là-dessus elle avait entendu les bruits en provenance du poste de largage de la soute.

Pourquoi Reed revient-il? Et pourquoi en passant par là?

Megan chercha éperdument quelque chose qui puisse lui servir d'arme, sans rien trouver. Elle entendit le sifflement d'une porte étanche que l'on ouvre. Lorsque cette dernière se rabattit en arrière, Megan se plaqua sur le côté, les deux bras levés au-dessus de sa tête. Contre Reed, l'effet de surprise serait sa seule défense.

D'abord une jambe apparut, puis deux bras. Dès qu'elle vit le casque, elle rabaissa les bras. Puis, en une fraction de seconde, elle s'aperçut qu'il ne s'agissait pas d'une combinaison spatiale, mais d'une tenue conçue pour le travail en milieu contaminé. Elle parvint à stopper son geste juste à l'instant où la silhouette relevait la tête vers elle.

— Megan !

Elle tenta d'étreindre Smith, mais ses mains gantées glissèrent sur sa tenue. L'instant d'après, c'était lui qui la tenait par les épaules, son casque heurtant le sien, leurs visières se touchant. Elle ne pouvait détacher ses yeux des siens. Elle s'appuya contre son épaule et pleura, à cause de tout ce qui, quelques instants plus tôt, semblait devoir lui être arraché, et qui lui était maintenant restitué. Elle recula un peu pour le voir.

— Comment as-tu su ?

— Le contrôle de mission t'a entendue. Ils n'ont pas capté grand-chose, mais suffisamment pour savoir que tu étais en vie.

— Et tu es venu...

Ils se dévisagèrent, puis Smith ajouta :

— Allez. Il faut qu'on sorte de là.

— Mais Reed...

— Je sais tout sur son compte, lui expliqua Smith. Il travaillait pour Karl Bauer.

— Bauer ?

— C'est l'homme que tu as vu avec Reed la nuit précédant le lancement. En ce moment même, Bauer est à bord. Il est venu chercher le virus mutant de la variole que Reed a créé en microgravité. Mais il ne va pas se contenter de sortir d'ici, Megan. Il faut qu'il détruise toutes les preuves de ce qui s'est passé sur ce vol.

C'est alors qu'il lui expliqua à quel endroit exact la navette se trouvait stationnée et pourquoi, et il l'informa de la chambre de confinement qui n'était en réalité qu'un four crématoire géant.

Megan secoua la tête.

— Non, Jon, le corrigea-t-elle. Il va s'y prendre autrement.

— Que veux-tu dire ?

Megan désigna un afficheur qu'elle avait remarqué un peu plus tôt.

— C'est la séquence d'autodestruction, armée, et le compte à rebours a commencé. Une fois déclenchée, on ne peut ni la couper ni la reporter. Nous avons moins de quatre minutes avant que la navette n'explose.

*

Soixante-dix secondes plus tard, Smith et Megan Olson descendaient du vaisseau par là où Smith était entré.

En découvrant autour d'elle la caverne de la chambre mortuaire, Megan eut un frisson. Elle se tourna vers Smith, qui verrouillait l'écoutille par laquelle ils venaient de sortir.

— Que fais-tu ?

— Je m'assure que personne ne nous suit. Il posa le pied sur un pneu, puis sur le sol. Allons-y.

En se déplaçant aussi vite que le permettaient leurs volumineuses combinaisons, ils contournèrent l'aile. Quand Megan vit le cocon accouplé à l'écoutille inférieure de la navette et, à l'autre extrémité, à la cavité ménagée dans le mur du fond, elle en eut le souffle coupé.

— C'est par là que nous sommes supposés sortir ?

— C'est la seule issue.

Ils approchèrent du cocon, et Smith vit que l'écoutille de la navette était fermée. Il n'y avait aucun signe de Bauer à l'intérieur du tunnel en matériau plastique ou dans le sas de la chambre de décontamination. Il sortit de sa combinaison du Détachement un couteau à lame rétractable, et l'entailla en quelques coups nets, pour pratiquer une ouverture dans le cocon.

— Passe, fit-il à Megan, puis il la suivit à l'intérieur du cocon.

Une fois entrée, Megan se retourna car elle ne sentait plus la main de Smith posée sur son épaule. Elle le découvrit qui fixait l'écoutille du regard.

— Jon, le temps presse !

Puis elle vit l'expression froide et sans pitié derrière la visière, et ses yeux emplis de chagrin. La colère de Smith se déversa en elle quand elle se représenta les corps de ses camarades, la mort terrible qu'ils avaient connue. Elle comprit exactement son intention.

— Emprunte le tunnel, lui dit Smith. Ne t'arrête pas. Ne te retourne pas. Il y a une chambre de décontamination juste derrière la porte antidéflagration.

— Jon… ?

— Vas-y, Megan.

Smith ne réfléchit pas au temps qui lui restait, aux chances qu'il avait de sortir vivant de la chambre de confinement. Il savait que des hommes comme Bauer, riches et puissants, payaient rarement pour leurs crimes, si ce n'est jamais — surtout dès lors que ceux qui auraient pu les confondre étaient déjà morts. Pire encore, Bauer essaierait de nouveau. Un jour, ailleurs, un autre Pacte Cassandre se conclurait.

Smith franchit en vitesse le petit sas de décontamination — de la taille d'une cabine de douche — et arriva à l'écoutille. Par le hublot rectangulaire, il vit le corps mutilé de Dylan Reed, et Bauer qui tenait une capsule en céramique dans la paume de la main.

Il n'allait pas sortir la totalité de l'échantillon. Il n'en avait pas besoin. Une goutte serait amplement suffisante. Une goutte qu'il pourrait dissimuler dans sa tenue ; cela lui suffirait à recréer cette monstruosité.

Smith s'accroupit, ouvrit un panneau à la base de l'écoutille et engagea la commande manuelle. Il se releva juste au moment où Bauer se retournait, avec une expression de totale incrédulité.

Ce n'est pas possible… !

Smith vit les lèvres de Bauer remuer, mais n'entendit les mots qu'il prononçait qu'après avoir changé de fréquence sur la radio de son casque.

— … faites-vous ici ?

En silence, il regarda Bauer taper sur le clavier, regarda son incrédulité se muer en terreur lorsque l'écoutille refusa de s'ouvrir.

— Que faites-vous ici ? hurla Bauer. Ouvrez cette écoutille !

— Non, docteur, lui répondit Smith. Je pense que je vais vous laisser en tête à tête avec votre création.

Le visage de Bauer se déforma, sous l'effet de la peur.

— Écoutez-moi… !

Smith changea de fréquence et s'éloigna. Il crut entendre des poings marteler l'écoutille, mais il savait que ce n'était que le fruit de son imagination.

— Contrôle, ici Smith. Où est Olson ?

Des parasites crachotèrent dans son oreille, une voix familière se fit entendre.

— Jon, c'est Klein. Megan est en sécurité. Elle est dans la zone de décontamination. Elle m'a indiqué que l'autodestruction était armée.

— Bauer l'a armée.

— Où est-il ?

— Toujours à l'intérieur.

Après un instant d'hésitation, Klein lui répondit.

— Compris. Nous ouvrons la porte antidéflagration, Jon. Mais il ne vous reste plus que quelques secondes. Vite !

Au bout du cocon, Smith vit la porte monumentale commencer à pivoter. Trempé de sueur, il fit un effort énorme pour avancer encore plus vite. C'était là, la cavité creusée dans le mur au bout du cocon.

Puis la porte s'immobilisa et commença de se refermer. Il était encore à cinq mètres.

— Que se passe-t-il ? s'écria-t-il.

— La porte se ferme automatiquement, lui hurla Klein. Elle sera étanche cinq secondes avant l'explosion. Jon, sortez de là.

Smith arracha toute l'énergie qu'il put à ses muscles déjà soumis au supplice. Un pas de plus, et un autre, et encore un, et encore un autre…

La porte antidéflagration se refermait inexorablement, réduisant la taille de l'ouverture. Dans un dernier effort désespéré, Smith se précipita en avant, atteignit la tranche de la porte, se faufila, la porte l'effleura et se verrouilla.

Quelques secondes plus tard, il fut projeté au sol, la terre parut se soulever, et une sorte de poing géant s'écrasa contre la cloison antidéflagration.

*

Il ouvrit les yeux devant un monde tout blanc : plafond, murs, draps. Mû par l'instinct du soldat, il resta parfaitement immobile, puis il remua lentement, en bougeant prudemment la nuque, les mains, les pieds, et les jambes. Il avait l'impression que son corps avait descendu les chutes du Niagara dans un tonneau.

La porte s'ouvrit et Klein entra.

— Où suis-je ? demanda Smith d'une voix faible.

— Sur la terre des vivants, je suis heureux de vous l'annoncer, lui répondit Klein. Les médecins m'ont assuré que tout irait bien.

— Comment… ?

— Après l'explosion de la navette, Jack Riley et son équipe sont entrés dans la chambre de décontamination, ils vous ont fait passer tout le processus, puis ils vous ont sorti de là.

— Megan ?

— Elle va bien. Vous allez tous les deux bien.

Smith sentit ses membres se changer en marmelade.

— C'est fini, chuchota-t-il.

Quelque part, très loin, il entendit Klein lui répondre.

— Oui. Le pacte est rompu.

Épilogue

Selon les reportages des médias, le général Frank Richardson et Anthony Price, le directeur adjoint de la NSA, s'étaient tués dans un tragique accident, dû à un circuit de freinage défectueux. Richardson reçut des funérailles de chef de guerre au Cimetière national d'Arlington, et Price fut enterré dans la concession familiale du New Hampshire. Le Président, invoquant des engagements à l'étranger, ne fut présent à aucune des deux cérémonies.

D'autres articles évoquèrent un jet privé qui s'était abîmé en mer au-dessus de l'océan Pacifique. L'avion, propriété du groupe pharmaceutique Bauer-Zermatt, avait plongé à environ mille kilomètres à l'ouest de Los Angeles, durant un vol à destination de Big Island, à Hawaï. Il n'y avait qu'un seul passager à bord : Karl Bauer.

Le président Castilla convia la nation à un deuil national, suite à la plus grande tragédie spatiale depuis le désastre de *Challenger*. La commission d'enquête avait conclu que l'explosion à bord de la navette *Discovery* était due à des problèmes de pompe à carburant durant la descente vers la base d'Edwards.

— Que va-t-il advenir de Megan ? demanda Randi Russell.

Elle se tenait à côté de Smith, dans un petit cimetière du nom de Tsarsnoye, qui surplombait Moscou et la rivière.

— Elle n'est plus Megan, lui répondit Smith. Elle porte un nouveau nom, elle a un nouveau visage, une nouvelle identité. Il s'interrompit. Elle a survécu, mais au bout du compte on l'a comptée parmi les victimes. On n'avait pas le choix. Elle devait renoncer à son ancienne vie, si l'on voulait que le secret demeure sur ce qui s'était réellement produit.

Randi hocha la tête. À travers le téléphone arabe de la CIA, elle avait entendu dire qu'un ou plusieurs des astronautes avaient survécu. Mais au bout d'un certain temps, les bruits s'étaient tus. À l'arrivée de Smith à Moscou, elle s'était adressée à lui pour connaître la vérité. Megan Olson était une amie de longue date de Sophia… et de Randi. Elle estimait avoir le droit de savoir si Megan était encore en vie, quelque part.

— Merci de m'avoir dit la vérité à son sujet, fit-elle.

Smith regarda la rangée de pierres tombales.

— Sans ton aide, tout ceci se serait terminé autrement, lui souffla-t-il.

Smith avança et déposa un bouquet sur la tombe de Youri Danko.

— Sans quelques êtres courageux, où serions-nous tous ?

Composition réalisée par INTERLIGNE

Imprimé en France sur Presse Offset par

BRODARD & TAUPIN

GROUPE CPI

La Flèche (Sarthe).
N° d'imprimeur : 23504 – Dépôt légal Éditeur 45138-04/2004
Édition 1
LIBRAIRIE GÉNÉRALE FRANÇAISE - 43, quai de Grenelle - 75015 Paris.
ISBN : 2 - 253 - 09057 - 3